수능기초 **10**일 **격파** 영어 영역 **듣기**

차례

10일 동안 공부할 날짜를 정하여 계획에 따라 공부해 보세요.

봉합 모의고사 08~10일차

구성과 활용

수능 듣기 유형 14개를 하루에 2개씩 7일 동안 학습하고 3일 동안 실전 테스트!

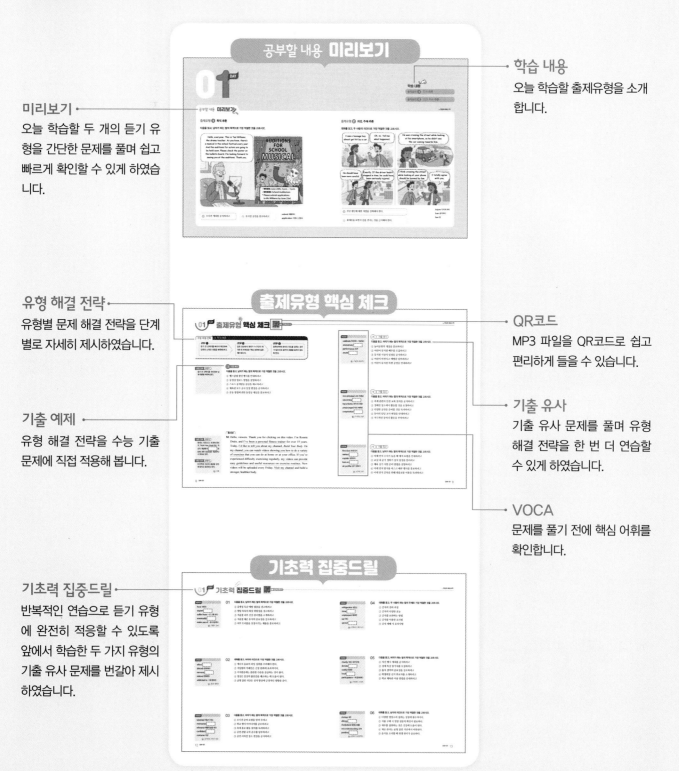

미리보기
오늘 학습할 두 개의 듣기 유형을 간단한 문제를 풀며 쉽고 빠르게 확인할 수 있게 하였습니다.

학습 내용
오늘 학습할 출제유형을 소개합니다.

유형 해결 전략
유형별 문제 해결 전략을 단계별로 자세히 제시하였습니다.

기출 예제
유형 해결 전략을 수능 기출 문제에 직접 적용해 봅니다.

QR코드
MP3 파일을 QR코드로 쉽고 편리하게 들을 수 있습니다.

기출 유사
기출 유사 문제를 풀며 유형 해결 전략을 한 번 더 연습할 수 있게 하였습니다.

VOCA
문제를 풀기 전에 핵심 어휘를 확인합니다.

기초력 집중드릴
반복적인 연습으로 듣기 유형에 완전히 적응할 수 있도록 앞에서 학습한 두 가지 유형의 기출 유사 문제를 번갈아 제시하였습니다.

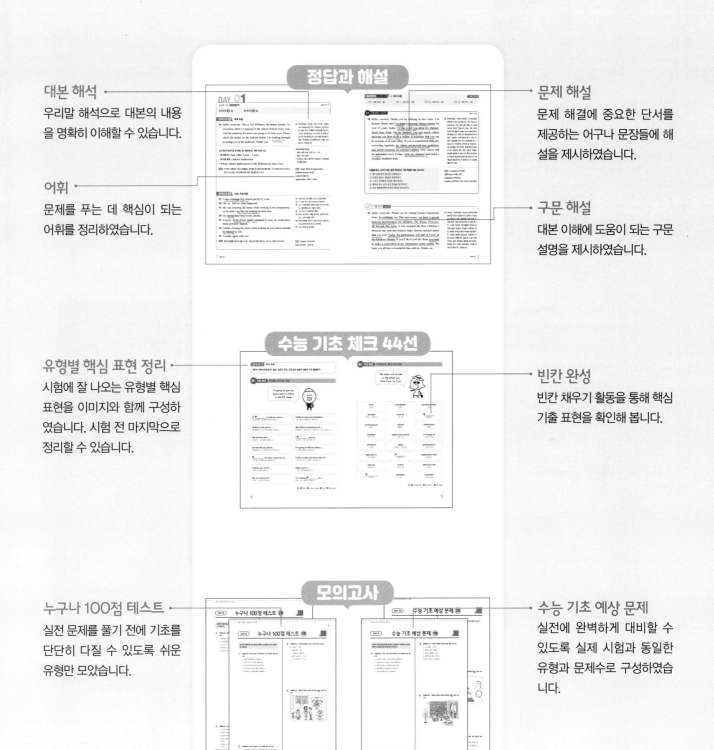

대본 해석
우리말 해석으로 대본의 내용을 명확히 이해할 수 있습니다.

어휘
문제를 푸는 데 핵심이 되는 어휘를 정리하였습니다.

정답과 해설

문제 해설
문제 해결에 중요한 단서를 제공하는 어구나 문장들에 해설을 제시하였습니다.

구문 해설
대본 이해에 도움이 되는 구문 설명을 제시하였습니다.

수능 기초 체크 44선

유형별 핵심 표현 정리
시험에 잘 나오는 유형별 핵심 표현을 이미지와 함께 구성하였습니다. 시험 전 마지막으로 정리할 수 있습니다.

빈칸 완성
빈칸 채우기 활동을 통해 핵심 기출 표현을 확인해 봅니다.

모의고사

누구나 100점 테스트
실전 문제를 풀기 전에 기초를 단단히 다질 수 있도록 쉬운 유형만 모았습니다.

수능 기초 예상 문제
실전에 완벽하게 대비할 수 있도록 실제 시험과 동일한 유형과 문제수로 구성하였습니다.

DAY 01

공부할 내용 미리보기

출제유형 ❶ 목적 추론

다음을 읽고, 남자가 하는 말의 목적으로 가장 적절한 것을 고르시오.

Hello, everyone. This is Ted Williams, the drama teacher. As you know, there's a musical in the school festival every year. And the auditions for actors are going to be held soon. Please check the poster on the bulletin board. I'm looking forward to seeing you at the auditions. Thank you.

AUDITIONS FOR SCHOOL MUSICAL

- **WHEN:** June 24th, 3 p.m. – 5 p.m.
- **WHERE:** School Auditorium
- * Please submit applications to Mr. Williams by June 23rd.

ⓐ 오디션 개최를 공지하려고

ⓑ 뮤지컬 공연을 홍보하려고

submit 제출하다
application 지원서, 신청서

● 정답과 해설 2쪽

출제유형 **2** 의견, 주제 추론

대화를 읽고, 두 사람의 의견으로 가장 적절한 것을 고르시오.

ⓐ 무단 횡단에 대한 처벌을 강화해야 한다.

ⓑ 휴대폰을 보면서 길을 건너는 것을 금지해야 한다.

injure 다치게 하다
ban 금지하다
law 법

출제유형 핵심 체크

《▶ 전체 듣기

유형 해결 전략 ┃ 1 목적 추론

STEP ❶
듣기 전 선택지를 빠르게 확인하며 담화의 소재와 내용을 예측해 본다.

STEP ❷
담화 초반에서 화자가 누구인지 파악한 후 반복되는 핵심 표현에 집중해서 듣는다.

STEP ❸
중후반부에 화자의 의도를 말하는 경우가 많으므로 끝까지 흐름을 놓치지 않도록 한다.

해결 전략 STEP 1
듣기 전 선택지를 확인하며 담화 내용을 예측해 본다.

01 기출 예제

다음을 듣고, 남자가 하는 말의 목적으로 가장 적절한 것을 고르시오.

① 헬스클럽 할인 행사를 안내하려고
② 동영상 업로드 방법을 설명하려고
③ 스포츠 중계방송 중단을 예고하려고
④ 체육관 보수 공사 일정 변경을 공지하려고
⑤ 운동 방법에 관한 동영상 채널을 홍보하려고

해결 전략 STEP 2
화자는 피트니스 트레이너이고, 'Build Your Body'라는 자신의 채널에서 ▢ 방법에 관한 동영상을 제공한다고 말하고 있다.

해결 전략 STEP 3
마지막에 자신의 채널을 방문해 달라고 홍보하고 있다.

답 | 운동

Script

M: Hello, viewers. Thank you for clicking on this video. I'm Ronnie Drain, and I've been a personal fitness trainer for over 15 years. Today, I'd like to tell you about my channel, *Build Your Body*. On my channel, you can watch videos showing you how to do a variety of exercises that you can do at home or at your office. If you've experienced difficulty exercising regularly, my videos can provide easy guidelines and useful resources on exercise routines. New videos will be uploaded every Friday. Visit my channel and build a stronger, healthier body.

VOCA

celebrate 축하하다, 기념하다

anniversary

performance 공연

award

답 | 기념일, 수여하다

01-1 기출 유사

다음을 듣고, 여자가 하는 말의 목적으로 가장 적절한 것을 고르시오.

① 놀이공원의 개장을 홍보하려고
② 어린이 뮤지컬 배우를 모집하려고
③ 뮤지컬 시상식 일정을 공지하려고
④ 어린이 안전사고 예방을 당부하려고
⑤ 어린이 뮤지컬 특별 공연을 안내하려고

VOCA

vice principal 교감 선생님

upcoming

top priority 최우선 (사항)

prearranged 미리 계획된

cooperation

답 | 다가오는, 협조

01-2 기출 유사

다음을 듣고, 여자가 하는 말의 목적으로 가장 적절한 것을 고르시오.

① 축제 관련자 안전 교육 참석을 공지하려고
② 정해진 장소에서 활동할 것을 요청하려고
③ 다양한 공연을 준비할 것을 독려하려고
④ 동아리 담당 교사 변경을 안내하려고
⑤ 적극적인 동아리 활동을 부탁하려고

VOCA

fine dust 미세 먼지

serious

explain 설명하다

turn on

air purifier 공기 정화기

답 | 심각한, 켜다

01-3 기출 유사

다음을 듣고, 남자가 하는 말의 목적으로 가장 적절한 것을 고르시오.

① 미세 먼지 수치가 높을 때 대처 요령을 안내하려고
② 교실 내 공기 정화기 설치 일정을 알리려고
③ 체육 실기 시험 준비 방법을 설명하려고
④ 미세 먼지 방지용 마스크 배부 행사를 홍보하려고
⑤ 미세 먼지 감축을 위해 대중교통 이용을 독려하려고

유형 해결 전략 **2 의견, 주제 추론**

STEP ❶
듣기 전 선택지를 통해 대화 내용을 예측해 본다. 교육, 환경, 건강 관련 소재가 많이 나온다.

STEP ❷
주로 중후반부에 의견이 제시되므로 사실적인 내용과 화자의 의견을 구분하며 듣는다.

STEP ❸
I think, should, had better, need to 등과 같이 의견을 나타낼 때 쓰는 표현에 유의한다.

해결 전략 STEP 1
듣기 전 선택지를 확인하며 대화의 소재를 파악하고 내용을 예측해 본다.

02 기출 예제

대화를 듣고, 여자의 의견으로 가장 적절한 것을 고르시오.

① 별 관찰은 아이들이 수학 개념에 친숙해지도록 도와준다.
② 아이들은 별 관찰을 통해 예술적 영감을 얻는다.
③ 야외 활동이 아이들의 신체 발달에 필수적이다.
④ 아이들은 자연을 경험함으로써 인격적으로 성장한다.
⑤ 수학 문제 풀이는 아이들의 논리적 사고력을 증진시킨다.

Script

W: Good morning, Chris.

M: Good morning, Julie. How was your weekend?

W: It was wonderful. I went to an event called Stargazing Night with my 7-year-old son.

M: Oh, so you went outdoors to look up at stars. Your son must have had a great time.

W: Yes. And I think it helped my son become familiar with mathematical concepts.

M: Interesting! How does it do that?

W: By counting the stars together, my son had a chance to practice counting to high numbers.

M: Ah, that makes sense.

W: Also, he enjoyed identifying shapes and tracing patterns that stars form together.

M: Sounds like you had a magical and mathematical night!

W: Absolutely. I think looking at stars is a good way for kids to get used to mathematical concepts.

M: Maybe I should take my daughter to the event next time.

해결 전략 STEP 2
여자는 아들과 함께 별을 관찰하는 행사에 참여했다. 대화 중후반부에 여자는 별을 관찰하는 것이 수학 개념을 익히는 데 도움이 된다는 자신의 ☐☐ 을 말하며 두 가지 예를 들었다.

해결 전략 STEP 3
마지막에 여자는 자신의 의견을 다시 한번 말하고 있다. 여자는 의견을 말할 때 두 번 다 ☐☐ 라는 표현으로 시작했다.

답 | 의견, I think

VOCA

organize 정리하다

thought [   ]

definitely 분명히

improve [   ]

답 | 생각, 향상시키다

02-1 기출 유사

대화를 듣고, 두 사람이 하는 말의 주제로 가장 적절한 것을 고르시오.

① 코딩 학습의 이점

② 코딩 시 주의할 점

③ 코딩 기술이 필요한 직업

④ 조기 코딩 교육의 문제점

⑤ 코딩 초보자를 위한 학습법

VOCA

sweat 땀을 흘리다

at all [   ]

work 효과가 있다

energetic [   ]

답 | 전혀, 활기찬

02-2 기출 유사

대화를 듣고, 남자의 의견으로 가장 적절한 것을 고르시오.

① 땀을 많이 흘린 후에는 수분 보충이 중요하다.

② 운동 전 음식 섭취가 운동을 위한 힘을 준다.

③ 운동은 땀을 흘릴 만큼 충분히 해야 한다.

④ 달리기 전 충분한 준비 운동을 해야 한다.

⑤ 꾸준한 운동이 건강한 신체를 만든다.

VOCA

wrap [   ]

decorate 장식하다

packaging 포장(재)

environment 환경

reduce [   ]

답 | 포장하다, 줄이다

02-3 기출 유사

대화를 듣고, 여자의 의견으로 가장 적절한 것을 고르시오.

① 받는 사람에게 필요한 것을 선물해야 한다.

② 정성 어린 선물 포장은 선물의 가치를 높인다.

③ 선물 포장을 위해 다양한 재료를 활용해야 한다.

④ 선물을 받으면 적절한 감사 인사를 하는 것이 좋다.

⑤ 환경을 위해 선물 포장을 간소하게 할 필요가 있다.

VOCA

host 사회자
expert [ ]
suffer from ~로 고통받다
eventually [ ]
make use of ~을 이용하다
답 | 전문가, 결국

01 다음을 듣고, 남자가 하는 말의 목적으로 가장 적절한 것을 고르시오.

① 유행성 독감 예방 접종을 권고하려고
② 열탕 목욕의 화상 위험성을 경고하려고
③ 겨울철 피부 건강 관리법을 소개하려고
④ 겨울철 체온 유지의 중요성을 강조하려고
⑤ 피부 트러블을 진정시키는 제품을 홍보하려고

VOCA

effect [ ]
disturb 방해하다
nervous [ ]
relieve 완화하다
addicted to ~에 중독된
답 | 효과, 예민한

02 대화를 듣고, 여자의 의견으로 가장 적절한 것을 고르시오.

① 에너지 음료의 과잉 섭취를 주의해야 한다.
② 적당량의 카페인은 긴장 완화에 효과적이다.
③ 어지럼증에는 충분한 수분을 공급하는 것이 좋다.
④ 명상은 일상의 불안감을 해소하는 데 도움이 된다.
⑤ 균형 잡힌 식단은 성적 향상에 긍정적인 영향을 준다.

VOCA

talented 재능이 있는
memorize [ ]
rehearse 예행연습을 하다
confident [ ]
costume 의상
답 | 암기하다, 자신이 있는

03 다음을 듣고, 여자가 하는 말의 목적으로 가장 적절한 것을 고르시오.

① 오디션 준비 요령을 알려 주려고
② 학교 행사 아이디어를 공모하려고
③ 축제 홍보 활동 참여를 독려하려고
④ 공연 관람 규칙 준수를 당부하려고
⑤ 공연 리허설 장소 변경을 공지하려고

04 대화를 듣고, 두 사람이 하는 말의 주제로 가장 적절한 것을 고르시오.

① 감자의 전파 과정
② 감자의 다양한 효능
③ 감자를 보관하는 방법
④ 감자를 이용한 요리법
⑤ 감자 재배 시 유의사항

05 다음을 듣고, 여자가 하는 말의 목적으로 가장 적절한 것을 고르시오.

① 자선 행사 개최를 공지하려고
② 경제 특강 참가자를 모집하려고
③ 물자 절약의 중요성을 강조하려고
④ 학생회장 선거 후보자를 소개하려고
⑤ 학교 체육관 이용 방법을 안내하려고

06 대화를 듣고, 남자의 의견으로 가장 적절한 것을 고르시오.

① 다양한 영양소의 섭취는 성장에 필수적이다.
② 식품 구매 시 영양 성분의 확인이 필요하다.
③ 새우를 섭취하는 것은 건강에 도움이 된다.
④ 체중 관리는 균형 잡힌 식단에서 비롯된다.
⑤ 음식을 조리할 때 위생 관리가 중요하다.

VOCA

complaint 불평, 고충
replace ⬚
empty 비우다
remove ⬚

답 | 교체하다, 치우다

07 다음을 듣고, 남자가 하는 말의 목적으로 가장 적절한 것을 고르시오.

① 파손된 사물함 신고 절차를 안내하려고
② 사물함에 이름표를 부착할 것을 독려하려고
③ 사물함을 반드시 잠그고 다녀야 함을 강조하려고
④ 사물함 교체를 위해 사물함을 비울 것을 당부하려고
⑤ 사물함 사용에 대한 학생 설문 조사 참여를 요청하려고

VOCA

spicy ⬚
be used to ~에 익숙하다
local 현지의
beauty ⬚

답 | 매운, 좋은 점; 묘미

08 대화를 듣고, 여자의 의견으로 가장 적절한 것을 고르시오.

① 무리한 여행 계획은 여행을 망칠 수 있다.
② 관광지에서 자연환경을 훼손하지 말아야 한다.
③ 여행할 지역의 문화를 미리 조사해 보는 것이 필요하다.
④ 남들이 추천하는 음식점에 꼭 가 볼 필요는 없다.
⑤ 여행을 가면 현지 음식을 먹어 보는 것이 좋다.

VOCA

require ⬚
appropriate 적절한
equipment 기구
permission ⬚
instruction 지시

답 | 요구하다, 허락

09 다음을 듣고, 남자가 하는 말의 목적으로 가장 적절한 것을 고르시오.

① 기초 체력 향상을 위한 운동법을 설명하려고
② 체육 대회 참가 시 필요한 준비물을 공지하려고
③ 체육관 공사로 인한 수업 장소 변경을 알리려고
④ 체육 수업 시간에 준수해야 할 규칙을 안내하려고
⑤ 무리한 운동으로 인한 부상의 위험성을 경고하려고

VOCA

uncomfortable 불편한

put on ~을 입다

avoid ⬚

germ 세균

infection ⬚

답 | 피하다, 감염

10 대화를 듣고, 여자의 의견으로 가장 적절한 것을 고르시오.

① 족욕을 하는 것은 건강에 도움이 된다.

② 발 건강을 위해서 양말을 신어야 한다.

③ 운동 종목에 적합한 신발을 선택해야 한다.

④ 계절에 맞는 소재의 양말을 구입해야 한다.

⑤ 높은 굽의 신발은 척추에 무리를 줄 수 있다.

VOCA

sign up 등록하다

register ⬚

fill out ~을 채우다, 작성하다

deadline ⬚

답 | 등록하다, 마감 기한

11 다음을 듣고, 남자가 하는 말의 목적으로 가장 적절한 것을 고르시오.

① 축제 장소 변경을 공지하려고

② 교내 동아리 부원을 모집하려고

③ 교내 축제 홍보 문구를 공모하려고

④ 동아리 전시회 관람을 독려하려고

⑤ 축제 참가 신청 방법을 안내하려고

VOCA

distracted 산만해진

concentration 집중

develop ⬚

reasonable 타당한

similar ⬚

답 | 발달시키다, 비슷한

12 대화를 듣고, 여자의 의견으로 가장 적절한 것을 고르시오.

① 다양한 신체 활동은 어린이의 창의력 신장에 필수적이다.

② 그림 그리기는 어린이의 집중력 향상에 도움이 된다.

③ 그림책을 읽어 주는 것은 자녀의 정서 안정에 좋다.

④ 부모와의 많은 대화는 자녀의 언어 발달을 촉진한다.

⑤ 독서는 어린이의 상상력을 키우는 데 효과가 있다.

02 DAY

출제유형 **3** 관계 파악

대화를 읽고, 두 사람의 관계를 가장 잘 나타낸 것을 고르시오.

ⓐ 건축가 – 의뢰인   ⓑ 고궁 해설사 – 관람객   ⓒ 소설가 – 독자

학습 내용

출제유형 **3** 관계 파악

출제유형 **4** 그림 내용 일치

● 정답과 해설 15쪽

출제유형 **4** 그림 내용 일치

다음 세 가지 진술 중, 그림의 내용과 일치하지 <u>않는</u> 것을 고르시오.

ⓐ Peter Pan is holding balloons in his hand.

ⓑ The clown is balancing on a big ball.

ⓒ The girl wearing sunglasses is riding a horse on the merry-go-round.

clown 어릿광대
balance 균형을 잡다

merry-go-round
회전목마

유형 해결 전략 **3 관계 파악**

STEP ❶
듣기 전 선택지를 보며 각 화자 간의 관계에서 일어날 수 있는 상황을 추측해 본다.

STEP ❷
전반부에서 대화가 일어나는 장소나 상황을 파악하고 직업을 알려 주는 표현에 유의한다.

STEP ❸
특정 장소라고 해도 상황을 달리하여 출제될 수 있으니 특정 표현에 속지 않도록 주의한다.

해결 전략 STEP 1
듣기 전 선택지로 제시된 화자 간에 일어날 수 있는 상황을 추측해 본다.

03 기출 예제

대화를 듣고, 두 사람의 관계를 가장 잘 나타낸 것을 고르시오.

① 학생 − 건축가
② 신문 기자 − 화가
③ 탐험가 − 환경 운동가
④ 건물 관리인 − 정원사
⑤ 교사 − 여행사 직원

Script

해결 전략 STEP 2
남자가 여자를 [ ]하는 상황이다. 남자는 고등학생이고, 여자는 남자가 다니는 학교 건물과 Skyforest Tower를 설계한 [ ]이다.

답 | 인터뷰, 건축가

M: Hello, Ms. Watson. Thank you for accepting my interview request.

W: My pleasure. You must be Michael from Windmore High School.

M: Yes. I'm honored to interview the person who designed the school I'm attending.

W: Thank you. I'm very proud of that design.

M: What was the concept behind it?

W: When planning the design of the school building, I wanted to incorporate elements of nature into it.

M: I see. Did you apply this concept in any other building designs?

W: Yes. Skyforest Tower. My design included mini gardens for each floor and a roof-top garden, making the building look like a rising forest.

M: That's impressive. Actually, my art teacher is taking us on a field trip there next week.

W: Really? Make sure to visit the observation deck on the 32nd floor. The view is spectacular.

M: Thanks. I'll check it out with my classmates.

VOCA

publish ☐
original 원본의
translate ☐
release (대중에) 공개하다
draft 원고

답 | 출판하다, 번역하다

03-1 기출 유사

대화를 듣고, 두 사람의 관계를 가장 잘 나타낸 것을 고르시오.

① 출판사 직원 – 번역가
② 여행 가이드 – 관광객
③ 도서관 사서 – 학생
④ 서점 직원 – 고객
⑤ 잡지 기자 – 배우

VOCA

proposal ☐
direct 감독하다
honor 영광
accept ☐
offer 제안

답 | 제안, 받아들이다

03-2 기출 유사

대화를 듣고, 두 사람의 관계를 가장 잘 나타낸 것을 고르시오.

① 구직자 – 채용 담당 직원
② 소설가 – 영화감독
③ 배우 – 방송 작가
④ 서점 직원 – 출판업자
⑤ 뮤지컬 배우 – 무대 감독

VOCA

wooden ☐
particular 특별한
plain 단순한
rectangular ☐
downstairs 아래층에

답 | 나무로 된, 직사각형의

03-3 기출 유사

대화를 듣고, 두 사람의 관계를 가장 잘 나타낸 것을 고르시오.

① 정원사 – 집주인
② 출판사 직원 – 작가
③ 가구 판매원 – 손님
④ 관광 가이드 – 관광객
⑤ 인테리어 디자이너 – 잡지 기자

유형 해결 전략 4 그림 내용 일치

STEP ①
대화를 듣기 전에 그림을 자세히 살펴본다. 선택지 순서대로 대화가 진행되므로 언급될 관련 표현들을 예측해 본다.

STEP ②
인물이나 사물의 위치, 모양, 수량 등을 나타내는 표현에 주의한다.

해결 전략 STEP 1

듣기 전 그림에서 선택지의 위치를 파악한다.

① 둥근 시계 아래에 있는 게시판
② 벽에 걸린 현수막
③ ☐☐☐ 테이블보가 깔린 네모 모양의 테이블
④ 나무에 걸려 있는 눈사람 그림
⑤ 바닥에 있는 상자 두 개

답 | 줄무늬

04 기출 예제

대화를 듣고, 그림에서 대화의 내용과 일치하지 <u>않는</u> 것을 고르시오.

Script

W: Wow, Sam. You turned the student council room into a hot chocolate booth.

M: Yes, Ms. Thompson. We're ready to sell hot chocolate to raise money for children in need.

W: Excellent. What are you going to put on <u>the bulletin board under the clock?</u>

M: I'll post information letting people know where the profits will go.

W: Good. I like <u>the banner on the wall.</u>

M: Thanks. I designed it myself.

W: Awesome. Oh, I'm glad you put my <u>stripe-patterned tablecloth on the table.</u>

M: Thanks for letting us use it. Did you notice <u>the snowman drawing that's hanging on the tree?</u>

W: Yeah. I remember it was drawn by the child you helped last year. By the way, <u>there are three boxes on the floor.</u> What are they for?

M: We're going to fill those up with donations of toys and books.

W: Sounds great. Good luck.

해결 전략 STEP 2

① the bulletin board under the clock
② the banner on the wall
③ ☐☐☐-patterned tablecloth on the table
④ the snowman drawing hanging on the tree
⑤ ☐☐☐ boxes on the floor

답 | stripe, three

eye-catching ____

instead of ~ 대신(에)

suggest 제안하다

magician ____

답 | 눈길을 끄는, 마술사

04-1 기출 유사

대화를 듣고, 그림에서 대화의 내용과 일치하지 <u>않는</u> 것을 고르시오.

stage ____

above ~보다 위에

absolutely 전적으로

striped pattern ____

rug 양탄자

take away 멀리 치우다

답 | 무대, 줄무늬

04-2 기출 유사

대화를 듣고, 그림에서 대화의 내용과 일치하지 <u>않는</u> 것을 고르시오.

unfortunately 유감스럽게도

win 획득하다; 이기다

national ____

in a row 계속해서, 연이어

star-shaped 별 모양의

in front of ____

답 | 전국적인, ~ 앞에

04-3 기출 유사

대화를 듣고, 그림에서 대화의 내용과 일치하지 <u>않는</u> 것을 고르시오.

VOCA

entrance
expo 박람회, 전시회
goods 제품, 상품
on display

답 | 입구, 전시된

01 대화를 듣고, 두 사람의 관계를 가장 잘 나타낸 것을 고르시오.

① 호텔 직원 – 투숙객
② 식당 주인 – 종업원
③ 가구 제작자 – 의뢰인
④ 박람회장 안내원 – 방문객
⑤ 전시 기획자 – 실내 디자이너

VOCA

recommend
community park 근린공원
slide
swing 그네
terrific 아주 좋은

답 | 추천하다, 미끄럼틀

02 대화를 듣고, 그림에서 대화의 내용과 일치하지 않는 것을 고르시오.

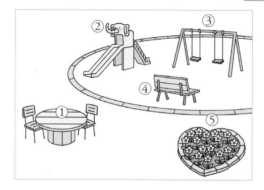

VOCA

sore throat
sound effect
add 더하다
signal 신호

답 | 인후염, 음향 효과

03 대화를 듣고, 두 사람의 관계를 가장 잘 나타낸 것을 고르시오.

① 신문 기자 – 작가
② 녹음 기사 – 성우
③ 영화감독 – 배우
④ 매니저 – 가수
⑤ 의사 – 환자

04 대화를 듣고, 그림에서 대화의 내용과 일치하지 <u>않는</u> 것을 고르시오.

05 대화를 듣고, 두 사람의 관계를 가장 잘 나타낸 것을 고르시오.

① 안과 의사 – 환자
② 보건 교사 – 학생
③ 프로젝트 팀장 – 팀원
④ 컴퓨터 판매원 – 구매자
⑤ 약사 – 제약 회사 직원

06 대화를 듣고, 그림에서 대화의 내용과 일치하지 <u>않는</u> 것을 고르시오.

VOCA

appear 출연하다
feature
gorgeous 아주 멋진
emphasize

답 | 출연시키다, 강조하다

07 대화를 듣고, 두 사람의 관계를 가장 잘 나타낸 것을 고르시오.

① 손님 – 의류 매장 직원
② 의상 디자이너 – 패션모델
③ 무대 연출가 – 안무가
④ 사진작가 – 잡지사 편집장
⑤ 메이크업 아티스트 – 배우

VOCA

difference 차이, 다름
previous
team spirit 연대 의식
sleeve
convenient 편리한
teammate 팀 동료

답 | 이전의, 소매

08 대화를 듣고, 그림에서 대화의 내용과 일치하지 <u>않는</u> 것을 고르시오.

VOCA

imagine
follow 따라 하다
memorable

답 | 상상하다, 기억할 만한

09 대화를 듣고, 두 사람의 관계를 가장 잘 나타낸 것을 고르시오.

① 가수 – 안무가
② 작곡가 – 작사가
③ 성우 – 녹음 기사
④ 방송 작가 – 프로듀서
⑤ 뮤지컬 배우 – 음향 감독

VOCA

fireplace [   ]

real 진짜의

main character 주인공

atmosphere [   ]

답 | 벽난로, 분위기

10 대화를 듣고, 그림에서 대화의 내용과 일치하지 <u>않는</u> 것을 고르시오.

VOCA

gain [   ]

subscriber 구독자

invisible [   ]

come alive 재미있어지다

답 | 얻다, 보이지 않는

11 대화를 듣고, 두 사람의 관계를 가장 잘 나타낸 것을 고르시오.

① 디자이너 – 패션모델

② 영화감독 – 영화배우

③ 출판사 직원 – 소설가

④ 잡지사 기자 – 웹툰 작가

⑤ 미술관 큐레이터 – 화가

VOCA

between [   ]

watermelon 수박

behind [   ]

pond 연못

awesome 굉장한

답 | 사이에(중간에), ~ 뒤에

12 대화를 듣고, 그림에서 대화의 내용과 일치하지 <u>않는</u> 것을 고르시오.

공부할 내용 미리보기

출제유형 ⑤ 할 일, 부탁한 일

대화를 읽고, 여자와 남자가 각각 한 일과 할 일을 찾아 알맞은 기호를 쓰시오.

Let's check our preparations for Ms. Kim's retirement party.

Okay. How about the thank-you video?

I finished it. Have you finished decorating the classroom?

I've just done it. It took a long time to blow up all the balloons.

Good job! What else should we do?

We should write a thank-you letter to Ms. Kim and order a cake for her.

Okay. I'll write the thank-you letter. Can you order the cake?

No problem. I'll go and order it now.

ⓐ 감사 동영상 만들기　　ⓑ 교실 꾸미기　　ⓒ 감사 편지 쓰기　　ⓓ 케이크 주문하기

여자가 한 일 (　　)　　여자가 할 일 (　　)　　　남자가 한 일 (　　)　　남자가 할 일 (　　)

학습 내용

출제유형 ❺ 할 일, 부탁한 일

출제유형 ❻ 숫자 정보 파악

● 정답과 해설 30쪽

출제유형 ❻ 숫자 정보 파악

다음을 보고, 여자가 지불할 금액을 고르시오.

Hi, I'd like to buy admission tickets for two adults and one child. And I need to rent three pairs of skates. I also have my local resident card.

TICKET BOOTH

Grand Ice Skating Rink

Admission
Adult: $10 / Child: $5

Skate Rental
$5 per pair

10% OFF the Total Price
for local residents

ⓐ $30   ⓑ $36   ⓒ $40

유형 해결 전략 | 5 할 일, 부탁한 일

STEP ❶
지시문을 먼저 읽고 누가 할 일을 묻는지 또는 부탁 받은 일을 묻는지 확인한다.

STEP ❷
할 일이나 부탁 받은 일을 선택지와 대조하며 오답에 해당되는 것은 지운다.

STEP ❸
여러 가지 일 중 결정적 힌트는 마지막에 언급되는 경우가 많으므로 끝까지 집중해서 듣는다.

해결 전략 | STEP 1
듣기 전 지시문을 읽고 누가 할 일을 묻고 있는지 파악한 후 선택지를 통해 대화 내용을 예측한다.

05 기출 예제

대화를 듣고, 남자가 여자를 위해 할 일로 가장 적절한 것을 고르시오.

① 사진 전송하기
② 그림 그리기
③ 휴대 전화 찾기
④ 생물 보고서 제출하기
⑤ 야생화 개화 시기 검색하기

해결 전략 | STEP 2
여자는 야생화에 관한 보고서에 필요한 [   ] 사진이 없다. 이에 남자가 자신이 봄에 찍은 야생화 사진을 보여 준다.

해결 전략 | STEP 3
여자가 사진 속 꽃이 데이지라고 말하자 남자는 그 [   ]을 여자에게 보내 주겠다고 말하고 있다.

답 | 데이지, 사진

Script

M: Hi, Mary. You look worried. What's the matter?

W: Hi, Steve. Remember the report about wildflowers I've been working on?

M: Of course. That's for your biology class, right?

W: Yeah. I was able to get pictures of all the wildflowers in my report except for daisies.

M: I see. Can't you submit your report without pictures of daisies?

W: No. I really need them. I even tried to take pictures of daisies myself, but I found out that they usually bloom from spring to fall.

M: You know what? This spring, I went hiking with my dad and took some pictures of wildflowers.

W: Do you have them on your phone? Can I see them?

M: Sure. Have a look.

W: Oh, the flowers in the pictures are daisies! These will be great for my report.

M: Really? Then I'll send them to you.

W: Thanks. That would be very helpful.

VOCA

feature story 특집 기사

done 끝난, 완료된

chemistry [   ]

available [   ]

답 | 화학, 시간이 있는

05-1 기출 유사

대화를 듣고, 여자가 할 일로 가장 적절한 것을 고르시오.

① Tom에게 전화하기
② 화학 과제 제출하기
③ 인터뷰 사진 촬영하기
④ Cindy와 발표 준비하기
⑤ 인터뷰 질문지 작성하기

VOCA

neither ~도 마찬가지이다

decorate [   ]

bake [   ]

답 | 장식하다, (음식을) 굽다

05-2 기출 유사

대화를 듣고, 여자가 할 일로 가장 적절한 것을 고르시오.

① 사진 앨범 만들기
② 파티 초대장 보내기
③ 생일 케이크 만들기
④ 풍선으로 거실 장식하기
⑤ TV로 사진 영상 재생하기

VOCA

confirm 확인하다

reservation [   ]

inform 알리다

handle [   ]

material 자료

답 | 예약, 처리하다

05-3 기출 유사

대화를 듣고, 남자가 여자에게 부탁한 일로 가장 적절한 것을 고르시오.

① 회의실 예약 확인하기
② 일정 알림 문자 보내기
③ 차에서 간식 가져오기
④ 참석자 이름표 만들기
⑤ 회의 자료 출력하기

유형 해결 전략 | 6 숫자 정보 파악

STEP ❶
물건이나 입장권을 구입하는 상황에서 지불할 총 금액을 묻는 문제가 자주 출제된다.

STEP ❷
대화에서 수치 정보가 언급될 때마다 간단히 메모하며 듣는다.

STEP ❸
구입 여부나 물건의 개수 또는 인원수, 할인율 등이 주로 언급되므로 혼동하지 않도록 한다.

해결 전략 STEP 1
듣기 전 선택지를 확인하며 지불할 금액의 범위를 확인한다.

06 기출 예제

대화를 듣고, 여자가 지불할 금액을 고르시오.

① $180　　　　② $190　　　　③ $200
④ $210　　　　⑤ $230

해결 전략 STEP 2
호텔 직원과 숙박객의 대화로 여자는 1박에 100달러인 방을 예약했고, 1박 추가를 원한다.

첫째 날 숙박비: ☐
　　　　(10% 할인)
둘째 날 숙박비: $100 (할인 ×)

해결 전략 STEP 3
마지막에 아침 식사를 할 것인지 묻는 남자의 질문에 필요 없다고 답했으므로 여자가 지불할 금액은 2박 숙박비인 ☐ 이다.

답 | $90, $190

Script

M: Welcome to the Chestfield Hotel. How may I help you?

W: Hi, I'm Alice Milford. I made a reservation for me and my husband.

M: [*Typing sound*] Here it is. You reserved one room for one night at the regular rate of $100.

W: Can I use this 10% discount coupon?

M: Sure, you can.

W: Fantastic. And is it possible to stay one more night?

M: Let me check. [*Mouse clicking sound*] Yes, the same room is available for tomorrow.

W: Good. Do I get a discount for the second night, too?

M: Sorry. The coupon doesn't apply to the second night. It'll be $100. Do you still want to stay an extra night?

W: Yes, I do.

M: Great. Will you and your husband have breakfast? It's $10 per person for each day.

W: No thanks. We'll be going out early to go shopping. Here's my credit card.

06-1 기출 유사

대화를 듣고, 여자가 지불할 금액을 고르시오.

① $40   ② $45   ③ $50

④ $56   ⑤ $63

06-2 기출 유사

대화를 듣고, 남자가 지불할 금액을 고르시오.

① $40   ② $45   ③ $50

④ $54   ⑤ $60

06-3 기출 유사

대화를 듣고, 여자가 지불할 금액을 고르시오.

① $140   ② $180   ③ $200

④ $220   ⑤ $280

VOCA

orchestra 관현악단
instrument ⬚
put ~ up 게시하다
hallway 복도
audience ⬚

답 | 악기, 관객

01 대화를 듣고, 여자가 할 일로 가장 적절한 것을 고르시오.

① 악기 점검하기
② 연습 시간 확인하기
③ 단원들에게 연락하기
④ 관객용 의자 배치하기
⑤ 콘서트 포스터 붙이기

VOCA

delivery ⬚
order 주문하다
newest ⬚

답 | 배달, 최신의

02 대화를 듣고, 여자가 지불할 금액을 고르시오.

① $15   ② $23   ③ $27
④ $30   ⑤ $33

VOCA

exchange ⬚
renew 갱신하다
book ⬚
compare 비교하다

답 | 환전하다, 예약하다

03 대화를 듣고, 남자가 할 일로 가장 적절한 것을 고르시오.

① 배낭 빌려주기
② 항공권 예매하기
③ 은행에서 환전하기
④ 여행안내 책자 주문하기
⑤ 호텔 숙박비 비교 앱 알려 주기

04 대화를 듣고, 남자가 지불할 금액을 고르시오.

① $27   ② $36   ③ $40

④ $45   ⑤ $63

05 대화를 듣고, 남자가 할 일로 가장 적절한 것을 고르시오.

① 감사 편지 쓰기

② 풍선 장식하기

③ 파스타 요리하기

④ 케이크 구매하기

⑤ 카네이션 만들기

06 대화를 듣고, 남자가 지불할 금액을 고르시오.

① $15   ② $30   ③ $48

④ $54   ⑤ $60

07 대화를 듣고, 여자가 남자를 위해 할 일로 가장 적절한 것을 고르시오.

① 악기 빌려다 주기
② 해변에 데려다주기
③ 음악회에 함께 가기
④ 해양 스포츠 예약하기
⑤ 오디션 일정 확인해 주기

08 대화를 듣고, 두 사람이 지불할 금액을 고르시오.

① $75   ② $80   ③ $85
④ $105   ⑤ $110

09 대화를 듣고, 남자가 여자에게 부탁한 일로 가장 적절한 것을 고르시오.

① 집안 청소하기
② 저녁 식사 준비하기
③ 부모님 마중 나가기
④ 비행기 도착 시간 확인하기
⑤ 자동차에 주유하기

VOCA

sold out [____]

feed [____]

답 | 매진된, 먹이를 주다

10 대화를 듣고, 남자가 지불할 금액을 고르시오.

① $45   ② $50   ③ $63

④ $70   ⑤ $72

VOCA

organize [____]

compensation 손해배상

receipt 영수증

run [____]

답 | 정리하다, 운영하다

11 대화를 듣고, 남자가 여자에게 부탁한 일로 가장 적절한 것을 고르시오.

① 인터넷 연결 예약하기
② 컴퓨터 수리 맡기기
③ 영수증 재발급 받기
④ 가전제품 교환하기
⑤ 청소업체 연락하기

VOCA

cost (값·비용이) ~이다

include [____]

riverside [____]

답 | 포함하다, 강변

12 대화를 듣고, 여자가 지불할 금액을 고르시오.

① $216   ② $225   ③ $240

④ $250   ⑤ $270

DAY 04

출제유형 ⑦ 이유 추론

대화를 읽고, 남자가 배드민턴 레슨에 갈 수 <u>없는</u> 이유를 고르시오.

ⓐ 독감 예방 주사를 맞아서   ⓑ 왼쪽 발목을 다쳐서   ⓒ 진료 예약이 있어서

출제유형 **8** 언급 유무 파악

대화를 읽고, Haven 천문대에 관해 언급되지 <u>않은</u> 것을 고르시오.

ⓐ 위치　　　ⓑ 개관 연도　　　ⓒ 입장료　　　ⓓ 폐관 시간

유형 해결 전략 7 이유 추론

STEP ❶
지시문과 선택지를 읽고 '무엇'에 대한 이유를 들어야 하는지 빠르게 파악한다.

STEP ❷
대화 중간에 오답 선택지와 관련된 내용들이 등장하므로 유의하며 듣는다.

STEP ❸
부정어(no, not, never 등) 뒤에 진짜 이유가 언급되는 경우가 많으므로 주의해서 듣는다.

해결 전략 STEP 1
듣기 전 지시문과 선택지를 빠르게 훑어보며 '무엇'에 대한 이유를 들어야 하는지 확인한다.

07 기출 예제

대화를 듣고, 남자가 텐트를 반품하려는 이유를 고르시오.

① 크기가 작아서
② 캠핑이 취소되어서
③ 운반하기 무거워서
④ 설치 방법이 어려워서
⑤ 더 저렴한 제품을 찾아서

해결 전략 STEP 2
남자는 캠핑 여행을 위해 구입한 텐트를 반품하기를 원한다.
〈오답 선택지〉
①: 크기는 충분하다고 언급함
⑤: 가격은 문제가 아니라고 함
②, ④: 언급되지 않음

해결 전략 STEP 3
마지막에 남자는 텐트가 들고 다니기에 너무 [   ] 반품한다고 말했다.

답 | 무거워서

Script

W: Honey, I'm home.

M: How was your day?

W: Alright. Hey, did you order something? There's a large box outside the door.

M: It's the tent we bought online for our camping trip. I'm returning it.

W: Is it because of the size? I remember you said it might be a little small to fit all of us.

M: Actually, when I set up the tent, it seemed big enough to hold us all.

W: Then, did you find a cheaper one on another website?

M: No, price is not the issue.

W: Then, why are you returning the tent?

M: It's too heavy to carry around. We usually have to walk a bit to get to the campsite.

W: I see. Is someone coming to pick up the box?

M: Yes. I already scheduled a pickup.

07-1 기출 유사

대화를 듣고, 남자가 Winter Sports Camp에 참가할 수 <u>없는</u> 이유를 고르시오.

① 다른 캠프 일정과 겹쳐서

② 발목 통증이 낫지 않아서

③ 가족 여행이 예정되어 있어서

④ 과학 보고서를 제출하지 못해서

⑤ 전국 과학 대회 참가를 준비해야 해서

07-2 기출 유사

대화를 듣고, 남자가 수영장에 갈 수 <u>없는</u> 이유로 가장 적절한 것을 고르시오.

① 감기에 걸려서

② 취업 면접이 있어서

③ 친구와 약속이 있어서

④ 봉사 활동을 가야 해서

⑤ 저녁에 일을 해야 해서

07-3 기출 유사

대화를 듣고, 남자가 이번 주말에 캠핑하러 갈 수 <u>없는</u> 이유를 고르시오.

① 계단을 수리해야 해서

② 캠프장을 예약할 수 없어서

③ 폭우로 인해 캠프장이 폐쇄되어서

④ 프로젝트를 마무리해야 해서

⑤ 어머니를 돌봐야 해서

유형 해결 전략 | 8 언급 유무 파악

STEP ①
듣기 전 선택지의 내용을 확인하고 각 선택지와 관련된 영어 표현들을 생각해 본다.

STEP ②
보통 선택지의 순서대로 대화가 전개되므로 들으면서 선택지를 하나하나 대조한다.

STEP ③
정답이 주로 후반부에 드러나는 경향이 있으므로 끝까지 집중해서 듣는다.

해결 전략 STEP 1

듣기 전에 우리말 선택지의 영어 표현을 확인하고 선택지 순서대로 대화 전개 순서를 예측해 본다.

08 기출 예제

대화를 듣고, Bradford Museum of Failure에 관해 언급되지 <u>않은</u> 것을 고르시오.

① 전시품   ② 설립 목적   ③ 개관 연도

④ 입장료   ⑤ 위치

해결 전략 STEP 2

두 사람은 박물관에 관해 이야기하고 있다.
〈선택지 확인〉
① 전시품: 실패한 제품들
② 설립 목적: 진정으로 성공하기 위해서는 우리의 [ ]를 인정할 필요가 있다는 메시지를 전달하기 위해
③ 개관 연도: [ ]년
⑤ 위치: Greenfalls, Hillside

해결 전략 STEP 3

후반부에 개관 연도(③)를 언급하고 바로 위치(⑤)를 안내하고 있다. 입장료(④)는 언급되지 않았다.

답 | 실패, 2001

Script

M: Hey, Kelly. Have you been to the Bradford Museum of Failure?

W: I've never even heard of it.

M: Well, I went there yesterday and it was amazing.

W: What does the museum exhibit?

M: It exhibits numerous failed products from the world's best-known companies.

W: Interesting. That makes me curious about the purpose of founding the museum.

M: It was founded to deliver the message that we need to admit our failures to truly succeed.

W: That's quite a message, and it makes a lot of sense. Did it just open?

M: No, it opened in 2001.

W: How come I've never heard of it?

M: I guess many people don't know about it. But visiting the museum was an eye-opening experience.

W: Where is it?

M: It's located in Greenfalls, Hillside.

W: That's not too far from here. I'll be sure to visit it.

VOCA

encourage 격려하다

positive [   ]

mindset 사고방식

relieve 완화하다

lecture [   ]

답 | 긍정적인, 강연

08-1 기출 유사

대화를 듣고, Mind-Up Program에 관해 언급되지 <u>않은</u> 것을 고르시오.

① 목적

② 특별 강연

③ 개최 장소

④ 시작 시간

⑤ 입장료

VOCA

detail [   ]

take place 열리다

on foot 걸어서

musician [   ]

답 | 세부 사항, 음악가

08-2 기출 유사

대화를 듣고, Rock Music Festival에 관해 언급되지 <u>않은</u> 것을 고르시오.

① 개최 일시

② 입장료

③ 개최 장소

④ 주차 요금

⑤ 참여 음악가

VOCA

raise money [   ]

profit 수익금

in need 도움이 필요한

donate [   ]

답 | 모금하다, 기부하다

08-3 기출 유사

대화를 듣고, Pinewood Bake Sale에 관해 언급되지 <u>않은</u> 것을 고르시오.

① 개최 요일

② 시작 시간

③ 판매 제품

④ 수익금 기부처

⑤ 개최 장소

VOCA

overseas ☐
accept 받아들이다
meaningful ☐
support 지지하다, 응원하다
답 | 해외의, 의미 있는

01 대화를 듣고, 여자가 가족 여행을 갈 수 <u>없는</u> 이유를 고르시오.

① 발목 상태가 좋지 않아서
② 항공권을 구입하지 못해서
③ 요리 대회에 참가해야 해서
④ 해외 봉사 활동을 가야 해서
⑤ 부모님께 다른 일정이 생겨서

VOCA

competition ☐
leaflet 전단
unforgettable ☐
racket 라켓
답 | 대회, 잊지 못할

02 대화를 듣고, Junior Badminton Competition에 관해 언급되지 <u>않은</u> 것을 고르시오.

① 대회 일시
② 참가비
③ 준비물
④ 우승 상품
⑤ 신청 방법

VOCA

crowded ☐
be worth ~의 가치가 있다
tradition ☐
maintain 유지하다
답 | 붐비는, 전통

03 대화를 듣고, 여자가 El Bistro 레스토랑을 선택한 이유를 고르시오.

① 호텔에서 가까워서
② 오랜 전통이 있어서
③ 프랑스 요리로 유명해서
④ TV 프로그램에 소개되어서
⑤ 지역 주민에게 인기가 많아서

04 대화를 듣고, Stress Free Program에 관해 언급되지 <u>않은</u> 것을 고르시오.

① 활동 종류

② 등록 방법

③ 운영 장소

④ 참가비

⑤ 운영 시간

05 대화를 듣고, 여자가 토론 대회에 참가할 수 <u>없는</u> 이유를 고르시오.

① 남들 앞에서 말하는 것이 힘들어서

② 뮤지컬 공연 준비를 해야 해서

③ 수행평가 일정이 연기되어서

④ 글쓰기 과제를 해야 해서

⑤ 토론 주제가 어려워서

06 대화를 듣고, Career Vision Camp에 관해 언급되지 <u>않은</u> 것을 고르시오.

① 참가 대상

② 등록 비용

③ 지원 마감일

④ 기념품

⑤ 행사 장소

07 대화를 듣고, 남자가 발표 자료를 수정해야 하는 이유를 고르시오.

① 최신 자료가 아니어서

② 발표 일정이 바뀌어서

③ 명칭 표기에 오류가 있어서

④ 그림 자료가 선명하지 않아서

⑤ 발표할 내용의 순서가 틀려서

08 대화를 듣고, Royal Botanic Garden에 관해 언급되지 <u>않은</u> 것을 고르시오.

① 위치

② 크기

③ 프로그램

④ 입장료

⑤ 개관 시간

09 대화를 듣고, 남자가 스터디 모임에 참여할 수 <u>없는</u> 이유를 고르시오.

① 영어 수업을 들어야 해서

② 학교 도서관에 가야 해서

③ 봉사 활동에 참여해야 해서

④ 다친 다리를 치료해야 해서

⑤ 건강 검진을 받아야 해서

VOCA

palace 궁전

historical ◻

tale 이야기

traditional ◻

답 | 역사적인, 전통적인

10 대화를 듣고, Moonlight Palace Tour에 관해 언급되지 <u>않은</u> 것을 고르시오.

① 시작 시간

② 참가비

③ 인원 제한

④ 관람 시 유의점

⑤ 예약 방법

VOCA

tough 힘든

celebrate ◻

goggle 큰 안경, 고글

ski suit ◻

답 | 축하하다, 스키복

11 대화를 듣고, 여자가 보드게임을 하러 갈 수 <u>없는</u> 이유를 고르시오.

① 병문안을 가야 해서

② 시험공부를 해야 해서

③ 방과 후 수업이 있어서

④ 생일 파티에 참석해야 해서

⑤ 스키용품을 사러 가야 해서

VOCA

brochure ◻

boost 신장시키다

treasure hunt 보물찾기

limit ◻

답 | 안내 책자, 제한하다

12 대화를 듣고, Junior Winter Camp에 관해 언급되지 않은 것을 고르시오.

① 목적

② 활동 종류

③ 참가비

④ 신청 방법

⑤ 등록 가능 인원

05 DAY

공부할 내용 **미리보기**

출제유형 9 담화 내용 일치

Langford Night Market에 관한 다음 내용을 읽고, 일치하지 <u>않는</u> 것을 고르시오.

Hello, listeners. I'm Jessica Norton, manager of Langford Park. We're happy to announce that the Langford Night Market is coming back. Starting from September 1st for five nights, you can enjoy the event where food trucks and booths will be set up. This year's theme is the Global Food Festival. You can try food from all over the world. Live music performances will be held every night. We hope you enjoy our upcoming event. Thank you.

Global Food Festival
Starting from September 1st for 5 nights
ENJOY! Live music performances will be
held every night.

ⓐ 9월 1일부터 시작한다.

ⓑ 일주일 동안 열린다.

ⓒ 올해 주제는 세계 음식 축제이다.

ⓓ 라이브 음악 공연이 매일 밤 열린다.

출제유형 **10** 도표 내용 일치

다음 만화를 보고, 표에서 두 사람이 주문할 마스크를 고르시오.

	Model	Filter-out Rate	Price (per box)	Color
ⓐ	A	80%	$30	black
ⓑ	B	94%	$35	black
ⓒ	C	94%	$45	white
ⓓ	D	99%	$55	white

fine dust 미세먼지

filter-out rate 차단율

유형 해결 전략 9 담화 내용 일치

STEP ❶
듣기 전 문제와 선택지를 빠르게 읽고 담화 내용을 예측해 본다.

STEP ❷
선택지는 보통 담화에서 언급되는 순서대로 나오므로 들으면서 하나씩 확인한다.

STEP ❸
언급된 표현 중 일부를 활용해 오답 선택지를 제시하는 경우가 많으므로 끝까지 주의한다.

해결 전략 STEP 1
듣기 전 문제와 선택지를 확인하며 담화 내용을 예측한다.

09 기출 예제

National Baking Competition에 관한 다음 내용을 듣고, 일치하지 <u>않는</u> 것을 고르시오.

① 해마다 열리는 행사이다.
② 올해의 주제는 건강한 디저트이다.
③ 20명이 결선에 진출할 것이다.
④ 수상자들의 조리법이 잡지에 실릴 것이다.
⑤ 웹 사이트에서 생중계될 것이다.

해결 전략 STEP 2
① 연례행사
② 올해의 주제: 건강한 디저트
③ [   ] 명만 결선 진출
④ 수상자: $10,000 수상 및 잡지에 조리법 게재
⑤ 오전 9시부터 웹 사이트에서 생중계

답 | 10

Script

W: Hello, listeners. I'm Carla Jones from the National Baking Association. I'm glad to announce that we're hosting the National Baking Competition on December 20th. It's an annual event aimed to discover people with a talent and passion for baking. This year, the theme of the competition is "healthy desserts." We had the most applicants in the history of this competition, and only 10 participants will advance to the final round. The top three will win the grand prize of $10,000 each, and the recipes of the winners will appear in our magazine. You can enjoy watching the entire competition from home. It'll be broadcast live on our website starting from 9 a.m. If you're a food lover, you won't want to miss watching this event.

VOCA

annual ☐

participate in ~에 참여하다

blind 조건을 숨기고 실행하는

expert ☐

답 | 연례의, 전문가

09-1 기출 유사

Plata Tea Festival에 관한 다음 내용을 듣고, 일치하지 <u>않는</u> 것을 고르시오.

① 시청에서 개최되는 행사이다.
② 20개가 넘는 차 회사가 참여할 것이다.
③ 전문가로부터 차 예절을 배울 수 있다.
④ 5세 미만 어린이의 입장료는 무료이다.
⑤ 예약을 해야만 참가할 수 있다.

VOCA

physics 물리학

auditorium ☐

judge 평가자, 심사 위원

provide ☐

chemistry 화학

답 | 강당, 제공하다

09-2 기출 유사

Westbank High School Science Fair에 관한 다음 내용을 듣고, 일치하지 <u>않는</u> 것을 고르시오.

① 7월 21일에 열린다.
② 평가자와 방문객 앞에서 과제 발표가 이루어진다.
③ 각 팀에게 피드백이 주어진다.
④ 세 분야에 상이 주어진다.
⑤ 모든 방문객에게 무료로 티셔츠를 준다.

VOCA

resident ☐

performance 공연

exhibition ☐

range from ~ to ...
(범위가) ~에서 …까지이다

답 | 거주자, 전시회

09-3 기출 유사

Global Village Festival에 관한 다음 내용을 듣고, 일치하지 <u>않는</u> 것을 고르시오.

① 이틀간 Green City Park에서 열린다.
② 음악 공연과 미술 전시회를 포함한다.
③ 현금이나 신용 카드로 음식을 구입할 수 있다.
④ 선착순 100명에게 특별 선물을 준다.
⑤ 차량당 주차비는 10달러이다.

 전체 듣기

| 유형 해결 전략 | **10 도표 내용 일치** |

STEP ❶
도표 제목을 읽고 대화 소재를 파악하고 도표의 세부 정보를 통해 대화 내용을 추측한다.

STEP ❷
표의 왼쪽에 있는 항목부터 언급되므로 대화의 내용과 일치하지 않는 항목을 하나씩 지운다.

STEP ❸
모든 항목에 대한 대화를 들은 후, 지운 항목이 없는 선택지를 정답으로 고른다.

| 해결 전략 | **STEP 1** |

듣기 전 도표의 제목과 세부 항목을 확인하며 들을 내용을 예측한다.

10 기출 예제

다음 표를 보면서 대화를 듣고, 여자가 주문할 재사용 빨대 세트를 고르시오.

Reusable Straw Sets (3 pieces)

	Set	Material	Price	Length (inches)	Carrying Case
①	A	Bamboo	$5.99	7	×
②	B	Glass	$6.99	7	○
③	C	Glass	$7.99	8	×
④	D	Silicone	$8.99	8	○
⑤	E	Stainless Steel	$11.99	9	○

Script

M: Hi, Nicole. What are you doing?

W: Hi, Jack. I'm trying to buy a reusable straw set on the Internet. Do you want to see?

M: Sure. [*Pause*] These bamboo ones seem good. They're made from natural materials.

W: That's true, but I'm worried they may not dry quickly.

M: Okay. Then let's look at straws made from other materials. How much are you willing to spend on a set of straws?

W: I don't want to spend more than $10.

M: That's reasonable. How about length?

W: To use with my tumbler, eight or nine inches should be perfect.

M: Then you're down to these two. A carrying case would be very useful when going out.

W: Good point. I'll take your recommendation and order this set now.

| 해결 전략 | **STEP 2** |

재질: [　　　]로 만든 것 제외
가격: [　　　]달러 이상 제외
길이: 8, 9인치 아닌 것 제외
휴대 케이스: 없는 것 제외

| 해결 전략 | **STEP 3** |

재질에서 ① 제외 → 가격에서 ⑤ 제외 → 길이에서 ② 제외 → 휴대 케이스에서 ③ 제외

답 | 대나무, 10

10-1 기출 유사

다음 표를 보면서 대화를 듣고, 여자가 구입할 휴대용 선풍기를 고르시오.

Handheld Fans

	Model	Price	Battery Run Time	Fan Speed Level	Foldable
①	A	$20	6 hours	2	×
②	B	$23	9 hours	3	×
③	C	$25	9 hours	3	○
④	D	$28	12 hours	4	○
⑤	E	$33	12 hours	4	○

10-2 기출 유사

다음 표를 보면서 대화를 듣고, 여자가 수강할 수업을 고르시오.

Summer Program Time Table

	Class	Day	Time	Monthly Fee
①	English Conversation	Mon.	9:00 a.m.	$50
②	Cartoon Creating	Tue.	10:00 a.m.	$60
③	Aquarobics	Wed.	10:00 a.m.	$75
④	Soccer	Thu.	6:00 p.m.	$80
⑤	Drawing	Fri.	3:00 p.m.	$75

10-3 기출 유사

다음 표를 보면서 대화를 듣고, 두 사람이 예약할 방을 고르시오.

Wayne Island Hotel Rooms

	Room	View	Breakfast	Price
①	A	City	×	$70
②	B	Mountain	×	$80
③	C	Mountain	○	$95
④	D	Ocean	×	$105
⑤	E	Ocean	○	$120

01 Dream Children's Library에 관한 다음 내용을 듣고, 일치하지 않는 것을 고르시오.

① 6학년까지의 어린이를 대상으로 한다.
② 도서뿐 아니라 다양한 장난감이 있다.
③ 특별 독서 토론 프로그램을 운영한다.
④ 주말에 어린이들을 위해 영화를 상영한다.
⑤ 개관일에 만화 캐릭터 엽서를 제공한다.

02 다음 표를 보면서 대화를 듣고, 여자가 선택할 미술용품 세트를 고르시오.

Art Supplies Set for Children

	Model	Price	Coloring Tool	Number of Colors	Sketchbook
①	A	$12	Crayons	24	×
②	B	$16	Crayons	32	○
③	C	$17	Watercolors	28	○
④	D	$18	Markers	32	×
⑤	E	$22	Markers	36	○

03 Riverside High School Musical에 관한 다음 내용을 듣고, 일치하지 않는 것을 고르시오.

① 공연작은 'Shrek'이다.
② 공연을 위한 오디션은 작년 12월에 있었다.
③ 공연은 사흘간 진행된다.
④ 입장권은 1인당 8달러이다.
⑤ 입장권은 연극 동아리실에서 구입할 수 있다.

04 다음 표를 보면서 대화를 듣고, 여자가 주문할 블루투스 키보드를 고르시오.

Bluetooth Keyboards

	Model	Price	Weight	Battery Life	Foldable
①	A	$45	160g	100 hours	×
②	B	$38	250g	82 hours	○
③	C	$30	280g	48 hours	×
④	D	$26	350g	10 hours	○
⑤	E	$15	420g	24 hours	×

05 Forest Concert에 관한 다음 내용을 듣고, 일치하지 <u>않는</u> 것을 고르시오.

① 10월 7일에 열린다.

② 주제는 '꿈을 찾아서'이다.

③ 무료로 입장할 수 있다.

④ 사전 예약이 필요하다.

⑤ 집에서 TV로 시청할 수 있다.

06 다음 표를 보면서 대화를 듣고, 두 사람이 선택할 수업을 고르시오.

Rainbow Community Center Evening Classes

	Class	Day	Time (p.m.)	Monthly Fee
①	Pottery	Mon.	7:00 ~ 9:00	$110
②	Drawing	Tue.	6:30 ~ 8:00	$80
③	French Baking	Wed.	6:30 ~ 8:00	$90
④	Yoga	Thu.	6:30 ~ 8:00	$70
⑤	Photography	Fri.	7:00 ~ 9:00	$80

07 Welton's Coins for Goats에 관한 다음 내용을 듣고, 일치하지 <u>않는</u> 것을 고르시오.

① 학생회에서 개최하는 행사이다.

② 모금한 돈은 염소를 사는 데 사용될 것이다.

③ 3주 동안 열린다.

④ 참가자는 학교 도서관에 있는 기부함에 동전을 넣으면 된다.

⑤ 목표 모금액은 2,000달러이다.

08 다음 표를 보면서 대화를 듣고, 두 사람이 구입할 텀블러를 고르시오.

Tumblers

	Model	Capacity (liters)	Materials	Hand Grip	Price
①	A	0.5	Stainless Steel	×	$28
②	B	0.5	Stainless Steel	○	$33
③	C	0.75	Ceramic	○	$38
④	D	0.75	Stainless Steel	○	$42
⑤	E	1	Ceramic	×	$45

09 Circus Experience Festival에 관한 다음 내용을 듣고, 일치하지 <u>않는</u> 것을 고르시오.

① 11월 20일에 시작해서 3일 동안 지속된다.

② 마술과 저글링을 포함한 다양한 체험 활동을 제공할 것이다.

③ 각 활동의 참가자 수를 10명으로 제한할 것이다.

④ 포토존에서 서커스 광대들과 함께 사진을 찍을 수 있다.

⑤ 기념품으로 무료 티셔츠를 증정할 것이다.

10 다음 표를 보면서 대화를 듣고, 여자가 구입할 무선 마이크 세트를 고르시오.

Wireless Microphone Sets

	Product	Receiving Distance	Headset	Color	Price
①	A	10m	not included	White	$50
②	B	20m	included	Silver	$65
③	C	30m	included	Red	$80
④	D	40m	included	Gold	$90
⑤	E	50m	not included	Black	$100

11 Organic Fair에 관한 다음 내용을 듣고, 일치하지 않는 것을 고르시오.

① 3일 동안 열린다.

② 다양한 유기농 제품이 전시된다.

③ 현장에서 제품 구매 시 할인을 받을 수 있다.

④ 유기농 비누 만들기 수업은 오후에 진행된다.

⑤ 온라인 사전 등록 시 무료로 입장할 수 있다.

12 다음 표를 보면서 대화를 듣고, 여자가 구입할 무선 이어폰을 고르시오.

Wireless Earbuds

	Model	Price	Play Time (from a single charge)	Noise Canceling	Color
①	A	$135	5 hours	×	Silver
②	B	$145	8 hours	×	Silver
③	C	$160	8 hours	○	White
④	D	$180	10 hours	○	Black
⑤	E	$205	10 hours	○	Black

06 DAY

공부할 내용 미리보기

출제유형 ⑪ 짧은 대화의 응답

다음 만화를 보고, 남자의 마지막 말에 대한 여자의 응답으로 가장 적절한 것을 고르시오.

ⓐ Sure. I'll show you how I solved the problem.

ⓑ I'd love to, but I didn't get the answer.

● 정답과 해설 72쪽

출제유형 ⑫ 긴 대화의 응답

대화를 읽고, 여자의 마지막 말에 대한 남자의 응답으로 가장 적절한 것을 고르시오.

ⓐ Sure. You can take the swimming lesson next week.

ⓑ Okay. We'll let you have a one-month break.

유형 해결 전략 11 짧은 대화의 응답

STEP ①
대화를 듣기 전에 선택지를 확인하며 대화 내용을 예측해 본다.

STEP ②
첫 번째와 두 번째 말에서 대화가 일어나는 장소나 상황 등을 파악한다.

STEP ③
마지막 질문이나 발언에 담겨 있는 화자의 의도 및 목적을 파악한다.

해결 전략 STEP 1
듣기 전 선택지를 확인하며 대화 내용을 예측한다.
① 오늘은 밖에 나가고 싶지 않아요.
② 빨리 공항에 가야 해요.
③ 저기 카페로 가는 게 어때요?
④ 관광하러 가고 싶은지 몰랐어요.
⑤ 왜 더 편안한 신발을 신지 않았어요?

11 기출 예제

대화를 듣고, 남자의 마지막 말에 대한 여자의 응답으로 가장 적절한 것을 고르시오.

① I don't feel like going out today.
② You must get to the airport quickly.
③ How about going to the cafe over there?
④ I didn't know you wanted to go sightseeing.
⑤ Why didn't you wear more comfortable shoes?

해결 전략 STEP 2
딸은 아빠에게 날씨가 너무 더워서 목이 마르다고 말하고 있다.

해결 전략 STEP 3
마지막에 아빠가 딸에게 의문사 [　　] 가 있는 의문문을 이용하여 어디로 갈지 묻고 있다.

답 | where

Script

M: Lisa, are you okay from all the walking we did today?

W: Actually, Dad, my feet are tired from all the sightseeing. Also, I'm thirsty because the weather is so hot out here.

M: Oh, then let's go somewhere inside and get something to drink. Where should we go?

W: _____

VOCA

leave ☐

repair 수리하다

borrow ☐

turn off ~을 끄다

답 | 남겨 두다, 빌리다

11-1 기출 유사

대화를 듣고, 여자의 마지막 말에 대한 남자의 응답으로 가장 적절한 것을 고르시오.

① No problem. Your car is repaired.

② Sorry. I can't go camping with you.

③ Of course. You can borrow my tent.

④ Okay. I'll bring you the speakers now.

⑤ Don't worry. I already turned them off.

VOCA

signing event ☐

miss 그리워하다

in person ☐

답 | 사인회, 직접

11-2 기출 유사

대화를 듣고, 여자의 마지막 말에 대한 남자의 응답으로 가장 적절한 것을 고르시오.

① Really? I should have seen her.

② No way. I'm going to miss you a lot.

③ No. I didn't go to the bookstore that day.

④ I'm sorry. I'm not interested in her writing.

⑤ Yes. I can't believe I'm going to see her in person.

VOCA

set up 조립하다

instruction ☐

control ☐

답 | 설명서, 조종하다

11-3 기출 유사

대화를 듣고, 남자의 마지막 말에 대한 여자의 응답으로 가장 적절한 것을 고르시오.

① Good idea! I'll look for some videos online.

② Great! Teach me how to make a video clip.

③ Wow! You're good at controlling the drone.

④ Okay. Let's go buy a new drone together.

⑤ Right. I should read the instructions.

유형 해결 전략 | 12 긴 대화의 응답

STEP ❶
대화를 듣기 전에 선택지의 내용을 정확하게 파악한다.

STEP ❷
남자와 여자 중 누구의 응답을 골라야 하는지를 염두에 두고 대화 흐름을 파악하며 듣는다.

STEP ❸
마지막 말이 의문문이면 알맞은 응답을 고르고 평서문이면 중심 화제와 마지막 말을 종합하여 적절한 응답을 추론한다.

해결 전략 STEP 1

듣기 전 선택지 내용을 파악한다.

① 죄송해요. 내일까지 이것을 기다릴 수 없을 것 같아요.

② 동의해요. 진열된 것이 저에게 가장 나은 선택일 것 같네요.

③ 이런. 진열된 모델을 판매하지 않는다니 유감이네요.

④ 좋아요. 제 세탁기가 수리되면 전화해 주세요.

⑤ 맞아요. 당신이 진열된 것을 구매해서 기뻐요.

해결 전략 STEP 2

여자가 사고 싶은 세탁기가 품절이어서 남자는 [　　] 상품을 권하고 있다. 새것이 아니어서 꺼리는 여자에게, 남자는 상품이 사용된 적이 없고 새 제품과 동일하게 서비스를 받을 수 있다고 말하고 있다.

해결 전략 STEP 3

[　　]% 할인도 받을 수 있으니 괜찮은 거래라는 남자의 마지막 말에 대한 적절한 여자의 응답을 고른다.

답 | 진열(된), 20

---

12 기출 예제

대화를 듣고, 남자의 마지막 말에 대한 여자의 응답으로 가장 적절한 것을 고르시오.

Woman: _____

① Sorry. I don't think I can wait until tomorrow for this one.

② I agree. The displayed one may be the best option for me.

③ Oh, no. It's too bad you don't sell the displayed model.

④ Good. Call me when my washing machine is repaired.

⑤ Exactly. I'm glad that you bought the displayed one.

Script

W: Hi. Can I get some help over here?

M: Sure. What can I help you with?

W: I'm thinking of buying this washing machine.

M: Good choice. It's our best-selling model.

W: I really like its design and it has a lot of useful features. I'll take it.

M: Great. However, you'll have to wait for two weeks. We're out of this model right now.

W: Oh, no. I need it today. My washing machine broke down yesterday.

M: Then how about buying the one on display?

W: Oh, I didn't know I could buy the displayed one.

M: Sure, you can. We can deliver and install it today.

W: That's just what I need, but it's not a new one.

M: Not to worry. It's never been used. Also, like with the new ones, you can get it repaired for free for up to three years.

W: That's good.

M: We can also give you a 20% discount on it. It's a pretty good deal.

W: _____

VOCA

free trial ☐

be charged 요금이 부과되다

cancel ☐

get a refund 환불 받다

답ㅣ무료 체험, 취소하다

(**12**-1 기출 유사)

대화를 듣고, 여자의 마지막 말에 대한 남자의 응답으로 가장 적절한 것을 고르시오.

Man: _____

① Don't worry. I'll send you a notice by email.

② Great. Let me know how to use your services.

③ I don't agree. You can get a refund without a receipt.

④ Good. I'm looking forward to watching a movie tonight.

⑤ Okay. I'll call customer service to cancel the membership.

VOCA

compete ☐

construction ☐

fully 완전히

the public 일반 사람들, 대중

답ㅣ(시합에) 참가하다, 공사

(**12**-2 기출 유사)

대화를 듣고, 여자의 마지막 말에 대한 남자의 응답으로 가장 적절한 것을 고르시오.

Man: _____

① Your sister had difficulty booking them.

② I'm sure the construction will be done soon.

③ The community center will be available tomorrow.

④ I hope I can reserve a court to continue practicing.

⑤ I don't think they'll allow us to practice in the gym.

VOCA

application letter 지원서

specific ☐

stand out 빼어나다, 눈에 띄다

in detail ☐

make it to ~에 이르다

답ㅣ구체적인, 상세하게

(**12**-3 기출 유사)

대화를 듣고, 남자의 마지막 말에 대한 여자의 응답으로 가장 적절한 것을 고르시오.

Woman: _____

① Sure. Write as many activities as possible.

② Of course. The more specific, the better.

③ Thanks. But I'll do it my way this time.

④ Great. You've finally made it to college.

⑤ That's right. First come, first served.

VOCA

look for [　　　]

Lost and Found
분실물 보관소

available [　　　]

답 | ~을 찾다, 이용 가능한

01 대화를 듣고, 여자의 마지막 말에 대한 남자의 응답으로 가장 적절한 것을 고르시오.

① I already did, but I couldn't find it.
② Okay, I'll wait in the living room.
③ You need to fix the cell phone.
④ I called the Lost and Found.
⑤ Wi-Fi is not available here.

VOCA

be away 떨어져 있다, 부재
중이다

take care of [　　　]

regularly [　　　]

답 | ~을 돌보다, 정기적으로

02 대화를 듣고, 여자의 마지막 말에 대한 남자의 응답으로 가장 적절한 것을 고르시오.

Man: _____

① No. Just once a week.
② Sure. Drink it every day.
③ Sorry. I'm afraid I can't.
④ Yes. Not far from here.
⑤ Exactly. You'll join the trip.

VOCA

have ~ in mind [　　　]

kindness 친절

repay [　　　]

답 | ~을 염두에 두다, 보답하다

03 대화를 듣고, 남자의 마지막 말에 대한 여자의 응답으로 가장 적절한 것을 고르시오.

① Visiting a sunflower festival would be nice.
② You can't send her a birthday card.
③ Your kindness is always repaid.
④ I'll wrap the flowers for free.
⑤ White roses are nice at this time of year.

04 대화를 듣고, 남자의 마지막 말에 대한 여자의 응답으로 가장 적절한 것을 고르시오.

Woman: _____

① Sure. You should submit your homework on time.
② Right. Students should have proper Internet etiquette.
③ Good idea. It will introduce Korean culture to the world.
④ Thanks. I really appreciate your inviting us to Korea.
⑤ Okay. I'll go and buy some tickets for them.

05 대화를 듣고, 남자의 마지막 말에 대한 여자의 응답으로 가장 적절한 것을 고르시오.

① No thanks. I'm already full.
② Sure. The onion soup is great here.
③ No idea. I've never been here before.
④ Yes. I recommend you be there on time.
⑤ I agree. Let's go to a Mexican restaurant.

06 대화를 듣고, 여자의 마지막 말에 대한 남자의 응답으로 가장 적절한 것을 고르시오.

Man: _____

① I have, but he didn't take it seriously.
② Don't worry. I have no problem with him.
③ Well, he always keeps the bathroom clean.
④ Sorry. I delayed moving out of the apartment.
⑤ Of course. I'll help you move into a new apartment.

VOCA

far from ☐

weather forecast

☐

답 | ～에서 멀리, 일기 예보

07 대화를 듣고, 남자의 마지막 말에 대한 여자의 응답으로 가장 적절한 것을 고르시오.

① The building is too far from here.

② We don't need to bring umbrellas.

③ We can buy one on the first floor.

④ I don't know where your umbrella is.

⑤ You'd better check the weather forecast.

VOCA

bank account ☐

run out of ～을 다 써 버리다

broke 빈털터리의

advantageous ☐

답 | 은행 계좌, 이로운

08 대화를 듣고, 남자의 마지막 말에 대한 여자의 응답으로 가장 적절한 것을 고르시오.

Woman: _____

① Great. I should try to keep a weekly budget.

② Good luck. I hope you can find a part-time job.

③ Come on. You can coach me on my eating habits.

④ No way. You can't spend so much money shopping.

⑤ I know. I need to spend more time with my friends.

VOCA

borrow ☐

give a ride ☐

sunlight 햇빛

답 | 빌리다, 태워 주다

09 대화를 듣고, 남자의 마지막 말에 대한 여자의 응답으로 가장 적절한 것을 고르시오.

① No problem. Just let me know when you're ready.

② I'm afraid I can't. I lost my library card yesterday.

③ Sure. You can borrow my books anytime you want.

④ I'm sorry. The sunlight is too strong to go outside.

⑤ Of course. I'm going to walk to the library myself.

VOCA

logical [   ]

editorial 사설

citation 인용문

summarize [   ]

trustworthy 믿을 수 있는

답 | 논리적인, 요약하다

10 대화를 듣고, 여자의 마지막 말에 대한 남자의 응답으로 가장 적절한 것을 고르시오.

Man: _____

① Sure. I'll be careful not to forget the citations.

② Thank you. I'll start reading editorials on that site.

③ Summarizing articles isn't easy, but it works for me.

④ You're right. Nothing is better than writing by myself.

⑤ I agree. Not all information on the Web is trustworthy.

VOCA

cook 요리하다; [   ]

recipe 요리법

spoil [   ]

답 | 요리사, 망치다

11 대화를 듣고, 여자의 마지막 말에 대한 남자의 응답으로 가장 적절한 것을 고르시오.

① I don't think Italian food is healthy.

② I believe what looks good tastes good.

③ My aunt recently taught me the recipe.

④ Remember that too many cooks spoil the soup.

⑤ You should have followed the recipe I gave you.

VOCA

nervous [   ]

major 전공

would rather ~하고 싶다

popularity [   ]

terrific 아주 멋진

답 | 긴장한, 인기

12 대화를 듣고, 남자의 마지막 말에 대한 여자의 응답으로 가장 적절한 것을 고르시오.

Woman: _____

① Not really. I should change my major.

② I agree. I'd rather major in mathematics.

③ Oh, no. Let me call them and check again.

④ I got it. Popularity of the major is important.

⑤ Terrific! I can be a successful business person.

07 DAY

출제유형 ⑬ 상황에 적절한 말

다음 상황 설명을 읽고, Willy가 수리 기사에게 할 말로 가장 적절한 것을 고르시오.

① Willy is a student who lives alone in a house near his university. Returning home after school, he finds that the room temperature of his house is very low.

② It feels quite chilly. He turns on the heating system, but it doesn't work. Willy calls a repairman and asks him to come and fix it.

③ The repairman comes and fixes the problem. Willy says thanks to him and pays for the repair.

④ After the repairman leaves, Willy finds that one of the repairman's tools is on the floor. Willy calls the repairman again to let him know about this.

ⓐ You left one of your tools in my house.

ⓑ I'm afraid the heater stopped working again.

출제유형 **14** 긴 담화의 주제와 세부 내용

다음을 읽고, 물음에 답하시오.

> Hello, I'm Dr. Damon. As parents, we are all worried about our children starting to wear glasses at younger ages. Today, I will tell you some foods that can help protect your children's eyes. First, carrots are rich in vitamin A, which keeps the eye surface healthy by preventing it from drying out. Cheese is not only rich in vitamin A, but it also prevents eye fatigue due to its high levels of iron. Lastly, blueberries are rich in antioxidants, which improve night vision as well as maintain general eye health. I hope you encourage your children to try the foods I recommended today.

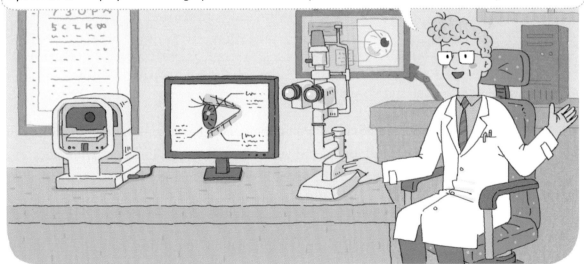

Q1. 남자가 하는 말의 주제로 가장 적절한 것은?

ⓐ key nutrients for kids' growth

ⓑ foods to protect kids' eye health

Q2. 언급된 식품이 <u>아닌</u> 것은?

ⓐ carrots ⓑ cheese

ⓒ almonds ⓓ blueberries

유형 해결 전략 | 13 상황에 적절한 말

STEP ❶
담화를 듣기 전에 선택지의 내용을 정확하게 파악한다.

STEP ❷
누가, 언제, 무엇을, 어떻게, 왜 했는지에 관한 사실적 정보를 듣고 상황을 정확히 파악한다.

STEP ❸
제시된 상황에서 '나'라면 어떤 말을 할 것인지 생각하고 선택지에서 적절한 말을 고른다.

해결 전략 STEP 1
듣기 전 선택지의 내용을 파악한다.

① 마음 놓고 제 뒤뜰에서 토마토를 가져가셔도 됩니다.
② 토마토 심을 때 도움이 필요하면 제게 말씀하세요.
③ 제가 어제 딴 익은 토마토를 원하세요?
④ 다른 곳에서 토마토를 재배하는 게 어때요?
⑤ 안 계시는 동안 제가 댁의 토마토를 돌봐 드릴게요.

13 기출 예제

다음 상황 설명을 듣고, Ben이 Stacy에게 할 말로 가장 적절한 것을 고르시오.

Ben: _____

① Feel free to take the tomatoes from my backyard.
② Tell me if you need help when planting tomatoes.
③ Do you want the ripe tomatoes I picked yesterday?
④ Why don't we grow tomatoes in some other places?
⑤ Let me take care of your tomatoes while you're away.

해결 전략 STEP 2
Ben과 Stacy는 [   ] 사이이고 Ben은 그가 재배하는 토마토를 매년 Stacy에게 나눠 준다.

해결 전략 STEP 3
Ben은 자신이 출장을 다녀올 동안 Stacy가 언제든지 자신의 뒤뜰에서 [   ]를 가져 가기를 바란다.

답 | 이웃, 토마토

Script

W: Ben and Stacy are neighbors. Ben has been growing tomatoes in his backyard for several years. Ben shares his tomatoes with Stacy every year because she loves his fresh tomatoes. Today, Ben notices that his tomatoes will be ready to be picked in about a week. However, he leaves for a month-long business trip tomorrow. He's worried that there'll be no fresh tomatoes left in his backyard by the time he comes back. He'd like Stacy to have them while they are fresh and ripe. So, Ben wants to tell Stacy that she can come and get the tomatoes from his backyard whenever she wants. In this situation, what would Ben most likely say to Stacy?

Ben: _____

VOCA

concentrate ☐
disappear 사라지다
instruction ☐

답 | 집중하다, 지시

13-1 기출 유사

다음 상황 설명을 듣고, Cathy가 Brian에게 할 말로 가장 적절한 것을 고르시오.

Cathy: _____

① Let me show you how to play better.
② You should practice more after school.
③ Will you come to the concert with me?
④ You need to follow the doctor's instructions.
⑤ Why don't you try yoga for your back pain?

VOCA

deliver 배달하다
employee ☐
apologize 사과하다
exchange ☐
delivery status 배송 상태

답 | 직원, 교환하다

13-2 기출 유사

다음 상황 설명을 듣고, Olivia가 온라인 쇼핑몰 고객 센터 직원에게 할 말로 가장 적절한 것을 고르시오.

Olivia: _____

① I'd like to send the pants back and get a refund.
② Could you deliver the pants by tomorrow?
③ Let me know when you have blue pants.
④ Can I exchange them for blue pants?
⑤ I want to check the delivery status.

VOCA

include 포함하다
information ☐
miss 놓치다
participate in ☐

답 | 정보, ~에 참가하다

13-3 기출 유사

다음 상황 설명을 듣고, Billy의 어머니가 Billy에게 할 말로 가장 적절한 것을 고르시오.

Billy's mother: _____

① Make sure to answer the letters.
② Try to participate in school events often.
③ I'm sure you can make some good friends.
④ You need to prepare for the meeting.
⑤ Don't forget to bring me the letters.

유형 해결 전략 14 긴 담화의 주제와 세부 내용

STEP ①
담화를 듣기 전에 두 개의 문항을 읽고 각 문항이 요구하는 바를 정확하게 이해한다.

STEP ②
먼저 담화의 주제를 파악하고, 담화 전체에 골고루 언급되는 세부 내용들을 선택지와 대조하며 확인한다.

해결 전략 STEP 1

듣기 전 두 개의 문항이 요구하는 바를 정확하게 파악하고, 선택지의 내용을 확인한다.

Q1. ① 계절 내내 있는 자연의 색채 변화
② 영국의 전통 풍습에 쓰이는 다양한 색깔
③ 문화에 따른 색채 지각의 차이
④ 왜 색깔과 관련된 표현이 영어에 흔한가
⑤ 어떻게 색깔 관련 영어 표현이 그 의미를 갖게 되었나

14 기출 예제 다음을 듣고, 물음에 답하시오.

Q1. 남자가 하는 말의 주제로 가장 적절한 것은?

① color change in nature throughout seasons
② various colors used in traditional English customs
③ differences in color perceptions according to culture
④ why expressions related to colors are common in English
⑤ how color-related English expressions gained their meanings

Q2. 언급된 색깔이 아닌 것은?

① blue ② white ③ green ④ red ⑤ yellow

Script

해결 전략 STEP 2

담화의 주제: [ ]과 관련된 영어 표현의 유래

예시 1: out of the blue
예시 2: [ ]
예시 3: green thumb
예시 4: to see red

답 | 색깔, white lie

M: Hello, students. Last time, I gave you a list of English expressions containing color terms. Today, we'll learn how these expressions got their meanings. The first expression is "out of the blue," meaning something happens unexpectedly. It came from the phrase "a lightning bolt out of the blue," which expresses the idea that it's unlikely to see lightning when there's a clear blue sky. The next expression, "white lie," means a harmless lie to protect someone from a harsh truth. This is because the color white traditionally symbolizes innocence. Another expression, "green thumb," refers to a great ability to cultivate plants. Planting pots were often covered with tiny green plants, so those who worked in gardens had green-stained hands. The last expression, "to see red," means to suddenly get very angry. Its origin possibly comes from the belief that bulls get angry and attack when a bullfighter waves a red cape. I hope this lesson helps you remember these phrases better.

VOCA

technology 기술

advantage ⬚

lifespan 수명

backlight 배면광

visible 잘 보이는

device 기기

misunderstanding

⬚

advance 나아가다; (지식·기술 등이) 진전을 보다

답 | 이점, 오해

14-1 기출 유사 다음을 듣고, 물음에 답하시오.

Q1. 여자가 하는 말의 주제로 가장 적절한 것은?

① benefits of using LEDs
② how the LED was invented
③ misunderstandings about LEDs
④ competition in the LED market
⑤ ways to advance LED technology

Q2. 언급된 물건이 아닌 것은?

① lamps   ② clocks
③ a television   ④ traffic lights
⑤ a computer keyboard

VOCA

incorrect 부정확한

cause 야기하다

core muscle 중심 근육

strengthen 강화시키다

spine 척추

flexible ⬚

posture ⬚

symptom 증상

답 | 유연한, 자세

14-2 기출 유사 다음을 듣고, 물음에 답하시오.

Q1. 남자가 하는 말의 주제로 가장 적절한 것은?

① various aerobic workouts for losing weight
② effective exercises for reducing back pain
③ activities to make your body flexible
④ importance of having correct posture
⑤ common symptoms of muscle pain

Q2. 언급된 운동이 아닌 것은?

① biking   ② swimming
③ yoga   ④ climbing
⑤ walking

01 다음 상황 설명을 듣고, Ted가 Linda에게 할 말로 가장 적절한 것을 고르시오.

Ted: _____

① Why don't you use a calendar app as a reminder?

② I recommend you ask your friends for some help.

③ Do you prefer a wall calendar or a desk calendar?

④ I wonder why you didn't submit your paper on time.

⑤ Could you tell me how you overcame your bad habit?

[02~03] 다음을 듣고, 물음에 답하시오.

02 여자가 하는 말의 주제로 가장 적절한 것은?

① major exporting countries of dairy products

② health benefits of drinking milk regularly

③ unique food cultures around the world

④ suitable environments for dairy animals

⑤ various milk sources in different countries

03 언급된 나라가 아닌 것은?

① Canada　　　② India　　　③ Finland

④ Norway　　　⑤ Romania

04 다음 상황 설명을 듣고, Jina가 어머니에게 할 말로 가장 적절한 것을 고르시오.

Jina: _____

① Please help me choose a nice flower pot.

② Would you come with me to the Market Day?

③ Can I take this flower pot for a school event?

④ I'm not sure if I can plant my flowers in this pot.

⑤ Why don't we look for an item to sell at the market?

[05~06] 다음을 듣고, 물음에 답하시오.

05 여자가 하는 말의 주제로 가장 적절한 것은?

① limits to producing energy-saving products

② importance of teaching recycling to teenagers

③ creative ways of turning waste into new items

④ useful tips for making household furniture easily

⑤ various reasons for using eco-friendly materials

06 언급된 물건이 아닌 것은?

① plastic bottles   ② cardboard boxes

③ glasses   ④ cans

⑤ newspapers

VOCA

VOCA

transfer 옮기다, 전학 가다
close touch 친밀한 관계
keep in touch
part (~와) 헤어지다
get used to

답 | 연락하다, ~에 익숙해지다

07 다음 상황 설명을 듣고, Alex가 Olivia에게 할 말로 가장 적절한 것을 고르시오.

Alex: _____

① You're very lucky to have a new job.
② I'll tell you where you should transfer to.
③ Let's keep in touch even after we part.
④ I was deeply touched by your kind words.
⑤ I hope you'll get used to your new school.

VOCA

enable 가능하게 하다
recycle 재활용하다
negative 부정적인
environment
financially 재정적으로
goods 소유물
awaken
necessity 필요(성)

답 | 환경, 깨우다

[08~09] 다음을 듣고, 물음에 답하시오.

08 여자가 하는 말의 주제로 가장 적절한 것은?

① benefits of sharing things
② ways to sell used stuff online
③ steps in the recycling process
④ necessity of sharing information
⑤ problems caused by online markets

09 언급된 물품이 <u>아닌</u> 것은?

① a dress　　② toys　　③ a car
④ books　　⑤ a bicycle

VOCA

flyer

period 기간

disappointed 실망한, 낙담한

suggest

답 | 전단지, 제안하다

10 다음 상황 설명을 듣고, Becky가 Clara에게 할 말로 가장 적절한 것을 고르시오.

Becky: _____

① Why don't we find a camp on different dates?

② You should check the camp dates on this flyer first.

③ You need your parents' permission to join the camp.

④ How about signing up for the camp right now?

⑤ Let's not go to camp this year.

VOCA

climate change 기후 변화

temperature 온도

affect

lower 낮추다

unstable 불안정한

climatic 기후의

delay

at risk 위험에 처한

requirement 필요조건

답 | 영향을 미치다, 미루다

[11~12] 다음을 듣고, 물음에 답하시오.

11 남자가 하는 말의 주제로 가장 적절한 것은?

① foods at risk due to climate change

② reasons why sea temperatures rise

③ animals and plants in the water

④ requirements of growing crops

⑤ ways to solve global warming

12 언급된 음식이 <u>아닌</u> 것은?

① coffee   ② avocados   ③ apples

④ strawberries   ⑤ coconuts

VOCA

step by step ☐
challenging ☐
theory 이론

답 | 점차로, 도전적인

13 다음 상황 설명을 듣고, Sophia가 John에게 할 말로 가장 적절한 것을 고르시오.

Sophia: _____

① Let's preview what we'll learn next class.
② How about applying math theory to the real life?
③ Could you tell me your secret to improving math skills?
④ You should read the directions of the questions carefully.
⑤ Why don't you practice less challenging math questions first?

VOCA

proverb ☐
feather 깃털
flock 무리 짓다
be around 존재하다
hatch 부화시키다
hasty 성급한
behavior ☐
value 가치, 가치관

답 | 속담, 행동

[14~15] 다음을 듣고, 물음에 답하시오.

14 여자가 하는 말의 주제로 가장 적절한 것은?

① proverbs that have animals in them
② different proverbs in various cultures
③ why proverbs are difficult to understand
④ importance of studying animals' behavior
⑤ advantages of teaching values through proverbs

15 언급된 동물이 <u>아닌</u> 것은?

① birds　　② mice　　③ cows
④ chickens　　⑤ dogs

16 다음 상황 설명을 듣고, Jane이 Brian에게 할 말로 가장 적절한 것을 고르시오.

Jane: _____

① May I use your car tomorrow?

② Did you fill up my car with gas?

③ Can you pick me up on your way home?

④ Could you check if my credit card is in the car?

⑤ Would you mind calling the card company for me?

[17~18] 다음을 듣고, 물음에 답하시오.

17 남자가 하는 말의 주제로 가장 적절한 것은?

① the best souvenirs to bring home from travel

② popular places in the world to photograph nature

③ tips on how to save money on souvenir shopping

④ the variety of cultural environments around the world

⑤ the most important travel safety rules to keep in mind

18 언급된 지역이 <u>아닌</u> 것은?

① Beijing　　　② Paris　　　③ Sydney

④ Hawaii　　　⑤ Venice

memo

memo

memo

DAY 8

누구나 100점 테스트 1회

1 다음을 듣고, 여자가 하는 말의 목적으로 가장 적절한 것을 고르시오.

① 강의 일정 변경을 공지하려고

② 감사 일기 쓰는 것을 권장하려고

③ 건강 관리의 중요성을 강조하려고

④ 자기소개서 작성 요령을 설명하려고

⑤ 효과적인 시간 활용법을 안내하려고

2 대화를 듣고, 여자의 의견으로 가장 적절한 것을 고르시오.

① 공상 과학 소설을 읽으면 과학에 대한 흥미를 키울 수 있다.

② 다양한 주제의 책을 읽는 것이 창의력 향상에 도움이 된다.

③ 책을 읽을 때에는 배경지식을 활용하는 것이 중요하다.

④ 꾸준한 독서를 통해 작문 실력을 향상시킬 수 있다.

⑤ 책의 내용을 반복해서 읽어야 기억에 오래 남는다.

3 대화를 듣고, 두 사람의 관계를 가장 잘 나타낸 것을 고르시오.

① 미용사 – 고객

② 화방 점원 – 화가

③ 미술관장 – 방문객

④ 패션 디자이너 – 모델

⑤ 모자 가게 주인 – 손님

4 대화를 듣고, 그림에서 대화의 내용과 일치하지 <u>않는</u> 것을 고르시오.

5 대화를 듣고, 여자가 할 일로 가장 적절한 것을 고르시오.

① 지하철 노선 알아보기

② 일기 예보 확인하기

③ 미술관 입장권 예매하기

④ 주차 장소 검색하기

⑤ 관람할 전시회 찾아보기

6 대화를 듣고, 여자가 거리 공연을 보러 갈 수 없는 이유를 고르시오.

① 학교 축제를 위한 부스를 만들어야 해서

② 좋아하는 밴드의 팬 사인회에 가야 해서

③ 동아리 부원들과 기타 연습을 해야 해서

④ 학급 친구들과 합창 대회 준비를 해야 해서

⑤ 과학 프로젝트를 위해 조원들을 만나야 해서

7 대화를 듣고, World Dinosaur Exhibition에 관해 언급되지 않은 것을 고르시오.

① 장소　　　② 프로그램　　　③ 운영 시간

④ 입장료　　　⑤ 교통편

8 Children's Book Fair에 관한 다음 내용을 듣고, 일치하지 않는 것을 고르시오.

① 3일 동안 진행된다.

② 만화책을 포함한 아동용 도서를 전시한다.

③ 50% 할인된 가격으로 책을 살 수 있다.

④ 행사 첫 날에 유명 작가를 만날 수 있다.

⑤ 방문하는 모든 어린이는 책갈피를 선물로 받는다.

9 다음 표를 보면서 대화를 듣고, 남자가 구입할 운동 매트를 고르시오.

Exercise Mats

	Model	Thickness	Price	Non-slip Surface
①	A	4mm	$24	×
②	B	6mm	$33	○
③	C	8mm	$38	×
④	D	8mm	$45	○
⑤	E	10mm	$55	○

10 대화를 듣고, 여자의 마지막 말에 대한 남자의 응답으로 가장 적절한 것을 고르시오.

① I see. Thank you for letting me know.

② Unfortunately, I got caught in the rain.

③ Well, it's been raining since yesterday.

④ You're right. It'll be sunny this afternoon.

⑤ Yeah. These umbrellas are available online.

이제 듣기 문제가 끝났습니다. 수고하셨습니다.

DAY 8

누구나 100점 테스트 2회

1 다음을 듣고, 남자가 하는 말의 목적으로 가장 적절한 것을 고르시오.

① 횡단보도 위치 변경을 안내하려고
② 무단 횡단을 하지 않도록 당부하려고
③ 신호등 추가 설치 위치를 공지하려고
④ 학교 앞 도로 제한 속도 준수를 촉구하려고
⑤ 교통사고로 다친 학생의 후원금을 모금하려고

2 대화를 듣고, 남자의 의견으로 가장 적절한 것을 고르시오.

① 집중력 향상을 위해서는 충분한 휴식이 필요하다.
② 정돈된 학습 공간은 집중력을 높이는 데 도움이 된다.
③ 효율적인 학습을 위해서 학습 계획표를 작성해야 한다.
④ 많은 과제는 학생에게 학습에 대한 스트레스를 줄 수 있다.
⑤ 책임감을 기르기 위해서는 자녀도 집안일을 분담해야 한다.

3 대화를 듣고, 두 사람의 관계를 가장 잘 나타낸 것을 고르시오.

① 호텔 직원 – 투숙객
② 식당 지배인 – 요리사
③ 여행 가이드 – 여행객
④ 열쇠 수리공 – 집주인
⑤ 부동산 중개인 – 세입자

4 대화를 듣고, 그림에서 대화의 내용과 일치하지 <u>않는</u> 것을 고르시오.

5 대화를 듣고, 남자가 여자를 위해 할 일로 가장 적절한 것을 고르시오.

① 감자 사 오기
② 케이크 만들기
③ 장학금 신청하기
④ 스테이크 주문하기
⑤ 식료품점 위치 검색하기

6 대화를 듣고, 남자가 Jamie의 송별회에 갈 수 <u>없는</u> 이유를 고르시오.

① 남동생을 돌봐야 해서
② 과학 숙제를 해야 해서
③ 할아버지 병문안을 가야 해서
④ 부모님을 병원에 모시고 가야 해서
⑤ 친구에게 줄 선물을 준비하기 위해서

7 대화를 듣고, Lakeville Campground에 관해 언급되지 <u>않은</u> 것을 고르시오.

① 주변 자연환경   ② 편의 시설   ③ 이용료
④ 이용 시간   ⑤ 예약 방법

8 Show Me Your Dishes에 관한 다음 내용을 듣고, 일치하지 <u>않는</u> 것을 고르시오.

① 참가 대상은 15세부터 18세의 청소년이다.
② 2004년부터 매년 열리는 대회이다.
③ 참가하려면 조리법을 대회 웹 사이트에 업로드 해야 한다.
④ 참가자에게 90분의 요리 시간이 주어진다.
⑤ 심사의 기준은 맛과 창의성이다.

9 다음 표를 보면서 대화를 듣고, 여자가 구입할 전기면도기를 고르시오.

Electric Shaver

	Model	Price	Battery Life	Waterproof	Color
①	A	$55	20 minutes	×	black
②	B	$70	40 minutes	×	white
③	C	$85	60 minutes	○	black
④	D	$90	70 minutes	○	white
⑤	E	$110	80 minutes	○	black

10 대화를 듣고, 여자의 마지막 말에 대한 남자의 응답으로 가장 적절한 것을 고르시오.

① Actually, I couldn't find your essay.
② Don't worry. I can make a copy for you.
③ Too bad. I can't remember the deadline.
④ Not at all. I didn't start writing my essay.
⑤ Congratulations! I knew you could make it.

이제 듣기 문제가 끝났습니다. 수고하셨습니다.

DAY 9

수능 기초 예상 문제 1회

1 다음을 듣고, 남자가 하는 말의 목적으로 가장 적절한 것을 고르시오.

① 교통사고 발생 시 대처 요령을 안내하려고
② 자전거 투어 시 안전 규칙을 설명하려고
③ 자전거 전용 도로 확충을 요청하려고
④ 단체 관광 일정 변경을 공지하려고
⑤ 자전거 대회 참가를 독려하려고

2 대화를 듣고, 여자의 의견으로 가장 적절한 것을 고르시오.

① 기억력은 반복적인 학습을 통해 향상된다.
② 책을 읽을 때 음악을 듣는 것은 도움이 된다.
③ 꾸준한 독서 습관을 형성하는 것이 중요하다.
④ 음악 감상은 아동의 창의력 발달에 효과적이다.
⑤ 청력 보호를 위해 적절한 음량 조절이 필요하다.

3 대화를 듣고, 두 사람의 관계를 가장 잘 나타낸 것을 고르시오.

① 구급 대원 – 간호사
② 피부과 의사 – 환자
③ 화장품 판매원 – 손님
④ 제약 회사 직원 – 약사
⑤ 물리 치료사 – 운동선수

4 대화를 듣고, 그림에서 대화의 내용과 일치하지 <u>않는</u> 것을 고르시오.

5 대화를 듣고, 여자가 할 일로 가장 적절한 것을 고르시오.

① 모금함 만들기   ② 물품 배치하기
③ 가격표 붙이기   ④ 스피커 점검하기
⑤ 동영상 제작하기

6 대화를 듣고, 남자가 지불할 금액을 고르시오.

① $41   ② $46   ③ $51

④ $56   ⑤ $60

7 대화를 듣고, 남자가 학생 패션쇼에 갈 수 없는 이유를 고르시오.

① 친구 생일 선물을 사야 해서

② 가족과 식사를 하기로 해서

③ 집수리를 도와줘야 해서

④ 회의에 참석해야 해서

⑤ 콘서트에 가기로 해서

8 대화를 듣고, Comedy Allstars에 관해 언급되지 않은 것을 고르시오.

① 공연 장소   ② 공연 시작일

③ 관람료   ④ 출연자

⑤ 티켓 예매 방법

9 Greenville Animation Film Festival에 관한 다음 내용을 듣고, 일치하지 않는 것을 고르시오.

① 1995년에 시작된 행사이다.

② 일주일 동안 열린다.

③ 올해의 주제는 우정이다.

④ 영화 스케줄은 웹 사이트에 게시될 것이다.

⑤ 근처에 주차장이 있다.

10 다음 표를 보면서 대화를 듣고, 남자가 구매할 여행 가방을 고르시오.

Suitcases

	Model	Size (inch)	Price	Color	Free Gift
①	A	18	$80	white	travel pillow
②	B	24	$100	white	umbrella
③	C	26	$130	black	umbrella
④	D	28	$160	black	travel pillow
⑤	E	30	$210	white	umbrella

11 대화를 듣고, 남자의 마지막 말에 대한 여자의 응답으로 가장 적절한 것을 고르시오.

① *Bulgogi* is already sold out.

② You can choose what to eat.

③ We'll meet at the restaurant.

④ I'll order the food for tomorrow.

⑤ I got the recipe from the Internet.

12 대화를 듣고, 여자의 마지막 말에 대한 남자의 응답으로 가장 적절한 것을 고르시오.

① I see. I'll take another road then.

② Really? Go to the hospital right now.

③ That's too bad. You should've left earlier.

④ Sorry. I got a speeding ticket on the highway.

⑤ Okay. I'll make a reservation for the restaurant.

13 대화를 듣고, 남자의 마지막 말에 대한 여자의 응답으로 가장 적절한 것을 고르시오.

Woman: _____

① Then, you should sell the items using this app.

② Good. Let's buy a sweater in the marketplace.

③ All right. It's easy to order this bag online.

④ No worries. I'll lend you some money.

⑤ Well, you'd better buy new clothes.

14 대화를 듣고, 여자의 마지막 말에 대한 남자의 응답으로 가장 적절한 것을 고르시오.

Man: _____

① Don't worry. I know they'll definitely support your opinion.

② Of course not. We're not able to switch our club leaders now.

③ I understand. I'm going to look for another research topic then.

④ All right. That way we'll satisfy more members than last time.

⑤ Never mind. We can reschedule a time for our group discussion.

15 다음 상황 설명을 듣고, Ms. Brown이 Chris에게 할 말로 가장 적절한 것을 고르시오.

Ms. Brown: _____

① You should stop worrying about your major.

② You'd better read an English book every day.

③ Why don't you start writing a diary in English?

④ I think you need to learn a lot of English words.

⑤ How about having conversations with foreigners?

이제 듣기 문제가 끝났습니다. 수고하셨습니다.

[16~17] 다음을 듣고, 물음에 답하시오.

16 여자가 하는 말의 주제로 가장 적절한 것은?

① blooming seasons for flowers
② implied meanings of flowers
③ ways to make flower beds
④ origins of national flowers
⑤ steps for planting flowers

17 언급된 꽃이 아닌 것은?

① carnations ② tulips ③ irises
④ roses ⑤ daisies

DAY 10 수능 기초 예상 문제 2회

1번부터 15번까지는 한 번만 들려주고, 16번부터 17번까지는 두 번 들려줍니다. 방송을 잘 듣고 답을 하시기 바랍니다.

1 다음을 듣고, 남자가 하는 말의 목적으로 가장 적절한 것을 고르시오.

① 병실 사용 시 유의 사항을 설명하려고
② 병문안 시 면회 시간 준수를 당부하려고
③ 병원 내 새로운 편의 시설을 소개하려고
④ 병원 주변 도로 통제 구역을 공지하려고
⑤ 병원 일부 출입구의 사용 제한을 안내하려고

2 대화를 듣고, 여자의 의견으로 가장 적절한 것을 고르시오.

① 잠들기 직전의 운동은 수면을 방해할 수 있다.
② 운동은 규칙적으로 하는 것이 효과적이다.
③ 과격한 운동은 심장에 무리를 줄 수 있다.
④ 충분한 수면은 건강 관리에 도움이 된다.
⑤ 지나친 스트레스는 건강을 해친다.

3 대화를 듣고, 두 사람의 관계를 가장 잘 나타낸 것을 고르시오.

① 배관공 – 집주인
② 식당 지배인 – 요리사
③ 관광 안내원 – 관광객
④ 부동산 중개인 – 고객
⑤ 인테리어 디자이너 – 의뢰인

4 대화를 듣고, 그림에서 대화의 내용과 일치하지 <u>않는</u> 것을 고르시오.

5 대화를 듣고, 남자가 여자에게 부탁한 일로 가장 적절한 것을 고르시오.

① 퇴임식장 예약하기　　② 사진 파일 보내 주기
③ 점심 식사 주문하기　　④ 행사 사진 촬영하기
⑤ 신문 기사 작성하기

6 대화를 듣고, 남자가 지불할 금액을 고르시오.

① $41 ② $45 ③ $46 ④ $50 ⑤ $54

7 대화를 듣고, 남자가 전시회장에 갈 수 없는 이유를 고르시오.

① 봉사 활동을 해야 해서
② 축구 경기를 해야 해서
③ 과학 과제를 해야 해서
④ 아르바이트를 해야 해서
⑤ 기말고사 준비를 해야 해서

8 대화를 듣고, Dream Bio Research Project에 관해 언급되지 않은 것을 고르시오.

① 연구원 수 ② 예상 완공
③ 연구 목적 ④ 연구 장소
⑤ 연구 기간

9 Highland Movie Night에 관한 다음 내용을 듣고, 일치하지 않는 것을 고르시오.

① 매달 개최되는 행사이다.
② Highland 주민에게는 무료이다.
③ Lincoln 도서관에서 열린다.
④ 사전에 등록해야 한다.
⑤ 음식물 반입이 허용된다.

10 다음 표를 보면서 대화를 듣고, 여자가 등록할 그리기 강좌를 고르시오.

One-day Drawing Lessons

Class	Material	Lesson Type	Day	Time
① A	Oil paint	Group	Monday	11 a.m.
② B	Acrylic paint	Private	Wednesday	11 a.m.
③ C	Crayon	Group	Wednesday	6 p.m.
④ D	Colored pencil	Group	Friday	11 a.m.
⑤ E	Pastel	Private	Friday	6 p.m.

11 대화를 듣고, 남자의 마지막 말에 대한 여자의 응답으로 가장 적절한 것을 고르시오.

① It was shipped to the wrong address.

② I'd like to pick up the book in person.

③ I couldn't find the book in that section.

④ It's damaged. Several pages are missing.

⑤ No problem. I'll pay with this credit card.

12 대화를 듣고, 여자의 마지막 말에 대한 남자의 응답으로 가장 적절한 것을 고르시오.

① Sorry, but our recipe is a secret.

② Sure. I'd like to buy this dressing.

③ No thanks. We don't need the recipe.

④ Yes, I can make you the vegetable soup.

⑤ Okay, I'll bring you the salad right away.

13 대화를 듣고, 남자의 마지막 말에 대한 여자의 응답으로 가장 적절한 것을 고르시오.

Woman: _____

① Bad posture can cause increased tension in your back.

② Be careful when you lift up something heavy.

③ Here are some tips for sleeping problems.

④ Too much exercise can lead to muscle ache.

⑤ Taking regular breaks while studying will help you focus.

14 대화를 듣고, 여자의 마지막 말에 대한 남자의 응답으로 가장 적절한 것을 고르시오.

Man: _____

① No kidding. I'm not interested in a yoga club.

② Too late. I can't lend you my registration card.

③ As you know, swimming isn't my favorite sport.

④ In that case, I'd better go and see if I can join the club.

⑤ Trust me. I bet you can be an excellent sports club leader.

15 다음 상황 설명을 듣고, Brian이 Jennifer에게 할 말로 가장 적절한 것을 고르시오.

Brian: _____

① We should work out together more often.

② Don't waste money buying so many tumblers.

③ We'd better drink more water while we exercise.

④ When does the convenience store near the gym close?

⑤ Why don't you get a tumbler and bring it to the gym?

11

[16~17] 다음을 듣고, 물음에 답하시오.

16 여자가 하는 말의 주제로 가장 적절한 것은?
① positive effects of raising animals
② useful tips for recording animal behavior
③ common characteristics sea animals have
④ different ways animals use to communicate
⑤ importance of protecting endangered species

17 언급된 동물이 아닌 것은?
① 개   ② 돌고래   ③ 고릴라
④ 기린   ⑤ 코끼리

이제 듣기 문제가 끝났습니다. 수고하셨습니다.

정답과 해설

출제유형 **1** ⓐ	출제유형 **2** ⓑ

출제유형 **1** 목적 추론

M: Hello, everyone. This is Ted Williams, the drama teacher. As you know, there's a musical in the school festival every year. And the auditions for actors are going to be held soon. Please check the poster on the bulletin board. I'm looking forward to seeing you at the auditions. Thank you.

look forward to -ing: ~하기를 기대하다

AUDITIONS FOR SCHOOL MUSICAL
- **WHEN:** June 24th, 3 p.m. – 5 p.m.
- **WHERE:** School Auditorium
* Please submit applications to Mr. Williams by June 23rd.

해설 연극반 선생님이 학교 축제에서 공연할 뮤지컬의 배우를 뽑는 오디션에 관해 공지하고 있다. 포스터는 오디션에 관한 세부 정보를 담고 있다.

남: 안녕하세요, 여러분. 저는 연극반 선생님 Ted Williams입니다. 여러분도 아시다시피, 매년 학교 축제에서 뮤지컬을 합니다. 그리고 배우를 뽑는 오디션이 곧 열릴 것입니다. 게시판에 있는 포스터를 확인해 주세요. 여러분을 오디션에서 만나기를 기대합니다. 고맙습니다.

교내 뮤지컬 오디션
- 일시: 6월 24일, 오후 3시 ~ 5시
- 장소: 학교 강당
* 신청서는 6월 23일까지 Williams 선생님에게 제출하세요.

[어휘] hold 개최하다(-held-held)
bulletin board 게시판
submit 제출하다
application 지원서, 신청서

출제유형 **2** 의견, 주제 추론

W: I saw a teenage boy almost get hit by a car.
지각동사+목적어+목적격 보어(원형 부정사)
M: Oh, no. Tell me what happened.

W: He was crossing the street while looking at his smartphone, so he didn't see the car coming towards him.

M: He should have been more careful.
should have p.p.: ~했어야 했다
W: Exactly. If the driver hadn't stopped in time, he could have been seriously injured.
가정법 과거완료: 만약 ~했다면, …했을 텐데

M: I think crossing the street while looking at your phone should be banned by law.
조동사가 있는 수동태
W: I totally agree with you.

해설 휴대 전화를 보면서 길을 건너는 것을 금지해야 한다는 것이 두 사람의 의견이다.

여: 차에 거의 치일 뻔한 십 대 소년을 봤어.
남: 오, 이런. 무슨 일이 있었는지 말해 줘.
여: 그는 스마트폰을 보면서 길을 건너고 있어서 그를 향해 오는 차를 못 봤어.
남: 그는 좀 더 조심했어야 했어.
여: 맞아. 운전자가 제때 멈추지 않았더라면, 그는 크게 다쳤을 거야.
남: 휴대 전화를 보면서 길을 건너는 것은 법으로 금지되어야 한다고 생각해.
여: 나도 전적으로 동의해.

[어휘] injure 다치게 하다
ban 금지하다   law 법

01 기출 예제 | 답 ⑤

M: Hello, viewers. Thank you for clicking on this video. I'm Ronnie Drain, and I've been a personal fitness trainer for over 15 years. Today, I'd like to tell you about my channel, *Build Your Body*. On my channel, you can watch videos showing you how to do a variety of exercises that you can do at home or at your office. If you've experienced difficulty exercising regularly, my videos can provide easy guidelines and useful resources on exercise routines. New videos will be uploaded every Friday. Visit my channel and build a stronger, healthier body.

다음을 듣고, 남자가 하는 말의 목적으로 가장 적절한 것을 고르시오.

① 헬스클럽 할인 행사를 안내하려고
② 동영상 업로드 방법을 설명하려고
③ 스포츠 중계방송 중단을 예고하려고
④ 체육관 보수 공사 일정 변경을 공지하려고
⑤ 운동 방법에 관한 동영상 채널을 홍보하려고

남: 안녕하세요, 시청자 여러분. 이 동영상을 클릭해 주셔서 감사합니다. 저는 Ronnie Drain이고, 15년 넘게 개인 피트니스 트레이너로 일하고 있습니다. 오늘, 저는 여러분께 저의 채널인 'Build Your Body'에 대해 말씀드리고 싶습니다. 제 채널에서 여러분은 가정이나 사무실에서 할 수 있는 다양한 운동법을 보여 주는 동영상을 볼 수 있습니다. 여러분이 규칙적으로 운동하는 데 어려움을 겪으셨다면, 제 동영상이 운동 순서와 방법에 관한 쉬운 지침과 유용한 자료를 제공할 수 있습니다. 매주 금요일마다 새로운 동영상이 업로드될 것입니다. 제 채널을 방문하셔서 더 튼튼하고 더 건강한 몸을 만드세요.

어휘 **a variety of** 다양한
difficulty 어려움, 곤란
regularly 규칙적으로
routine (규칙적으로 하는 일의) 순서와 방법

01-1 기출 유사 | 답 ⑤

W: Hello, everyone. Thank you for visiting Dream Amusement Park. To celebrate our 20th anniversary, we have a special musical performance for children, *The Winter Princess*, all through this week. It was awarded the Best Children's Musical last year and features many famous musical artists that you love. Today, the performance will start at 4 p.m. at the Rainbow Theater. If you'd like to join the show, you need to make a reservation at any information center nearby. We hope you all have a wonderful time with us. Thank you.

여: 여러분, 안녕하세요. Dream 놀이공원에 방문해 주셔서 고맙습니다. 20주년 기념일을 축하하기 위해, 아이들을 위한 특별 뮤지컬 공연 '겨울 공주'를 이번 주 내내 합니다. 그것은 작년에 가장 훌륭한 어린이 뮤지컬 상을 수상했고, 여러분이 사랑하는 많은 유명한 뮤지컬 아티스트들이 출연합니다. 오늘은 공연이 Rainbow 극장에서 오후 4시에 시작합니다. 쇼를 보고 싶으시면 가까운 정보 센터에서 예약을 해 주세요. 여러분 모두 저희와 함께 좋은 시간을 보내시길 바랍니다. 고맙습니다.

다음을 듣고, 여자가 하는 말의 목적으로 가장 적절한 것을 고르시오.

① 놀이공원의 개장을 홍보하려고
② 어린이 뮤지컬 배우를 모집하려고
③ 뮤지컬 시상식 일정을 공지하려고
④ 어린이 안전사고 예방을 당부하려고
⑤ 어린이 뮤지컬 특별 공연을 안내하려고

01-2 기출 유사 답 ②

W: Hello, students. This is vice principal Susan Lee. I know all
화자는 교감 선생님이다.
of you are busy preparing for the upcoming school festival.
be busy+V-ing: ~로 바쁘다
There are club activities going on in every part of our school
앞의 명사를 수식하는 현재분사구
building. You may want to move between places during
activities. But I'd like to ask you to work in the place where
정해진 장소에서 활동할 것을 요청하고 있다.   관계부사
you are supposed to be. Your teachers want to make your
                                                    5형식 동사+목적어+
safety the top priority. Once again, make sure to prepare for
목적격 보어(명사)   계획된 장소에서 준비할 것을 다시 한번 요청하고 있다.
the festival in your prearranged places. Thank you for your
cooperation.

여: 학생 여러분, 안녕하세요. 교감 Susan Lee 입니다. 여러분 모두가 다가오는 학교 축제 준비로 바쁠 것입니다. 학교 건물의 모든 구역에서 동아리 활동이 이루어지고 있습니다. 활동 중에 장소를 이동하기를 원할 수도 있습니다. 하지만 여러분들이 머물러야 하는 장소에서 활동하기를 부탁드립니다. 여러분의 선생님들은 여러분의 안전을 최우선 사항으로 두고 있습니다. 다시 한번 말씀드립니다. 반드시 미리 계획된 장소에서 축제 준비를 해 주세요. 협조해 주어서 고맙습니다.

다음을 듣고, 여자가 하는 말의 목적으로 가장 적절한 것을 고르시오.

① 축제 관련자 안전 교육 참석을 공지하려고
② 정해진 장소에서 활동할 것을 요청하려고
③ 다양한 공연을 준비할 것을 독려하려고
④ 동아리 담당 교사 변경을 안내하려고
⑤ 적극적인 동아리 활동을 부탁하려고

01-3 기출 유사 답 ①

M: Hello, students. This is Mike Smith, your P.E. teacher. These
화자는 체육 선생님이다.
days, the fine dust problem is getting serious. So, I'd like to
explain what you should do when the fine dust level is high.
미세 먼지 수치가 높을 때 대처 요령을 안내하고 싶어 한다.
First, close all the classroom windows to keep out the dust.
요령 1 교실 창문 닫기   to부정사 부사적 용법(목적)
Second, turn on the air purifier in the classroom. The air
요령 2 공기 정화기 켜기
purifier will help keep the air clean. Third, drink water and
wash your hands as often as possible. Last, it's important to
요령 3 자주 물 마시고 손 씻기   가주어   진주어
wear a mask when you're outside. Thank you for listening.
요령 4 밖에 있을 때 마스크 쓰기

남: 학생 여러분, 안녕하세요. 저는 체육 선생님 Mike Smith입니다. 요즘 들어 미세 먼지 문제가 심각해지고 있습니다. 그래서 미세 먼지 수치가 높을 때는 무엇을 해야 하는지 안내하려고 합니다. 먼저, 먼지가 들어오지 않도록 모든 교실 창문을 닫으세요. 두 번째로, 교실의 공기 정화기를 켜세요. 공기 정화기는 공기를 깨끗하게 유지하도록 도움을 줍니다. 세 번째로, 가능한 한 자주 물을 마시고 손을 씻으세요. 마지막으로, 밖에 있을 때 마스크를 쓰는 것이 중요합니다. 들어 주셔서 고맙습니다.

다음을 듣고, 남자가 하는 말의 목적으로 가장 적절한 것을 고르시오.

① 미세 먼지 수치가 높을 때 대처 요령을 안내하려고
② 교실 내 공기 정화기 설치 일정을 알리려고
③ 체육 실기 시험 준비 방법을 설명하려고
④ 미세 먼지 방지용 마스크 배부 행사를 홍보하려고
⑤ 미세 먼지 감축을 위해 대중교통 이용을 독려하려고

[어휘] fine dust 미세 먼지
serious 심각한 explain 설명하다
keep out ~이 들어가지 않게 하다
turn on 켜다 air purifier 공기 정화기
as ~ as possible 가능한 한 ~한(하게)

출제유형 핵심 체크 2 의견, 주제 추론 pp. 10~11

02 기출 예제 | ① 02-1 기출 유사 | ① 02-2 기출 유사 | ② 02-3 기출 유사 | ⑤

---

02 기출 예제 | 답 ①

W: Good morning, Chris.

M: Good morning, Julie. How was your weekend?

W: It was wonderful. I went to an event called Stargazing Night
with my 7-year-old son.
앞의 명사를 수식하는 과거분사구
여자는 주말에 일곱 살짜리 아들과 별을 관찰하는 행사에 참여했다.

M: Oh, so you went outdoors to look up at stars. Your son must
have had a great time.
must have p.p.: ~했음이 틀림없다

W: Yes. And I think it helped my son become familiar with
mathematical concepts.
여자는 별을 관찰하는 것이 수학 개념을 배우는 데 도움이 된다는 의견을 제시하고 있다.

M: Interesting! How does it do that?
by+V-ing: ~함으로써

W: By counting the stars together, my son had a chance to
practice counting to high numbers. 별을 세면서 숫자 세는 법을 배웠다.
to부정사 형용사적 용법(앞의 chance 수식)

M: Ah, that makes sense.

W: Also, he enjoyed identifying shapes and tracing patterns that
stars form together. 별들이 모여서 만드는 모양과 패턴을 추적하는 것을 배웠다.
목적격 관계대명사

M: Sounds like you had a magical and mathematical night!

W: Absolutely. I think looking at stars is a good way for kids to
get used to mathematical concepts. 앞서 언급한 의견을 다른 표현으로 반복하고 있다.
의미상 주어+to부정사(앞의 way 수식)

M: Maybe I should take my daughter to the event next time.

여: 안녕, Chris.
남: 안녕, Julie. 주말 잘 보냈어?
여: 아주 좋았어. 일곱 살짜리 아들과 '별 보는 밤'이라는 행사에 갔었어.
남: 오, 그래서 별 보러 야외에 나갔구나. 네 아들은 틀림없이 즐거운 시간을 보냈겠구나.
여: 그럼. 그리고 그게 내 아들이 수학 개념을 익히는 데 도움이 되었다고 생각해.
남: 흥미로운데! 그게 어떻게 그렇지?
여: 함께 별을 세면서 내 아들은 높은 숫자까지 세는 것을 연습할 기회를 가졌거든.
남: 아, 그거 말이 되네.
여: 게다가, 그는 별들이 함께 형성하는 모양을 식별하고 패턴을 추적하는 것을 재미있어했어.
남: 아주 멋진 수학적인 밤을 보낸 것 같구나!
여: 맞아. 나는 별 보기가 아이들이 수학 개념에 익숙해지는 좋은 방법이라고 생각해.
남: 다음에 나도 내 딸을 그 행사에 데려가야겠다.

대화를 듣고, 여자의 의견으로 가장 적절한 것을 고르시오.
① 별 관찰은 아이들이 수학 개념에 친숙해지도록 도와준다.
② 아이들은 별 관찰을 통해 예술적 영감을 얻는다.
③ 야외 활동이 아이들의 신체 발달에 필수적이다.
④ 아이들은 자연을 경험함으로써 인격적으로 성장한다.
⑤ 수학 문제 풀이는 아이들의 논리적 사고력을 증진시킨다.

[어휘] stargaze 별을 관찰하다
become familiar with 익히다
mathematical 수학의, 수리적인
identify 식별하다 trace 추적하다
form 형성하다 magical 아주 멋진
get used to ~에 익숙해지다

M: Hey, Sarah. What are you going to choose for your after-school activity?

W: I'm not sure, Dad.

M: What about taking a coding course?
남자는 코딩 수업 듣는 것을 제안하고 있다.

W: A coding course? Why should I do that?

M: I think learning to code can give you important skills for the future. 코딩 학습의 이점 1 미래에 중요한 기술이 될 수 있다.

W: Oh, I remember my teacher saying that coding is a skill
remember+V-ing: (과거에) ~했던 것을 기억하다
that can increase the chances of getting a job. But it sounds
주격 관계대명사   코딩 학습의 이점 2 취업 기회를 늘릴 수 있다.
difficult.

M: It might be, but it can help you learn how to plan and
how+to-V: ~하는 법
organize your thoughts. 코딩 학습의 이점 3 계획 수립과 생각 정리에 도움이 된다.

W: Good to know. And I heard coding helps with math. Right?

M: Definitely. Plus, it improves your problem-solving skills.
코딩 학습의 이점 4 수학에 도움이 된다.

W: Cool! I think I'm going to take the course.
코딩 학습의 이점 5 문제 해결 능력을 향상시킨다.

대화를 듣고, 두 사람이 하는 말의 주제로 가장 적절한 것을 고르시오.

① 코딩 학습의 이점
② 코딩 시 주의할 점
③ 코딩 기술이 필요한 직업
④ 조기 코딩 교육의 문제점
⑤ 코딩 초보자를 위한 학습법

남: Sarah야. 방과 후 활동으로 무엇을 선택할 거니?

여: 모르겠어요, 아빠.

남: 코딩 수업을 들어 보는 것은 어때?

여: 코딩 수업이요? 그것을 왜 해야 하는데요?

남: 프로그램을 코드화하는 것을 배우는 것은 너에게 미래를 대비한 중요한 기술이 되어 줄 수 있다고 생각해.

여: 오, 선생님께서 코딩이 취업할 수 있는 기회를 늘릴 수 있는 기술이라고 말씀하신 것이 기억나요. 그런데 어려울 것 같아요.

남: 그럴지도 몰라. 하지만 그것은 네가 계획을 짜고 생각을 정리하는 법을 배우는 데 도움이 될 수 있어.

여: 잘됐네요. 그리고 코딩이 수학에도 도움이 된다고 들었어요. 그런가요?

남: 물론이지. 또한 그것은 문제 해결 능력도 향상시켜.

여: 좋네요! 그 수업을 들어야겠어요.

어휘 after-school 방과 후의
increase 늘리다 organize 정리하다
thought 생각 definitely 분명히
improve 향상시키다
problem-solving 문제 해결

W: Hello, Chris. Why are you sweating like that?

M: Hi, Helen. I've just jogged for an hour.
현재완료(계속)
남자는 한 시간 동안 달리기를 했다.

W: For an hour? But, you don't look tired at all.

M: That's because I had a banana before jogging.
남자는 달리기 전에 바나나를 먹어서 힘들지 않다.

W: What do you mean?

M: If you eat something before running, you will get more
남자는 달리기 전 음식 섭취로 더 많은 에너지를 얻을 수 있다는 의견을 제시하고 있다.
energy.

W: Really? Does it work?
음식 섭취가 운동을 위한 힘을 제공한다고 반복해서 이야기하고 있다.

M: Yes! It gives your body more power for exercise.

여: 안녕, Chris. 왜 그렇게 땀을 흘리고 있어?

남: 안녕, Helen. 나는 방금 한 시간 동안 달리기를 했어.

여: 한 시간 동안? 그런데 너 전혀 힘들어 보이지 않아.

남: 달리기 전에 바나나를 먹었기 때문이야.

여: 무슨 말이야?

남: 달리기 전에 무언가를 먹으면 더 많은 에너지를 얻을 수 있어.

여: 그래? 그게 효과가 있어?

남: 응! 그것은 신체에 운동할 수 있는 더 많은 힘을 제공해.

W: That's why you look so energetic even after running for a
long time.
_{2형식 동사+주격 보어(형용사)}

M: Yeah. You should try it.

W: Okay, I will.

대화를 듣고, 남자의 의견으로 가장 적절한 것을 고르시오.
① 땀을 많이 흘린 후에는 수분 보충이 중요하다.
② 운동 전 음식 섭취가 운동을 위한 힘을 준다.
③ 운동은 땀을 흘릴 만큼 충분히 해야 한다.
④ 달리기 전 충분한 준비 운동을 해야 한다.
⑤ 꾸준한 운동이 건강한 신체를 만든다.

여: 그래서 오랫동안 달리기를 한 후에도 그렇게 활기차 보이는구나.
남: 응. 너도 해 봐.
여: 알았어, 그렇게.

[어휘] sweat 땀을 흘리다
at all 전혀
work 효과가 있다
energetic 활기찬
for a long time 오랫동안

02-3 기출 유사 답 ⑤

W: Look at all the shiny paper and ribbons! What are you doing,
Tom?

M: I'm wrapping a birthday present for my friend Laura.
_{남자는 선물을 포장하고 있다.}

W: What are you going to give her?

M: A key chain. I hope she likes it.

W: That's a pretty big box for a key chain, isn't it?

M: Yes, I filled it with paper flowers. Now I'm going to wrap the
box with shiny paper and decorate it with ribbons.

W: I think it's a little too much. Most of the paper and ribbons
_{여자는 포장이 너무 과하다고 생각한다.}
will end up in the trash can.

M: Hmm... You're right. My packaging will produce a lot of
trash.

W: Yeah. We need to make gift packaging simple for the
_{5형식 동사+목적어+목적격 보어(형용사)}
_{여자는 환경을 위해 선물 포장을 간소하게 해야 한다는 의견을 제시하고 있다.}
environment.

M: I agree. I'll try to reduce the packaging then.
_{try+to-V: ~하려고 노력하다}

W: Good thinking.

대화를 듣고, 여자의 의견으로 가장 적절한 것을 고르시오.
① 받는 사람에게 필요한 것을 선물해야 한다.
② 정성 어린 선물 포장은 선물의 가치를 높인다.
③ 선물 포장을 위해 다양한 재료를 활용해야 한다.
④ 선물을 받으면 적절한 감사 인사를 하는 것이 좋다.
⑤ 환경을 위해 선물 포장을 간소하게 할 필요가 있다.

여: 반짝이는 종이와 리본들을 봐! 뭐 하고 있니, Tom?
남: 내 친구 Laura의 생일 선물을 포장하고 있어.
여: 그녀에게 무엇을 줄 거니?
남: 열쇠고리. 그녀가 그것을 좋아하기를 바라.
여: 저건 열쇠고리를 포장하기엔 꽤 큰 상자야, 그렇지 않니?
남: 응, 그것을 종이꽃으로 채웠어. 이제 상자를 반짝이는 종이로 싸고 리본으로 장식하려고.
여: 조금 과한 것 같아. 대부분의 종이와 리본은 결국 쓰레기통에 버려질 거야.
남: 흠…… 맞아. 내 포장이 많은 쓰레기를 만들겠구나.
여: 응. 환경을 위해서 선물 포장을 간소하게 할 필요가 있어.
남: 동의해. 그럼 포장을 줄이려고 노력해 볼게.
여: 좋은 생각이야.

[어휘] wrap 포장하다
fill ~ with ... ~을 …로 채우다
decorate 장식하다
end up 결국 ~하게 되다
packaging 포장(재)   produce 만들다
environment 환경   reduce 줄이다

DAY 01
기초력 집중드릴

pp. 12~15

01 ③　02 ①　03 ①　04 ③　05 ①　06 ③　07 ④　08 ⑤　09 ④　10 ②　11 ⑤　12 ②

01　답③

M: Hello, everyone. Welcome back to our show, 'Secrets to a Healthy Life.' I'm your host and health expert, Eric Bolton.
남자는 건강 전문가이다.
You might have heard that many people suffer from dry skin
might have p.p.: ~했을지도 모른다   to부정사 형용사적 용법(앞의 tips 수식)
as the weather gets colder. Let me share some tips to keep
your skin healthy in the winter. When you take a bath, use
겨울철 피부 건강 관리법을 공유하려고 한다.
water that is not very hot. A long hot bath in cold weather
관리법 1 너무 뜨겁지 않은 물로 목욕하기
주격 관계대명사
can make your skin dry and eventually cause skin trouble.
5형식 동사+목적어+목적격 보어(형용사)
And one more tip for your skin in the winter: Put lotion or oil
on your skin as often as possible. I hope you can make use of
관리법 2 로션이나 오일 자주 바르기
these tips to keep your skin healthy even in the winter.
to부정사 부사적 용법(목적)

다음을 듣고, 남자가 하는 말의 목적으로 가장 적절한 것을 고르시오.

① 유행성 독감 예방 접종을 권고하려고
② 열탕 목욕의 화상 위험성을 경고하려고
③ 겨울철 피부 건강 관리법을 소개하려고
④ 겨울철 체온 유지의 중요성을 강조하려고
⑤ 피부 트러블을 진정시키는 제품을 홍보하려고

남: 안녕하세요. 여러분. 저희 프로 '건강한 삶의 비밀'에 돌아오신 것을 환영합니다. 저는 사회자이자 건강 전문가 Eric Bolton입니다. 여러분은 많은 사람들이 날씨가 더 추워질수록 건조한 피부로 고통받는다는 것을 들어 보셨을지도 모릅니다. 겨울에 피부를 건강하게 유지하는 몇 가지 팁을 공유하려고 합니다. 목욕을 할 때 너무 뜨겁지 않은 물로 하세요. 추운 날씨에 뜨거운 물로 오랫동안 목욕을 하는 것은 피부를 건조하게 만들고 결국 피부 문제를 야기합니다. 그리고 겨울에 피부를 위한 팁을 하나 더 드리자면, 가능한 한 자주 피부에 로션이나 오일을 바르세요. 겨울에도 피부를 건강하게 유지하기 위해 이 팁들을 이용하시길 바랍니다.

[어휘] host 사회자
expert 전문가
suffer from ~로 고통받다
eventually 결국
make use of ~을 이용하다

02　답①

W: Hello, Jake. Is studying for the final exams going well?
M: Not really, Ms. Baker. I've been drinking energy drinks to
현재완료 진행형
stay awake.
남자는 에너지 음료를 마시고 있다.
to부정사 부사적 용법(목적)
W: Well, I think you'd better not drink too many of them.
여자는 에너지 음료를 너무 많이 마시지 말라고 충고하고 있다.
M: Why? Do they have harmful effects?
W: Energy drinks have a lot of caffeine, so drinking them too much can disturb your sleep and make you feel dizzy.
부작용 1 수면을 방해하고 현기증을 유발한다.
M: That explains why I can't sleep well at night.
부작용 2 예민하게 만든다.
W: Right. Also, drinking them can make you nervous.

여: 안녕, Jake. 기말고사 공부는 잘되어 가니?
남: 아뇨, Baker 선생님. 저는 깨어 있기 위해 에너지 음료(강장 음료)를 마시고 있어요.
여: 이런, 그것들을 너무 많이 마시지 않는 편이 좋을 것 같아.
남: 왜요? 해로운 효과가 있나요?
여: 에너지 음료는 카페인이 많이 들어 있어서 그것들을 너무 많이 마시면 수면을 방해하거나 현기증을 일으킬 수 있어.
남: 그래서 제가 밤에 잠을 푹 잘 수 없군요.
여: 맞아. 그리고 그것들을 마시는 것은 너를 예민하게 만들 수 있어.

M: Really? I thought it would relieve my stress instead.

W: That's not true. And <u>the more you drink energy drinks, the</u> the+비교급 ~, the+비교급: ~할수록 더 …하다
<u>more you become dependent on them.</u>
부사용 3 점점 더 의존하게 된다.

M: Do you mean I can become addicted to them?

W: That's right. So you should <u>be careful not to drink too many</u>
of them.
be careful 뒤에서 to부정사 부정형(not+to-V)은
목적(~하지 않도록)을 나타냄

M: Okay. I'll keep that in mind. Thanks, Ms. Baker.

대화를 듣고, 여자의 의견으로 가장 적절한 것을 고르시오.

① 에너지 음료의 과잉 섭취를 주의해야 한다.
② 적당량의 카페인은 긴장 완화에 효과적이다.
③ 어지럼증에는 충분한 수분을 공급하는 것이 좋다.
④ 명상은 일상의 불안감을 해소하는 데 도움이 된다.
⑤ 균형 잡힌 식단은 성적 향상에 긍정적인 영향을 준다.

남: 정말요? 저는 대신 그것이 스트레스를 완화해 준다고 생각했어요.

여: 그것은 사실이 아니야. 게다가 네가 에너지 음료를 더 많이 마실수록, 너는 그것들에 점점 더 의존하게 된단다.

남: 제가 그것들에 중독될 수 있다는 말씀이세요?

여: 맞아. 그래서 너는 그것들을 너무 많이 마시지 않도록 주의해야 해.

남: 알겠어요. 명심할게요. 고맙습니다, Baker 선생님.

[어휘] **stay awake** 자지 않고 깨어 있다
harmful 해로운 **effect** 효과
disturb 방해하다 **dizzy** 어지러운
nervous 예민한 **relieve** 완화하다
dependent on ~에 의존하는
addicted to ~에 중독된

---

03 답 ①

W: Hello, students. Our annual school talent show is coming soon. I'm glad that <u>so many talented students signed up for</u>
많은 학생들이 오디션에 등록했다.
the audition. Now, <u>I'd like to give you some tips on how to</u>
화자는 오디션 준비 요령을 알려 주고 싶어 한다. how+to-V: ~하는 법
prepare for it. First, <u>practice your lines, your dance moves,</u>
요령 1 반복해서 연습하기
or your songs over and over until you memorize them
perfectly. After that, <u>rehearse with your friends or in front</u>
요령 2 예행연습 하기
of a mirror. <u>Practicing again and again will help you feel</u>
help+목적어+목적격 보어(원형 부정사 또는 to부정사)
confident during the audition. Finally, <u>wear clothes you'll</u>
during+명사(구) 요령 3 편안한 옷 입기
feel comfortable in. You can bring your own costumes if you
want. I wish all of you good luck and hope you shine on the
stage. Thank you.

다음을 듣고, 여자가 하는 말의 목적으로 가장 적절한 것을 고르시오.

① 오디션 준비 요령을 알려 주려고
② 학교 행사 아이디어를 공모하려고
③ 축제 홍보 활동 참여를 독려하려고
④ 공연 관람 규칙 준수를 당부하려고
⑤ 공연 리허설 장소 변경을 공지하려고

여: 학생 여러분, 안녕하세요. 연례 학교 장기 자랑이 곧 다가옵니다. 정말 많은 재능 있는 학생들이 오디션에 등록해 주어서 기쁩니다. 지금부터 그것을 준비하는 법에 관한 몇 가지 조언을 드리려고 합니다. 먼저, 대사, 춤 동작, 그리고 노래를 완벽하게 암기할 때까지 반복해서 연습하세요. 그다음에 친구들과 함께 또는 거울 앞에서 예행연습을 하세요. 반복해서 연습하는 것은 여러분이 오디션을 보는 동안 자신감을 가질 수 있도록 해 줍니다. 마지막으로, 편하게 느껴지는 옷을 입으세요. 원한다면 자신의 의상을 가지고 올 수 있습니다. 여러분 모두에게 행운이 있기를 바라고 무대 위에서 빛나길 바랍니다. 고맙습니다.

[어휘] **talented** 재능이 있는
line 대사 **memorize** 암기하다
rehearse 예행연습을 하다
confident 자신이 있는
comfortable 편안한
costume 의상

M: Honey, where did you get all these potatoes?

W: My friend Jennifer runs a potato farm, so she gave me some.
여자의 친구가 감자를 보내 줬다.   수여동사+간접목적어+직접목적어

M: This is a lot! Let's put them in the refrigerator.

W: Oh, no. Storing potatoes in a refrigerator gives them an
동명사구 주어(단수 취급)
unpleasant taste.

M: Okay. Where should we keep them?

남자는 감자를 어디에 보관해야 할지 묻고 있다.

W: They should be stored in a cool and dark place.
조동사가 있는 수동태   보관법 1 시원하고 어두운 장소에 보관하기

M: Then the basement would be good.
보관법 2 비닐봉지에서 꺼내기

W: That's perfect, but we also need to take the potatoes out of
the plastic bag. Potatoes rot easily in plastic bags.

M: I see. And I remember reading an article saying that storing
potatoes with an apple keeps them from sprouting.

W: Really? That's good to know.
보관법 3 사과와 함께 보관하기
to부정사 부사적 용법(앞의 good 수식)

M: I'll bring an apple, and we can keep them together.

대화를 듣고, 두 사람이 하는 말의 주제로 가장 적절한 것을 고르시오.

① 감자의 전파 과정
② 감자의 다양한 효능
③ 감자를 보관하는 방법
④ 감자를 이용한 요리법
⑤ 감자 재배 시 유의사항

남: 여보, 이 감자들은 다 어디에서 났어요?

여: 내 친구 Jennifer가 감자 농장을 해서 나에게 좀 보내 줬어요.

남: 많네요! 그것들을 냉장고에 넣어요.

여: 오, 아뇨. 감자를 냉장고에 보관하는 것은 그것들을 맛없게 해요.

남: 알겠어요. 그것들을 어디에 보관해야 할까요?

여: 시원하고 어두운 장소에 보관해야 해요.

남: 그럼 지하실이 좋겠군요.

여: 완벽해요. 그런데 감자들을 비닐봉지에서 꺼내야 해요. 감자들은 비닐봉지 안에서 쉽게 썩어요.

남: 알겠어요. 그리고 감자를 사과랑 같이 보관하면 싹이 트는 것을 막아 준다는 기사를 본 기억이 나요.

여: 그래요? 좋은 정보네요.

남: 내가 사과를 가져올게요. 그것들을 같이 보관할 수 있어요.

[어휘] refrigerator 냉장고
store 보관하다
unpleasant 불쾌한
basement 지하실
rot 썩다
sprout 싹이 나다

W: Good morning, everyone. This is Rachel Adams, your
화자는 학생회장이다.
student president. As you know, the student union is holding
학생회에서 자선 행사를 개최할 것이다.
a charity event from next Monday until Wednesday. Thank
현재완료(완료)
you to those who have already donated a variety of useful
those (people) who: ~하는 사람들
items. We're selling all of those items for five dollars or less,
and all of the money will be donated to a local charity. The
미래 시제 수동태
event will be held in the school gym from 3 p.m. to 5 p.m. I
행사 장소와 시간을 안내하고 있다.
hope many students will participate in this event for charity.

Thank you for listening.

여: 여러분, 안녕하세요. 학생회장 Rachel Adams입니다. 여러분도 아시다시피, 학생회에서 다음 주 월요일부터 수요일까지 자선 행사를 엽니다. 여러 가지 유용한 물품을 이미 기부해 주신 분들에게 감사드립니다. 우리는 모든 품목을 5달러 또는 그 이하로 판매할 것이고, 그 돈은 전부 지역 자선 단체에 기부될 것입니다. 행사는 학교 체육관에서 오후 3시부터 5시까지 열릴 것입니다. 많은 학생들이 자선을 위해 행사에 참여해 주실 것을 바랍니다. 들어 주셔서 고맙습니다.

다음을 듣고, 여자가 하는 말의 목적으로 가장 적절한 것을 고르시오.

① 자선 행사 개최를 공지하려고
② 경제 특강 참가자를 모집하려고
③ 물자 절약의 중요성을 강조하려고
④ 학생회장 선거 후보자를 소개하려고
⑤ 학교 체육관 이용 방법을 안내하려고

06 답 ③

M: Brenda, my uncle bought a shrimp pizza. Help yourself.

W: Oh! But I don't like shrimp.

M: Really? Do you have an allergy to shrimp?

W: No. I've heard shrimp is a little high in cholesterol. So, I
현재완료(경험)
think it isn't good for our health.
여자는 새우가 건강에 좋지 않다고 생각한다.

M: Hmm, that's a misunderstanding about shrimp.
남자는 그것이 오해라는 의견이다.

W: You mean eating shrimp has a positive effect on health?

M: Of course. It can increase your level of good cholesterol.
근거 1 좋은 콜레스테롤 수치를 높여 준다.

W: Oh, I didn't know that.

M: Eating shrimp can give us vitamins and minerals. Plus,
shrimp is low-calorie. 근거 2, 3 비타민과 미네랄을 섭취할 수 있고 칼로리가 낮다.

W: Then it might be good to add shrimp to my diet.

M: Sure. It would be helpful to your health.
가주어   진주어
남자는 새우가 건강에 도움이 된다고 결론을 내리고 있다.

W: I guess I didn't know much about shrimp. I'll give it a try.

남: Brenda, 삼촌이 새우 피자를 사 주셨어. 많이 먹어.

여: 오! 하지만 나는 새우를 좋아하지 않아.

남: 그래? 새우에 알레르기가 있어?

여: 아니. 새우는 콜레스테롤이 조금 높다고 들었어. 그래서 그것은 건강에 좋지 않다고 생각해.

남: 흠, 그건 새우에 관한 오해야.

여: 새우를 먹는 것이 건강에 긍정적인 영향을 준다는 거야?

남: 물론이지. 그건 좋은 콜레스테롤 수치를 높여 줘.

여: 오, 그건 몰랐어.

남: 새우를 먹는 것은 우리가 비타민과 미네랄을 섭취할 수 있게 해 줘. 또한, 새우는 칼로리가 낮아.

여: 그럼 식단에 새우를 추가하는 것이 좋겠네.

남: 물론이지. 네 건강에 도움이 될 거야.

여: 내가 새우에 관해 많이 몰랐던 것 같아. 먹어 볼게.

대화를 듣고, 남자의 의견으로 가장 적절한 것을 고르시오.

① 다양한 영양소의 섭취는 성장에 필수적이다.
② 식품 구매 시 영양 성분의 확인이 필요하다.
③ 새우를 섭취하는 것은 건강에 도움이 된다.
④ 체중 관리는 균형 잡힌 식단에서 비롯된다.
⑤ 음식을 조리할 때 위생 관리가 중요하다.

07 답 ④

M: Hello, students. This is your vice principal Mike Westwood.
화자는 교감 선생님이다.
I have an important announcement today. As the student
현재완료 진행형
lockers are getting old, we've been receiving complaints

남: 학생 여러분, 안녕하세요. 교감 Mike Westwood입니다. 오늘 중요한 안내가 있습니다. 학생 사물함이 낡아지면서 많은 학생들로부터 불평을 받아 왔습니다. 그래서

from many of you. So we've decided to replace the lockers
over the weekend. We ask that you empty your lockers and
leave them open by this Friday, March 22. Make sure to take
all the items from your lockers and leave nothing behind.
Any items that are not removed will be thrown away. Thank
you for your cooperation.

주말 동안에 사물함을 교체하기로 결정했
습니다. 3월 22일, 이번 주 금요일까지 사
물함을 비우고 열어 두길 바랍니다. 사물함
의 모든 물건을 가져가고 아무 것도 남아
있지 않아야 합니다. 가져가지 않은 물건은
모두 버려질 것입니다. 협조해 주셔서 고맙
습니다.

다음을 듣고, 남자가 하는 말의 목적으로 가장 적절한 것을 고르시오.

① 파손된 사물함 신고 절차를 안내하려고
② 사물함에 이름표를 부착할 것을 독려하려고
③ 사물함을 반드시 잠그고 다녀야 함을 강조하려고
④ 사물함 교체를 위해 사물함을 비울 것을 당부하려고
⑤ 사물함 사용에 대한 학생 설문 조사 참여를 요청하려고

[어휘] announcement 알림, 안내
receive 받다   complaint 불평, 고충
replace 교체하다   empty 비우다
leave ~ behind ~을 내버려 두고 가다
remove 치우다   throw away 버리다
cooperation 협조

08 답 ⑤

W: Hey, Daniel. How are you getting ready for your trip to
Seoul?

M: Hi, Claire. Everything is going great, but I'm worried about
food.

W: Why?

M: I heard that Korean food is very hot and spicy. I think I
should bring some food with me.

W: Oh, aren't you going to try any Korean food?

M: Well, I don't like trying new food. I feel comfortable with
what I'm used to.

W: But trying local food is the beauty of travel. It's the best way
to get to the heart of the culture.

M: Maybe you're right. I'll give it a try during my travels.

W: Good thinking. You can find some good Korean restaurants
on the web.

M: Okay. Thanks.

여: 안녕, Daniel. 서울 여행 준비는 어떻게 되
어 가니?
남: 안녕, Claire. 다 잘되고 있어. 그런데 음식
이 걱정이 된다.
여: 왜?
남: 한국 음식은 많이 맵다고 들었어. 음식을
좀 가져가야 할 것 같아.
여: 오, 한국 음식을 먹어 보지 않을 거야?
남: 글쎄, 나는 새로운 음식을 먹어 보는 것을
좋아하지 않아. 익숙한 것이 편하거든.
여: 하지만 현지 음식을 먹어 보는 것은 여행
의 묘미야. 문화의 핵심을 알아보는 가장
좋은 방법이야.
남: 네가 맞을지도 몰라. 여행하는 동안에 시도
해 볼게.
여: 좋은 생각이야. 인터넷에서 훌륭한 한국 식
당을 찾을 수도 있어.
남: 알았어. 고마워.

대화를 듣고, 여자의 의견으로 가장 적절한 것을 고르시오.

① 무리한 여행 계획은 여행을 망칠 수 있다.
② 관광지에서 자연환경을 훼손하지 말아야 한다.
③ 여행할 지역의 문화를 미리 조사해 보는 것이 필요하다.
④ 남들이 추천하는 음식점에 꼭 가 볼 필요는 없다.
⑤ 여행을 가면 현지 음식을 먹어 보는 것이 좋다.

[어휘] spicy 매운
be used to ~에 익숙하다
local 현지의
beauty 좋은 점; 묘미
culture 문화

M: Good morning, everyone. I'm your P.E. teacher, Mr.
화자는 체육 선생님이다.
Andrews. Since this is your first class this semester, I'm
이유를 나타내는 접속사
going to give you some rules to follow in the P.E. class.
체육 수업 시간에 지켜야 할 규칙을 알려 주려고 한다.   to부정사 형용사적 용법(앞의 rules 수식)
First, you are required to wear appropriate clothing such as
규칙1 알맞은 복장을 착용할 것
sportswear and proper athletic shoes. Second, you must be
careful when using sports equipment in the gym. Don't use
규칙2 기구를 사용할 때 조심할 것
the equipment without permission. Finally, when you hear
the whistle, stop what you're doing and pay attention to my
규칙3 호루라기를 불면, 하던 것을 멈추고 지시에 집중할 것
instructions. If you keep these rules in your mind, you'll be
able to participate safely in the P.E. class. Now let's do a
warm-up exercise.

남: 안녕하세요, 여러분. 저는 체육 선생님인 Andrews입니다. 이번 학기의 첫 번째 수업이기 때문에 체육 시간에 따라야 할 몇 가지 규칙을 알려 드리겠습니다. 먼저, 체육복과 적절한 운동화와 같은 알맞은 복장을 입는 것이 필요합니다. 두 번째로, 체육관에서 운동 기구를 사용할 때는 조심해야 합니다. 기구를 허락 없이 사용하지 마세요. 마지막으로, 호루라기 소리를 들으면 하고 있는 것을 멈추고 제 지시에 집중하세요. 이 규칙들을 숙지하면 체육 시간에 안전하게 참여할 수 있을 것입니다. 이제 준비 운동을 합시다.

다음을 듣고, 남자가 하는 말의 목적으로 가장 적절한 것을 고르시오.
① 기초 체력 향상을 위한 운동법을 설명하려고
② 체육 대회 참가 시 필요한 준비물을 공지하려고
③ 체육관 공사로 인한 수업 장소 변경을 알리려고
④ 체육 수업 시간에 준수해야 할 규칙을 안내하려고
⑤ 무리한 운동으로 인한 부상의 위험성을 경고하려고

[어휘] semester 학기
require 요구하다   appropriate 적절한
athletic shoes 운동화   equipment 기구
permission 허락   whistle 호루라기 소리
pay attention to ~에 집중하다
instruction 지시

W: Jason, are you going out?

M: Yes. I'm going to take a walk, Mom.
남자는 산책하러 간다.

W: Wait! Why are you wearing shoes without socks?

M: I don't want to put them on. They feel uncomfortable.

W: I know you feel that way. But for your foot health, you
should wear socks.
여자는 발 건강을 위해 양말을 신어야 한다고 주장한다.

M: Really? Why do you say that?

W: Well, your feet will stay dry if you put on socks. And you
can avoid germs and bacteria on your feet.
근거1 세균, 박테리아 방지
M: Hmm... I hadn't thought about that.
과거완료

W: And if you don't have socks on, you could get scratched or
even get a skin infection.   근거2 생채기, 감염 방지

M: That makes sense, Mom. I'm going to follow your advice.

W: Good. Wearing socks is important for your foot health.
여자는 양말을 신는 것이 발 건강에 중요하다고 한 번 더 강조하고 있다.

여: Jason, 외출하니?
남: 네. 산책하러 가요, 엄마.
여: 잠깐! 왜 양말을 신지 않고 운동화를 신니?
남: 양말을 신고 싶지 않아요. 불편해요.
여: 그렇게 느낄 수 있어. 그런데 발 건강을 위해서 너는 양말을 신어야 해.
남: 정말요? 왜 그런데요?
여: 음, 양말을 신으면 발이 보송보송하고, 세균과 박테리아가 발에 생기는 것을 피할 수 있어.
남: 흠…… 그것을 생각해 본 적이 없었어요.
여: 그리고 양말을 신지 않으면 생채기가 생기거나 피부 감염도 생길 수 있어.
남: 일리가 있네요, 엄마. 충고를 들을게요.
여: 좋아. 양말을 신는 것은 네 발 건강에 중요해.

대화를 듣고, 여자의 의견으로 가장 적절한 것을 고르시오.

① 족욕을 하는 것은 건강에 도움이 된다.
② 발 건강을 위해서 양말을 신어야 한다.
③ 운동 종목에 적합한 신발을 선택해야 한다.
④ 계절에 맞는 소재의 양말을 구입해야 한다.
⑤ 높은 굽의 신발은 척추에 무리를 줄 수 있다.

11 답 ⑤

M: Good morning, students! This is your student council president, William Taylor. As some of you already know, our annual school festival is coming up. We are looking for clubs that want to sign up to share their talents at the festival. Now, I'll tell you how to sign up for the festival. The application period begins today. If your club wants to register to participate, come to the student council room to fill out the application form. The application deadline is September 28th. Let's make this a festival to remember!

남: 학생 여러분, 안녕하세요! 저는 학생회장 William Taylor입니다. 여러분 중 몇몇은 이미 알고 있듯이 연례 학교 축제가 다가오고 있습니다. 우리는 축제에서 장기를 공유하기 위해 등록을 원하는 동아리를 찾고 있습니다. 이제 축제에 등록하는 법을 말씀 드리겠습니다. 신청 기간은 오늘부터 시작합니다. 여러분의 동아리가 참가 등록을 원하면 학생회실로 와서 신청서를 작성하세요. 신청 마감 기한은 9월 28일입니다. 축제를 기억에 남을 만한 것으로 만듭시다!

다음을 듣고, 남자가 하는 말의 목적으로 가장 적절한 것을 고르시오.

① 축제 장소 변경을 공지하려고
② 교내 동아리 부원을 모집하려고
③ 교내 축제 홍보 문구를 공모하려고
④ 동아리 전시회 관람을 독려하려고
⑤ 축제 참가 신청 방법을 안내하려고

12 답 ②

W: Hi, Mike. You look distracted. Is something bothering you?

M: Well, my son's preschool teacher told me he's having trouble focusing while reading and during conversations. I don't know what I should do.

W: Oh, I see. [Pause] Maybe drawing classes could help.

M: How could they help with his concentration?

W: Children develop their ability to focus as they pay attention to small details while drawing. 근거1

M: That's reasonable. Is that why your daughter takes drawing classes?

여: 안녕, Mike. 집중을 못하고 있는 것 같아. 신경 쓰이는 일이 있니?

남: 음, 아들의 유치원 선생님이 그가 독서나 대화를 하는 동안 집중하는 데 문제가 있다고 말했어. 나는 무엇을 해야 할지 모르겠어.

여: 오, 그렇구나. [잠시 후] 아마 미술 수업이 도움이 될지도 몰라.

남: 그것들이 그의 집중력에 어떻게 도움을 줄 수 있어?

여: 아이들은 그림을 그리는 동안 작은 것들에 주의를 기울이면서 집중하는 능력을 발달시켜.

W: Exactly. When my daughter was 8 years old, she had a similar problem to your son.

M: Did you notice a big change when she started drawing?

W: Sure. She concentrates better on reading and conversations now. It might help your son, too. <u>근거 2</u> 비슷한 문제가 있었던 여자의 딸에게 도움이 되었다.

M: Okay, I'll look for a class right away.

남: 그거 타당한데. 네 딸도 그래서 미술 수업을 듣는 거야?

여: 맞아. 내 딸이 8살일 때 그녀도 네 아들과 비슷한 문제가 있었어.

남: 그녀가 그림을 그리기 시작했을 때 큰 변화를 발견했어?

여: 물론이지. 그녀는 이제 독서나 대화를 할 때 더 잘 집중해. 네 아들에게도 도움을 줄 거야.

남: 알겠어, 지금 당장 수업을 찾아볼게.

대화를 듣고, 여자의 의견으로 가장 적절한 것을 고르시오.

① 다양한 신체 활동은 어린이의 창의력 신장에 필수적이다.
② 그림 그리기는 어린이의 집중력 향상에 도움이 된다.
③ 그림책을 읽어 주는 것은 자녀의 정서 안정에 좋다.
④ 부모와의 많은 대화는 자녀의 언어 발달을 촉진한다.
⑤ 독서는 어린이의 상상력을 키우는 데 효과가 있다.

[어휘] distracted 산만해진
bother 신경 쓰이게 하다
preschool 유치원   concentration 집중
develop 발달시키다
reasonable 타당한   similar 비슷한
concentrate 집중하다

DAY 02

공부할 내용 **미리보기**　pp. 16～17

출제유형 **3** ⓑ　　　출제유형 **4** ⓑ

출제유형 **3**　관계 파악

❶ This is the end of today's tour. Thank you very much.

❷ Thanks a lot for your helpful explanation.

❸ You're welcome. Is this your first visit to a Korean palace?

❹ Yes. I like it a lot, especially the architecture.

❺ It's beautiful, isn't it?

❻ It surely is. I also like the stories 목적격 관계대명사 that(which) 생략됨 you told us about the kings 주격 관계대명사 and queens who lived here.

① 여기서 오늘 투어를 끝낼게요. 정말 고맙습니다.
② 도움이 되는 설명을 해 주셔서 정말 고맙습니다.
③ 천만에요. 이번이 한국의 궁을 처음 방문하시는 건가요?
④ 네. 정말 맘에 들어요. 특히 건축물이요.
⑤ 아름답죠, 그렇지 않나요?
⑥ 정말 그래요. 여기 살았던 왕과 왕비에 관해 당신이 우리에게 해 준 이야기들도 좋아요.

[해설] 한국의 궁을 처음 방문한 B가 A에게 건축물이 아름답고 궁에 살았던 왕과 왕비에 관한 설명도 좋다고 말하는 것으로 보아 A는 고궁 해설사이고 B는 관람객임을 알 수 있다.

[어휘] explanation 설명
palace 궁전   architecture 건축

출제유형 **4**　그림 내용 일치

[해설] ⓐ Peter Pan은 손에 풍선을 잡고 있다. (○)
ⓑ 어릿광대는 큰 공에서 균형을 잡고 있다. (✕)
ⓒ 선글라스를 쓴 소녀는 회전목마에서 말을 타고 있다. (○)

[어휘] clown 어릿광대
balance 균형을 잡다
merry-go-round 회전목마

03 기출 예제 | ①   **03-1** 기출 유사 | ①   **03-2** 기출 유사 | ②   **03-3** 기출 유사 | ③

03 기출 예제 | 답 ①

M: Hello, Ms. Watson. Thank you for accepting my interview request.
남자는 여자를 인터뷰하러 왔다.

강한 추측: ~임이 틀림없다
W: My pleasure. You must be Michael from Windmore High School.
남자는 고등학생이다.

to부정사 부사적 용법(감정의 원인)   주격 관계대명사
M: Yes. I'm honored to interview the person who designed the school I'm attending.
여자는 남자가 다니고 있는 학교를 설계한 사람이므로 건축가이다.
목적격 관계대명사 that(which) 생략됨

W: Thank you. I'm very proud of that design.

M: What was the concept behind it?

분사구문
W: When planning the design of the school building, I wanted to incorporate elements of nature into it.

M: I see. Did you apply this concept in any other building designs?

여자는 학교를 설계할 때 적용한 개념으로 Skyforest Tower도 설계했다.
W: Yes. Skyforest Tower. My design included mini gardens for each floor and a roof-top garden, making the building look like a rising forest.
분사구문

M: That's impressive. Actually, my art teacher is taking us on a field trip there next week.
현재 진행형(가까운 미래)

W: Really? Make sure to visit the observation deck on the 32nd floor. The view is spectacular.

M: Thanks. I'll check it out with my classmates.

대화를 듣고, 두 사람의 관계를 가장 잘 나타낸 것을 고르시오.
① 학생 – 건축가   ② 신문 기자 – 화가
③ 탐험가 – 환경 운동가   ④ 건물 관리인 – 정원사
⑤ 교사 – 여행사 직원

남: 안녕하세요, Watson 씨. 제 인터뷰 요청을 받아 주셔서 감사합니다.

여: 천만에요. Windmore 고등학교의 Michael 이군요.

남: 네. 제가 다니는 학교를 설계하신 분을 인터뷰하게 되어 영광입니다.

여: 감사합니다. 저는 그 설계를 아주 자랑스럽게 여깁니다.

남: 그것의 이면에 있는 개념은 무엇이었습니까?

여: 그 학교 건물을 설계할 때 저는 자연 요소들을 그것에 통합하고 싶었습니다.

남: 그렇군요. 이 개념을 다른 건축 설계에도 적용하셨나요?

여: 예. Skyforest Tower죠. 제 설계는 각 층의 작은 정원과 옥상 정원을 포함해서 그 건물이 떠오르는 숲처럼 보이게 만들었지요.

남: 매우 인상적이네요. 사실 저희 미술 선생님이 저희를 데리고 다음 주에 그곳으로 현장 학습을 가십니다.

여: 정말이에요? 32층에 있는 전망대를 꼭 가 보세요. 전망이 매우 멋집니다.

남: 감사합니다. 제 반 친구들과 가 볼게요.

어휘 design 설계하다; 설계
concept 개념 incorporate 통합하다
element 요소 apply 적용하다
observation deck 전망대
spectacular 매우 멋진

03-1 기출 유사 답 ①

W: Hello, Mr. Williams.

M: Please come on in, Ms. Jackson. How are you doing?

W: I'm good. Recently our company published several books, so I've been really busy.
여자는 출판사에서 일한다.
현재완료(계속)

여: 안녕하세요, Williams 씨.

남: 어서 오세요, Jackson 씨. 어떻게 지내세요?

여: 좋아요. 최근에 우리 회사가 책을 몇 권 출간해서 정말 바빴어요.

M: Oh, I hope you get some time off soon.

W: I hope so, too. Well, I've read your work, *The Great Man*. I think you nicely expressed the feeling of the original book.

M: Thank you. Which book will I translate this time?

W: It is a novel written by a Spanish writer, Isabel Martinez.

M: Sounds good. I'm so happy to translate the book.

W: My boss said that the book needs to be released by December. So, is it possible to get the first draft by the end of October?

M: No problem.

대화를 듣고, 두 사람의 관계를 가장 잘 나타낸 것을 고르시오.

① 출판사 직원 – 번역가 ② 여행 가이드 – 관광객
③ 도서관 사서 – 학생 ④ 서점 직원 – 고객
⑤ 잡지 기자 – 배우

남: 오, 곧 쉬는 시간을 갖기를 바라요.
여: 저도요. 자, 당신의 작품 'The Great Man'을 읽었어요. 원저의 느낌을 잘 나타낸 것 같아요.
남: 고맙습니다. 이번엔 무슨 책을 번역하나요?
여: 스페인 작가 Isabel Martinez가 쓴 소설이에요.
남: 좋아요. 그 책을 번역하게 되어 정말 기뻐요.
여: 제 상사는 그 책이 12월까지는 발간되어야 한다고 말했어요. 그래서 10월 말까지 초안을 받는 것이 가능할까요?
남: 물론이죠.

어휘 publish 출판하다 original 원본의
translate 번역하다 novel 소설
release (대중에) 공개하다 draft 원고

03-2 기출 유사 답 ②

[*Telephone rings.*]

M: Hello, this is Daniel Johnson.

W: Hello, Mr. Johnson. It's Elena Roberts. Have you thought about my proposal?

M: Yes. You said you wanted to turn my novel into a movie, right?

W: That's right. I loved your novel, and it would make a great movie.

M: I'm glad to hear that. And if you directed the movie, it would be a great honor for me.

W: Thank you for accepting my offer. I'd like us to speak about the details of the story in person.

M: Then, shall I go to your office?

W: That would be great. Can you come tomorrow?

M: Sure. I'll be there by 10 a.m.

대화를 듣고, 두 사람의 관계를 가장 잘 나타낸 것을 고르시오.

① 구직자 – 채용 담당 직원 ② 소설가 – 영화감독
③ 배우 – 방송 작가 ④ 서점 직원 – 출판업자
⑤ 뮤지컬 배우 – 무대 감독

[전화벨이 울린다.]
남: 여보세요. 저는 Daniel Johnson입니다.
여: 여보세요, Johnson 씨. Elena Roberts입니다. 제 제안에 관해 생각해 보셨어요?
남: 네. 제 소설을 영화로 만들고 싶다고 하셨죠, 맞죠?
여: 맞아요. 당신의 소설이 정말 좋았고, 그것은 굉장한 영화가 될 거예요.
남: 그 말을 들으니 기쁘네요. 그리고 당신이 영화를 감독한다면, 저에게 굉장한 영광일 거예요.
여: 제 제안을 받아 주셔서 고맙습니다. 직접 만나서 이야기의 세부 내용에 관해 이야기를 나누고 싶어요.
남: 그럼, 제가 당신의 사무실로 갈까요?
여: 그러면 좋겠어요. 내일 오실 수 있나요?
남: 그럼요. 오전 10시까지 거기로 갈게요.

어휘 proposal 제안 direct 감독하다
honor 영광 accept 받아들이다
offer 제안 in person 직접

M: Come on in, Ms. Miller. It's been a while since your last
현재완료(계속)　　　전치사: ~ 이후
visit.

W: Good morning, Mr. Stevens. I've been in Europe for the last
현재완료(계속)
two months.

M: Wow. Are you preparing for your second book?

W: Yes, I'm working on it.

M: I'm looking forward to it. So, what brings you here today?

W: I'd like to buy a wooden desk.
여자는 책상을 사기 위해 방문했다.
M: I see. Do you have a particular design in mind?

W: Just a plain rectangular one would be great.
= desk
M: Okay. What color would you like?

W: I was thinking dark brown.

M: Great. We have a perfect one for you downstairs. Come this
way.　여자가 원하는 디자인의 책상이 있는 곳으로 남자가 안내하고 있으므로 남자는 가구 판매원이다.

W: All right.

남: 어서 오세요, Miller 씨. 지난번 방문 이후 오랜만이네요.

여: 안녕하세요, Stevens 씨. 저는 지난 두 달 동안 유럽에 있었어요.

남: 와. 두 번째 책을 준비 중인가요?

여: 네, 그것을 준비하고 있어요.

남: 그것을 기대하고 있어요. 그래서 오늘은 무슨 일로 오셨어요?

여: 나무 책상을 사고 싶어서요.

남: 그러시군요. 특별히 염두에 둔 디자인이 있나요?

여: 그냥 단순한 직사각형 책상이면 좋을 것 같아요.

남: 알겠습니다. 무슨 색깔을 원하세요?

여: 어두운 갈색을 생각하고 있어요.

남: 잘됐네요. 아래층에 당신에게 완벽한 책상이 하나 있어요. 이쪽으로 오세요.

여: 좋아요.

대화를 듣고, 두 사람의 관계를 가장 잘 나타낸 것을 고르시오.

① 정원사 – 집주인　　② 출판사 직원 – 작가
③ 가구 판매원 – 손님　　④ 관광 가이드 – 관광객
⑤ 인테리어 디자이너 – 잡지 기자

[어휘] **wooden** 나무로 된
particular 특별한　**plain** 단순한
rectangular 직사각형의
downstairs 아래층에

출제유형 핵심 체크　**4 그림 내용 일치**　pp. 20~21

04 기출 예제 | ⑤　　**04-1** 기출 유사 | ④　　**04-2** 기출 유사 | ④　　**04-3** 기출 유사 | ④

---

04 기출 예제 | 답 ⑤

W: Wow, Sam. You turned the student council room into a hot chocolate booth.

M: Yes, Ms. Thompson. We're ready to sell hot chocolate to raise money for children in need.
to부정사 부사적 용법(목적)
W: Excellent. What are you going to put on the bulletin board
under the clock?　① 시계 아래에 게시판이 있다.

M: I'll post information letting people know where the profits
will go.　앞의 명사를 수식하는 현재분사구

W: Good. I like the banner on the wall.
② 벽에 현수막이 걸려 있다.

여: 와, Sam. 너는 학생회실을 핫초코 부스로 만들었구나.

남: 네, Thompson 선생님. 저희는 불우한 아이들을 위한 돈을 모으기 위해 핫초코를 팔 준비가 됐어요.

여: 훌륭하구나. 시계 아래에 있는 게시판에 뭘 붙일 거니?

남: 수익금이 어디로 갈지 사람들에게 알리는 정보를 게시할 거예요.

여: 좋아. 나는 벽에 걸린 현수막이 마음에 든다.

M: Thanks. I designed it myself.

W: Awesome. Oh, I'm glad you put my stripe-patterned tablecloth on the table.
③ 테이블에 줄무늬 테이블보가 깔려 있다.

M: Thanks for letting us use it. Did you notice the snowman drawing that's hanging on the tree? ④ 나무에 눈사람 그림이 걸려 있다.
주격 관계대명사

W: Yeah. I remember it was drawn by the child you helped last year. By the way, there are three boxes on the floor. What are they for?
과거 시제 수동태   목적격 관계대명사 that (who) 생략됨
⑤ 바닥에 상자가 세 개 있다.

M: We're going to fill those up with donations of toys and books.
동사구의 목적어가 대명사일 때 대명사는 동사와 부사 사이에 씀

W: Sounds great. Good luck.

대화를 듣고, 그림에서 대화의 내용과 일치하지 <u>않는</u> 것을 고르시오.

남: 감사합니다. 제가 직접 그걸 만들었어요.

여: 멋지구나. 오, 테이블에 내 줄무늬 테이블보를 깔아서 기쁘다.

남: 저희가 그것을 사용할 수 있게 해 주셔서 감사합니다. 나무에 걸려 있는 눈사람 그림 알아보셨어요?

여: 그래. 작년에 너희가 도와줬던 아이가 그린 것을 기억한다. 그런데, 바닥에 상자 세 개가 있네. 무엇에 쓰는 거니?

남: 기부 받은 장난감과 책으로 그것들을 채우려고 합니다.

여: 좋은 생각이구나. 행운을 빈다.

어휘 student council room 학생회실
raise money 모금하다
in need 어려움에 처한
bulletin board 게시판
profits 수익금   banner 현수막
awesome 멋진   tablecloth 테이블보
donation 기부

04-1 기출 유사 답 ④

M: Lisa, how's the poster for our magic show going?

W: I have changed a few things. Take a look.
현재완료(결과)

M: Oh, I like the two birds at the top.
① 상단에 새가 두 마리 있다.

W: And I wrote the date and the time under the title, Magic Show.
② Magic Show 밑에 날짜와 시간이 있다.

M: Nice choice. It's more eye-catching.

W: What do you think of the rabbit in the hat?

M: I really like it. It's so cute. And you put the round table instead of the square one.
③ 모자 안에 토끼가 있다.
④ 둥근 테이블을 놓았다.

W: Yes, but I'm still not sure about the shape of the table.

M: I think the round one looks much better.
감각동사+주격 보어(형용사)

W: Okay. And as you suggested, I drew a magician holding a magic stick.
⑤ 마술사는 마술봉을 들고 있다.   앞의 명사를 수식하는 현재분사구

M: Nice. I think it's perfect now.

W: Yeah, finally. Thanks for your help.

남: Lisa, 마술쇼 포스터 어떻게 되고 있어?

여: 몇 가지를 바꿨어. 봐.

남: 오, 상단에 새 두 마리가 마음에 든다.

여: 그리고 타이틀인 Magic Show 밑에 날짜와 시간을 기입했어.

남: 좋은 선택이야. 더 눈길을 끈다.

여: 모자 안에 있는 토끼는 어때?

남: 나는 그것이 정말 좋아. 정말 귀엽다. 그리고 네모난 테이블 대신 둥근 것을 넣었구나.

여: 응, 그런데 테이블 모양은 아직 모르겠어.

남: 둥근 것이 훨씬 더 나아 보이는 것 같아.

여: 알았어. 그리고 네가 제안했던 것처럼, 마술봉을 들고 있는 마술사를 그렸어.

남: 멋있다. 이제 완벽한 것 같아.

여: 응, 드디어. 도와줘서 고마워.

대화를 듣고, 그림에서 대화의 내용과 일치하지 <u>않는</u> 것을 고르시오.

어휘 eye-catching 눈길을 끄는
instead of ~ 대신(에)
suggest 제안하다
magician 마술사

04-2 기출 유사   답 ④

W: Eugene, the stage is ready. Why don't you check it out?
M: Okay. Did you set up the TV I asked for?
    목적격 관계대명사 that (which) 생략됨
W: Yeah, I put it on the wall above the sofa.
    ①TV는 소파 위 벽에 걸려 있다.
M: Great. I need to play video clips during the talk show.
W: And I placed the floor lamp between the sofa and the flower pot. Do you like it?
    ② 전등은 소파와 화분 사이에 있다.
M: Absolutely. It's simple but looks cool. Oh, I like the cushion with the striped pattern on the sofa.
    감각동사+주격 보어(형용사)   ③ 소파에 줄무늬 쿠션이 있다.
W: So do I. How about the square table on the rug? Isn't it too big?
    so가 앞 문장의 내용을 받아 문장 앞에 와서 주어와 동사가 도치됨
    ④ 양탄자 위에 네모난 테이블이 있다.
M: It looks fine. But those two pictures below the clock don't seem to fit well there.
    ⑤ 시계 밑에 사진 두 개가 있다.
W: Then, I'll take them away.
    동사구의 목적어가 대명사일 때 대명사는 동사와 부사 사이에 씀
M: Thank you, Rebecca.

여: Eugene, 무대가 준비됐어요. 확인해 볼래요?
남: 그래요. 제가 요청한 TV 설치했어요?
여: 네, 소파 위 벽에 달았어요.
남: 좋아요. 토크쇼 동안에 동영상을 틀어야 해요.
여: 그리고 소파와 화분 사이에 키가 큰 전등을 두었어요. 마음에 들어요?
남: 물론이죠. 깔끔하지만 멋져 보여요. 오, 소파에 줄무늬 쿠션도 맘에 들어요.
여: 저도 그래요. 양탄자 위에 네모난 테이블은 어때요? 너무 크지 않아요?
남: 좋아 보여요. 그런데 시계 밑에 있는 그림 두 개는 거기에 잘 어울리는 것 같지 않아요.
여: 그럼, 그것들을 치울게요.
남: 고마워요, Rebecca.

대화를 듣고, 그림에서 대화의 내용과 일치하지 <u>않는</u> 것을 고르시오.

어휘 stage 무대
above ~보다 위에
absolutely 전적으로
striped pattern 줄무늬
rug 양탄자
take away 멀리 치우다

04-3 기출 유사   답 ④

W: James, have you been to our new club room?
    현재완료(경험)

여: James, 우리 새 동아리방에 가본 적 있어?

M: Unfortunately, I haven't.

W: I have a picture of it. Do you want to take a look?

M: Sure. [*Pause*] Wow, I see lockers on the left side of the picture.
① 사진 왼쪽에 사물함이 있다.

W: Yes. We finally have our own lockers. Do you see the trophies on the lockers?

M: Yeah. There are two trophies. Are they the ones we won in the National School Band Contest?
② 사물함 위에 트로피 두 개가 있다. 목적격 관계대명사 that(which) 생략됨

W: Right. We won two years in a row. I'm so proud of our band.

M: Me, too. And the drums are under the clock.
③ 시계 밑에 드럼이 있다.

W: Yes. And on the right side of the picture is a round table with chairs.
④ 사진 오른쪽에 의자와 함께 원형 테이블이 있다.

M: Looks great. I also love the star-shaped rug in front of the drums.
⑤ 드럼 앞에 별 모양 양탄자가 있다.

W: I like it, too. We're really going to enjoy our new club room.

남: 아쉽게도, 못 가봤어.

여: 그것의 사진이 있어. 한번 볼래?

남: 응. [잠시 후] 와, 사진 왼쪽에 사물함이 보이네.

여: 응. 드디어 우리 사물함이 생겼어. 사물함 위에 트로피 보여?

남: 응. 트로피가 두 개 있네. 우리가 전국 학교 밴드 경연대회에서 획득한 것들이야?

여: 맞아. 우리는 2년 연속 우승했어. 우리 밴드가 너무 자랑스러워.

남: 나도 그래. 그리고 시계 밑에 드럼이 있구나.

여: 응. 그리고 사진 오른쪽에 의자들과 함께 원형 테이블이 있어.

남: 훌륭해 보여. 나는 드럼 앞에 별 모양 양탄자가 정말 좋아.

여: 나도 그것이 맘에 들어. 우리는 새 동아리 방을 정말 즐길 거야.

[어휘] unfortunately 유감스럽게도
win 획득하다; 이기다
national 전국적인
in a row 계속해서, 연이어
star-shaped 별 모양의
in front of ~ 앞에

대화를 듣고, 그림에서 대화의 내용과 일치하지 <u>않는</u> 것을 고르시오.

DAY 02
기초력 집중드릴

pp. 22~25

01 ④ 02 ④ 03 ② 04 ④ 05 ① 06 ④ 07 ② 08 ④ 09 ① 10 ⑤ 11 ④ 12 ④

 **01** 답 ④

W: Hello. How can I help you?

M: Hi, I made an online reservation. Do I get the tickets here?
남자는 온라인으로 예약한 표를 여기서 받는지 묻고 있다.

W: You don't have to get tickets if you have a reservation number. Just show it at the entrance and you can enjoy the
불필요: ~할 필요가 없다 남자는 캠핑 박람회에 왔다.

여: 안녕하세요. 어떻게 도와드릴까요?

남: 안녕하세요. 온라인 예약을 했어요. 여기서 표를 받나요?

여: 예약 번호를 가지고 계시면 표를 받을 필요가 없어요. 입구에서 그것을 보여 주기만

whole camping expo.

M: That's great. I heard there is a section for camping tables and chairs in the expo. Where can I find it?

W: When you go inside, you'll see it on your right. Look for camping goods on display.
_{여자는 전시 구역에 관한 남자의 질문에 자세히 답변하고 있다.}

M: Thanks. Is there a cafeteria around here?

W: Yes, we have one on the second floor.
_{카페테리아 위치를 묻는 남자에게 바로 답변해 주는 것으로 보아 여자는 박람회장 안내원임을 알 수 있다.}

M: Thank you so much for your help.

W: My pleasure. Enjoy your time in our camping expo.

대화를 듣고, 두 사람의 관계를 가장 잘 나타낸 것을 고르시오.

① 호텔 직원 – 투숙객   ② 식당 주인 – 종업원
③ 가구 제작자 – 의뢰인   ④ 박람회장 안내원 – 방문객
⑤ 전시 기획자 – 실내 디자이너

하면 캠핑 박람회 전체를 즐길 수 있어요.

남: 잘됐네요. 박람회에 캠핑 테이블과 의자가 있는 구역이 있다고 들었어요. 그것을 어디에서 찾을 수 있나요?

여: 안으로 들어가시면 오른쪽에 있어요. 전시된 캠핑 제품을 찾으세요.

남: 고맙습니다. 이 주변에 카페테리아가 있나요?

여: 네, 2층에 하나 있어요.

남: 도와주셔서 정말 고맙습니다.

여: 천만에요. 캠핑 박람회에서 즐거운 시간 보내세요.

[어휘] **entrance** 입구
expo 박람회, 전시회
goods 제품, 상품
on display 전시된

---

02 답 ④

M: What are you looking at, honey?

W: It's the picture ˅ Sally sent to me. She recommended that we go to the new community park near her house.
_{목적격 관계대명사 that (which) 생략됨}
_{요구·제안 동사}
_{(should+)동사원형}

M: Let me see it. [*Pause*] I like this big round table on the left. We can have some sandwiches and talk there.
_{① 왼쪽에 큰 원형 테이블이 있다.}

W: Sounds great. Look at the elephant face at the top of the slide. It looks cute.
_{② 미끄럼틀의 꼭대기에 코끼리 얼굴이 있다.}

M: Yeah, there are also swings next to it. Our son would like this park, too.
_{③ 미끄럼틀 옆에 그네가 있다.}

W: He sure would. Oh, there is a see-saw in front of the swings.
_{④ 그네 앞에 시소가 있다.}

M: Wow, this park has everything ˄ a child could want.
_{목적격 관계대명사 that (which) 생략됨}

W: It's great to find a place where parents and children can have a good time together.
_{가주어   진주어   관계부사}

M: It really is. Take a look at these flowers placed in the shape of a heart!
_{앞의 명사를 수식하는 과거분사구}
_{⑤ 꽃은 하트 모양으로 심어져 있다.}

W: They're beautiful. How about going there this weekend?

M: Terrific! I can't wait to go there.
_{can't wait to-V: 너무 ~하고 싶다}

남: 여보, 무엇을 보고 있어요?

여: Sally가 나에게 보낸 사진이요. 그녀는 우리가 그녀 집 근처에 새로 생긴 근린공원에 가야 한다고 권했어요.

남: 어디 봐요. [잠시 후] 왼쪽에 있는 큰 원형 테이블이 좋네요. 우리는 거기서 샌드위치를 먹고 이야기를 나눌 수 있어요.

여: 괜찮은 것 같아요. 미끄럼틀 꼭대기에 있는 코끼리 얼굴을 봐요. 귀여워 보여요.

남: 네, 그것 옆에 그네도 있네요. 우리 아들도 이 공원을 좋아하겠어요.

여: 당연히 그럴 것 같아요. 오, 그네 앞에 시소가 있어요.

남: 와, 이 공원은 아이가 원하는 모든 것이 있네요.

여: 부모와 아이가 함께 좋은 시간을 보낼 수 있는 장소를 찾아서 좋네요.

남: 정말 그래요. 하트 모양으로 심어진 이 꽃들을 봐요.

여: 예뻐요. 이번 주말에 거기 가는 것 어때요?

남: 아주 좋아요! 거기 너무 가고 싶네요.

대화를 듣고, 그림에서 대화의 내용과 일치하지 **않는** 것을 고르시오.

어휘 recommend 추천하다
community park 근린공원
slide 미끄럼틀
swing 그네
terrific 아주 좋은

03 답 ②

M: Hi, Kate. How do you feel today?

W: I feel better, but I still have a sore throat. How does my voice sound?
감각동사+주격 보어(형용사)

M: It sounds fine, so don't worry about it.

W: Thanks. Did you hear about <u>one of the audio books</u> we recorded in this studio last year?
one of+복수 명사: ～ 중 하나
두 사람은 작년에 오디오 북을 녹음했다.

M: You mean *The Dreaming Tree*? I heard it was the best-selling audio book of the year.

W: It was. The sound effects you added made the story feel alive.
목적격 관계대명사 that(which) 생략됨
남자는 이야기에 음향 효과를 추가했다.
사역동사+목적어+목적격 보어(원형 부정사)

M: Thank you. Most of all, your voice acting was great in the various roles.
여자는 목소리 연기를 했으므로 성우이다.

W: I'm flattered. Okay, I think I'm ready now. Is this the script for the radio drama we're working on today?
목적격 관계대명사 that(which) 생략됨

M: Yes. We can begin once you step into the recording booth. I'll check the microphone.
접속사: ～하면
남자가 마이크를 확인한다는 것으로 보아 녹음 기사임을 알 수 있다.

W: All right. I'll start when you give me the signal.

대화를 듣고, 두 사람의 관계를 가장 잘 나타낸 것을 고르시오.
① 신문 기자 – 작가
② 녹음 기사 – 성우
③ 영화감독 – 배우
④ 매니저 – 가수
⑤ 의사 – 환자

남: 안녕, Kate. 오늘은 좀 어때요?

여: 더 나아졌어요. 그런데 아직 인후염이 있어요. 제 목소리 어때요?

남: 괜찮으니 걱정하지 마세요.

여: 고마워요. 우리가 작년에 이 스튜디오에서 녹음한 오디오 북 중 하나에 관해 들었어요?

남: '꿈꾸는 나무'를 말하는 거예요? 그것이 올해의 가장 잘 팔린 오디오 북이었다는 것을 들었어요.

여: 맞아요. 당신이 첨가한 음향 효과가 이야기를 생동감 있게 만들었어요.

남: 고마워요. 무엇보다도 당신의 목소리 연기가 다양한 역할을 잘했어요.

여: 과찬의 말이에요. 자, 저 이제 준비됐어요. 이것이 우리가 오늘 녹음할 라디오 드라마 대본인가요?

남: 네. 당신이 녹음실에 들어가면 시작할 수 있어요. 마이크를 확인할게요.

여: 알았어요. 저에게 신호를 주면 시작할게요.

어휘 sore throat 인후염
sound effect 음향 효과   add 더하다
be flattered (어깨가) 으쓱해지다
signal 신호

04 답 ④

M: Ms. Morgan, how's the preparation for the school talk show going?

남: Morgan 씨, 학교 토크쇼 준비는 어떻게 되어 가고 있나요?

W: I've finished setting up the stage. How do you like it?
  현재완료(완료)
M: Great! I like the banner for the talk show at the top between
  ① 커튼 사이 상단에 토크쇼 현수막이 걸려 있다.
  the curtains.
W: Thanks. What do you think about the picture under the
  banner?
  ② 현수막 밑에 사진이 있다.
  ② 노트북 컴퓨터와 자물쇠 사진이다.
M: I think the image of the laptop computer and the lock is
  perfect for the talk show on "Information Security."
W: I think the picture shows the topic clearly.
M: It does. You put two stereo speakers below the picture.
  ③ 사진 밑에 두 개의 스피커가 있다.
W: Yes. They're the ones we bought recently for the show.
  = speakers
M: Okay. The students will sit and talk on those chairs on the
  round carpet, right?
  ④ 둥근 카펫 위에 의자들이 있다.
  ⑤ 마이크 옆에 화이트보드가 있다.
W: Exactly. I also put a white board next to the standing
  microphone. Students have asked me to set that up.
  5형식 동사+목적어+목적격 보어(to부정사)
M: Great! I'll be looking forward to the event.
  look forward to+명사: ~를 기대하다

여: 무대 설치는 끝냈어요. 어떠세요?
남: 좋아요! 커튼 사이 맨 위에 있는 토크쇼 현수막이 맘에 드네요.
여: 고마워요. 현수막 아래에 있는 사진은 어때요?
남: 노트북 컴퓨터와 자물쇠 이미지는 '정보 보안'이라는 토크쇼 주제에 완벽한 것 같아요.
여: 사진이 주제를 명확하게 보여 주는 것 같아요.
남: 그러네요. 사진 밑에 두 개의 스테레오 스피커를 놓았네요.
여: 네. 쇼를 위해 최근에 구입한 것들이에요.
남: 좋아요. 학생들은 둥근 카펫에 놓인 저 의자에 앉아서 대화를 하는 거죠, 맞아요?
여: 맞아요. 스탠딩 마이크 옆에 화이트보드도 놓았어요. 학생들이 그것을 설치해 달라고 제게 요청했어요.
남: 훌륭해요! 행사가 기대가 되네요.

[어휘] preparation 준비
banner 현수막
lock 자물쇠
security 보안
next to ~ 옆에

대화를 듣고, 그림에서 대화의 내용과 일치하지 <u>않는</u> 것을 고르시오.

① School Talk Show
②
③
④
⑤

---

05 답 ①

[*Door knocks.*]
W: Come on in. [*Pause*] Have a seat, please.
M: Thanks!
W: What has been troubling you, Mr. Williams?
  현재완료 진행형
M: My eyes are red and sore, and I can't see things clearly.
  남자는 여자에게 눈이 어떻게 아픈지 설명하고 있다.
W: Okay. Let me check your eyes first. Put your chin on the
  machine and don't move.
  여자는 남자의 눈을 진찰하려고 한다.
M: Alright.

[문을 두드린다.]
여: 어서 오세요. [잠시 후] 앉으세요.
남: 고맙습니다!
여: 무엇이 문제인가요, Williams 씨?
남: 눈이 충혈되고 쓰려요. 그리고 선명하게 보이지 않아요.
여: 알겠습니다. 먼저 눈을 살펴볼게요. 턱을 기계에 올리고 움직이지 마세요.
남: 알겠습니다.
여: [잠시 후] 오, 눈이 건조하시네요. 평소보다 더 많이 컴퓨터를 사용하셨어요?

W: [*Pause*] Oh, you have dry eyes. Have you been using your computer more than usual?
현재완료 진행형

M: Yes, I've been working all week on an important project.
현재완료 진행형

W: You should rest your eyes and blink more frequently.

M: I see. I was worried I got an eye infection.

W: No, you didn't. Just put some eyedrops in your eyes. I'll give you a prescription. 남자의 눈을 진찰하고 처방전을 주고 있으므로 여자는 안과 의사임을 알 수 있다.

M: Okay. Do I have to come again?

W: I recommend you have your eyes checked again next week.
사역동사+목적어+목적격 보어(과거분사)
The nurse will help you make an appointment.
help+목적어+목적격 보어(원형 부정사 또는 to부정사)

M: All right. Thank you.

대화를 듣고, 두 사람의 관계를 가장 잘 나타낸 것을 고르시오.

① 안과 의사 – 환자
② 보건 교사 – 학생
③ 프로젝트 팀장 – 팀원
④ 컴퓨터 판매원 – 구매자
⑤ 약사 – 제약 회사 직원

남: 네, 중요한 프로젝트를 하느라 일주일 내내 일했어요.

여: 눈을 쉬게 하고 좀 더 자주 눈을 깜빡거려야 해요.

남: 알겠어요. 눈병에 걸린 줄 알고 걱정했어요.

여: 아니에요. 눈에 안약만 넣으세요. 처방전을 드릴게요.

남: 알겠습니다. 다시 와야 할까요?

여: 다음 주에 눈 검사를 다시 받기를 권해요. 간호사가 예약하는 것을 도와줄 거예요.

남: 알겠습니다. 고맙습니다.

[어휘] chin 턱   blink 깜빡이다
frequently 자주   infection 감염
eyedrop 안약   prescription 처방전
appointment 약속, 예약

06 답 ④

M: What do you think of this new office lounge, Ms. Jones?

W: It's really nice. You must have worked hard to decorate this place.
must have p.p.: ~했음이 틀림없다   to부정사 부사적 용법(목적)

M: I enjoyed it. As you asked, two laptop computers have been placed in front of the window. ① 창문 앞에 노트북 컴퓨터가 두 대 있다.   현재완료 수동태

W: Thanks! Our colleagues can browse the web in their free time.

M: Good. Look at the letter M on the wall. I hung it yesterday.
It's your company's logo, right? ② 벽에 글자 M이 있다.

W: Yeah, I like it. Oh, there is a microwave oven below the logo.
③ 글자 M 밑에 전자레인지가 있다.

M: Yes, you can use it conveniently for meals. I put the photo on the bookshelf. ④ 책장 위에 사진이 있다.

W: Thanks! I love this picture. It was taken at our company's second anniversary party.
과거 시제 수동태

M: Great! There is a round table, so you can read some books and enjoy coffee time here. ⑤ 원형 테이블이 있다.

W: Thank you. Our colleagues will love this place.

남: Jones 씨, 새 사무실 휴게실이 어떠세요?

여: 정말 좋아요. 이 장소를 꾸미려고 열심히 일했겠어요.

남: 재미있었어요. 요청하신 대로, 두 개의 노트북 컴퓨터를 창문 앞에 배치했어요.

여: 고마워요! 저의 동료들이 휴식 시간에 인터넷을 검색할 수 있겠네요.

남: 네. 벽에 글자 M을 보세요. 그것을 어제 걸었어요. 당신 회사의 로고예요, 그렇죠?

여: 네, 마음에 드네요. 오, 로고 밑에 전자레인지가 있네요.

남: 네, 식사를 할 때 그것을 편하게 사용할 수 있어요. 책장 위에 사진을 두었어요.

여: 고마워요! 이 사진이 아주 마음에 드네요. 그것은 우리 회사의 두 번째 창립 기념일 파티에서 찍은 것이에요.

남: 멋지네요! 원형 테이블이 있어서 여기서 책을 읽거나 커피 마시는 시간을 즐길 수 있어요.

여: 고마워요. 동료들이 이곳을 좋아할 거예요.

대화를 듣고, 그림에서 대화의 내용과 일치하지 <u>않는</u> 것을 고르시오.

[어휘] lounge 휴게실
decorate 장식하다
colleague 동료
browse 인터넷을 돌아다니다
conveniently 편리하게
anniversary 기념일

07 답 ②

M: Hi, Angela. How are you feeling?

W: Perfect, Mike. I'm so excited to appear on your stage.
to부정사 부사적 용법(감정의 원인)
여자는 남자의 무대에 서게 되어 흥분해 있다.

M: I'm glad you're here. You look great today. I heard you went
감각동사+주격 보어(형용사)
to Paris last week.

W: Yeah, right. I was featured in the Paris Fashion Show. After
과거 시제 수동태
the show, I traveled a little and took so many photos.

M: Wow, you must have been busy. I'm honored to have a
must have p.p.: ~했음이 틀림없다   *여자는 유명한 모델이다.*
famous model like you on my stage.

W: My pleasure. The dresses you made are gorgeous.
목적격 관계대명사 that(which) 생략됨
남자는 의상 디자이너이다.

M: Thank you. The theme of today's show is "Nature", so I
made the dresses with only natural materials.

W: Oh, I see. When I got dressed for rehearsal, I felt really
comfortable.
5형식 동사 get+목적어+목적격 보어(형용사):
~을 (어떤 상태에) 두다

M: Good. Our makeup artists will get you ready now.

W: Sure. Is there any special pose for me on the runway?

M: I asked the other models to walk slowly to emphasize the
5형식 동사+목적어+목적격 보어(to부정사)   *to부정사 부사적 용법(목적)*
soft line of the dress. So, walk slowly to the music.

W: Okay. I got it.

대화를 듣고, 두 사람의 관계를 가장 잘 나타낸 것을 고르시오.
① 손님 – 의류 매장 직원
② 의상 디자이너 – 패션모델
③ 무대 연출가 – 안무가
④ 사진작가 – 잡지사 편집장
⑤ 메이크업 아티스트 – 배우

남: 안녕, Angela. 기분은 어때요?
여: 완벽해요, Mike. 당신의 무대에 설 수 있어서 너무 흥분돼요.
남: 당신이 여기에 있어서 기뻐요. 오늘 멋져 보여요. 지난주에 파리에 갔다고 들었어요.
여: 네, 맞아요. 파리 패션쇼에 출연했어요. 쇼가 끝나고 여행을 좀 했고 사진을 많이 찍었어요.
남: 와, 바빴겠군요. 당신처럼 유명한 모델을 제 무대에 세울 수 있어서 영광이에요.
여: 별말씀을요. 당신이 만든 드레스들은 아주 멋져요.
남: 고마워요. 오늘 쇼의 주제가 '자연'이어서 천연 재료만으로 드레스를 만들었어요.
여: 오, 그렇군요. 리허설을 위해 옷을 입었을 때 정말 편했어요.
남: 잘됐네요. 이제 저희 메이크업 아티스트가 당신을 준비시켜 줄 거예요.
여: 네. 런웨이에서 제가 취해야 하는 특별한 자세가 있나요?
남: 다른 모델들에게는 드레스의 부드러운 선을 강조하기 위해 천천히 걸어 달라고 요청했어요. 그러니 음악에 맞추어 천천히 걸어 주세요.
여: 네. 알겠어요.

[어휘] appear 출연하다
feature 출연시키다
gorgeous 아주 멋진
theme 주제
pose 자세, 포즈
emphasize 강조하다

동명사를 목적어로 하는 동사

M: Jenny, I finished designing our soccer team's uniform. Can you find any differences from the previous version?

W: Wow, it changed a lot. Oh, you put the team name at the center. That looks great! ① 축구팀 이름은 중앙에 있다.

M: Thank you. It really makes us feel the team spirit.
사역동사+목적어+목적격 보어(원형 부정사)

W: You've also added stripes on both sleeves. I think it looks better now. ② 양쪽 소매에 줄무늬를 추가했다.

M: I'm glad you think so. And what do you think of the V-neck design? ③ 목둘레가 V자 모양이다.

W: The V-neck is more unique than the round one. I like it! Can you tell me about the stars on the chest?
비교급+than

M: It shows how many times our team has won the league.
간접의문문

W: Oh, it has three stars because we've won three times. That's fantastic! ④ 별은 세 개이다.

M: Yes, it is. How about the pocket?

W: You mean the pocket under the stars? It looks convenient. You did a great job! ⑤ 별 아래에 주머니가 있다.

M: Thanks. I hope our teammates like this uniform design.

대화를 듣고, 그림에서 대화의 내용과 일치하지 <u>않는</u> 것을 고르시오.

남: Jenny, 우리 축구팀 유니폼 디자인하는 것을 끝냈어. 이전 형태와 다른 점을 찾을 수 있어?

여: 와, 많이 달라졌구나. 오, 팀명을 중앙에 넣었구나. 멋져 보여!

남: 고마워. 그것은 우리가 연대 의식을 진짜 느낄 수 있게 해 줘.

여: 양쪽 소매에 줄무늬도 추가했네. 지금이 더 나아 보이는 것 같아.

남: 네가 그렇게 생각해서 기쁘다. 그리고 브이넥 디자인은 어때?

여: 브이넥은 라운드 넥보다 더 독특해. 좋아! 가슴 부분에 있는 별에 대해 설명해 줄래?

남: 그것은 우리 팀이 리그에서 몇 번 우승했는지 나타내.

여: 오, 우리가 세 번 우승해서 별이 세 개 있구나. 정말 멋지다!

남: 응, 그래. 주머니는 어때?

여: 별 밑에 있는 주머니를 말하는 거야? 편리해 보여. 정말 잘했어!

남: 고마워. 우리 팀 동료들이 이 유니폼 디자인을 좋아하길 바라.

[어휘] difference 차이, 다름
previous 이전의
team spirit 연대 의식
sleeve 소매
convenient 편리한
teammate 팀 동료

W: Hello, Simon. I'm glad that you are here.

M: Hi, Julia. How's it going with recording your new song?
여자는 신곡 녹음을 준비하고 있다.

W: Well, it's been tough. I've been singing the song all the time.
현재완료(계속) 줄곧 노래를 부른다고 말하는 것으로 보아 여자는 가수이다.

M: I can imagine. How can I help you?

여: 안녕하세요, Simon. 와 줘서 기뻐요.

남: 안녕하세요, Julia. 신곡 녹음은 어떻게 되어 가요?

여: 음, 힘들어요. 줄곧 그 노래를 부르고 있어요.

남: 상상이 가요. 제가 어떻게 도와줄까요?

W: The music video for the song will be filmed soon. And I need you to make an easy dance that everyone can follow.
_{미래 시제 수동태}
_{여자가 남자에게 안무를 해 달라고 요청하는 것으로 보아 남자는 안무가이다.}

M: No problem. I just need a copy of the song, so I can try to make it as simple and memorable as possible.
_{as ~ as possible: 가능한 한 ~한[하게]}

W: Okay. Here's a copy of the song.

M: When do you need the dance by?

W: Hmm... I have a meeting with the music video director next Friday.

M: All right. It'll take a couple of days to make the dance. Then we can practice it together.
_{It takes+시간+to-V: …하는 데 ~의 시간이 걸리다}

W: Perfect. Thank you so much.

대화를 듣고, 두 사람의 관계를 가장 잘 나타낸 것을 고르시오.

① 가수 – 안무가
② 작곡가 – 작사가
③ 성우 – 녹음 기사
④ 방송 작가 – 프로듀서
⑤ 뮤지컬 배우 – 음향 감독

여: 노래의 뮤직비디오가 곧 촬영될 거예요. 그리고 저는 당신이 누구나 따라 할 수 있는 쉬운 춤을 만들어 주면 좋겠어요.

남: 문제없어요. 노래의 복사본이 필요해요. 그러면 춤을 가능한 한 단순하고 기억할 만하게 만들어 볼게요.

여: 알겠어요. 여기 노래 복사본이에요.

남: 안무는 언제까지 필요하세요?

여: 음…… 다음 금요일에 뮤직비디오 감독과 회의가 있어요.

남: 알겠어요. 안무를 만드는 데 이틀 정도 걸릴 것 같아요. 그런 뒤에 그것을 함께 연습할 수 있어요.

여: 완벽해요. 정말 고마워요.

[어휘] imagine 상상하다
follow 따라 하다
memorable 기억할 만한
a couple of days 이틀 정도

---

10 답 ⑤

M: Hi, Anna. How was your weekend?

W: Hey, Mike! I helped to make the stage for our school play. Here, take a look at the picture I took of the stage.
_{목적격 관계대명사 that(which) 생략됨}

M: Wow. It's wonderful.

W: Thanks. My favorite is the Christmas tree in the corner.
_{① 구석에 크리스마스트리가 있다.}

M: I agree. I also like the picture above the fireplace.
_{② 벽난로 위에 그림이 있다.}

W: Do you like it? I painted it myself.
_{재귀대명사(강조)}

M: It looks so real. Why is there a cup on the round table?
_{③ 원형 테이블 위에 컵이 한 개 있다.}

W: The main character is supposed to have some tea at the table.
_{be supposed to-V: ~하기로 되어 있다}

M: I see. Look at the toy horse next to the chair. It's so cute.
_{④ 의자 옆에 장난감 말이 있다.}

W: Yeah. And what do you think of the bell on the door?
_{⑤ 문에 종이 걸려 있다.}

M: It really adds to the Christmas atmosphere. You did a great job.

W: Thank you. Will you come to see the play?

M: Sure. I can't wait to see it.
_{can't wait to-V: 너무 ~하고 싶다}

남: 안녕, Anna. 주말 어땠어?

여: 안녕, Mike! 학교 연극을 위한 무대 만드는 것을 도왔어. 여기, 무대를 찍은 사진 좀 봐.

남: 와. 굉장하다.

여: 고마워. 내가 가장 좋아하는 것은 구석에 있는 크리스마스트리야.

남: 그러네. 나는 벽난로 위에 그림도 마음에 들어.

여: 그게 좋아? 내가 직접 그렸어.

남: 정말 진짜처럼 보여. 원형 테이블에 컵이 왜 있어?

여: 주인공이 테이블에서 차를 마시거든.

남: 그렇구나. 의자 옆에 장난감 말을 봐. 정말 귀엽다.

여: 응. 그리고 문에 있는 종은 어때?

남: 그건 정말 크리스마스 분위기를 더해 줘. 정말 잘했다.

여: 고마워. 연극 보러 올래?

남: 물론이지. 너무 보고 싶어.

대화를 듣고, 그림에서 대화의 내용과 일치하지 **않는** 것을 고르시오.

[어휘] fireplace 벽난로
real 진짜의
main character 주인공
atmosphere 분위기

---

11 답 ④

W: Hello, Mr. Stevenson. I'm Rachel Adams from *Entertainment Monthly*. Thank you for meeting with me today.

M: Hello, Ms. Adams. It's my pleasure.

W: Congratulations on gaining more than one million subscribers on your work, *The Invisible*. Why do you think so many people read your webcomic?
남자가 웹툰 작가임을 알 수 있다.

M: I think many people enjoy the comic because my style of drawing really makes the story come alive.
사역동사+목적어+목적격 보어(원형 부정사)

W: I agree. I especially love Jimmy, the character who wants to be a fashion model.
주격 관계대명사

M: Yes, many of my subscribers like him.

W: I heard you'll finish it soon. The readers of our magazine have been asking if you have any plans to publish your work as a book or make it into a movie.
to부정사 형용사적 용법(앞의 plans 수식)
현재완료 진행형
우리 잡지의 독자들이라고 했으므로 여자는 잡지사 기자임을 알 수 있다.

M: If there's a chance, I'd love to.

W: You'll have to let our readers be the first to know if you do.
사역동사+목적어+목적격 보어(원형 부정사)   to부정사 형용사적 용법(앞의 first 수식)

M: Of course! I hope I can bring you good news soon.

여: 안녕하세요, Stevenson 씨. 'Entertainment Monthly'의 Rachel Adams입니다. 오늘 저와 함께해 주셔서 고맙습니다.

남: 안녕하세요, Adams 씨. 별말씀을요.

여: 당신의 작품 'The Invisible(투명 인간)'의 구독자가 백만 명을 넘어선 것을 축하합니다. 왜 그렇게 많은 사람들이 당신의 웹툰을 읽는다고 생각하세요?

남: 많은 사람들이 저의 그림 스타일이 이야기를 재미있게 만들기 때문에 그 만화를 즐기는 것 같아요.

여: 동의해요. 저는 특히 패션모델이 되기를 원하는 등장인물인 Jimmy를 무척 좋아해요.

남: 네, 구독자의 다수가 그를 좋아해요.

여: 그것이 곧 완결된다고 들었어요. 저희 잡지의 독자들이 그 작품을 책으로 출간하거나 영화로 만들 계획이 있는지 궁금해해요.

남: 기회가 있다면 그렇게 하고 싶어요.

여: 만약 그렇게 하시면 저희 독자들에게 가장 먼저 알려 주세요.

남: 물론이죠! 곧 좋은 소식을 드릴 수 있기를 바랍니다.

대화를 듣고, 두 사람의 관계를 가장 잘 나타낸 것을 고르시오.
① 디자이너 – 패션모델   ② 영화감독 – 영화배우
③ 출판사 직원 – 소설가   ④ 잡지사 기자 – 웹툰 작가
⑤ 미술관 큐레이터 – 화가

[어휘] gain 얻다
subscriber 구독자
invisible 보이지 않는
come alive 재미있어지다

---

12 답 ④

M: Lucy, this is a picture of my camping trip last week. Have a look.

남: Lucy, 이건 지난주 내 캠핑 여행 사진이야. 한번 봐.

W: Hmm, I can see the tent between those two trees. Did you set it up yourself?
_{① 나무 사이에 텐트가 있다.}

M: Yes, my father taught me how to do it. He is wearing the
_{how+to-V: ~하는 법}
striped T-shirt that I bought him for his birthday.
_{목적격 관계대명사} _{② 아빠는 줄무늬 티셔츠를 입고 있다.}

W: Wow! The shirt makes your father look young.
_{사역동사+목적어+목적격 보어(원형 부정사)}

M: I think so, too. And do you see the watermelon on the table?
_{③ 탁자 위에 수박이 있다.}

W: Yes, it looks so delicious. Where did you get it?
_{감각동사+주격 보어(형용사)}

M: It was from our family farm. My parents grew it themselves.

W: Really? The woman there must be your mother, right?
_{강한 추측: ~임이 틀림없다}

M: Yeah. She's playing the flute behind the pond.
_{④ 엄마는 연못 뒤에서 플루트를 연주하고 있다.}

W: Cool! She's awesome. Oh, there's a dog on the chair. Is that your puppy?
_{⑤ 의자 위에 개 한 마리가 있다.}

M: Of course. We all had a good time there.

대화를 듣고, 그림에서 대화의 내용과 일치하지 <u>않는</u> 것을 고르시오.

여: 흠, 두 나무 사이에 텐트가 보이네. 네가 혼자 설치했어?

남: 응, 아빠가 그것을 설치하는 법을 나에게 알려 주셨어. 아빠는 내가 생신 선물로 사 드린 줄무늬 티셔츠를 입고 계셔.

여: 왜 셔츠가 아빠를 젊게 보이게 하는구나.

남: 나도 그렇게 생각해. 그리고 탁자에 수박 보여?

여: 응. 정말 맛있어 보인다. 어디서 샀어?

남: 우리 가족 농장에서 딴 거야. 부모님께서 직접 기르셨어.

여: 정말? 거기에 있는 여성이 엄마시겠구나, 맞아?

남: 응. 엄마는 연못 뒤에서 플루트를 연주하고 계셔.

여: 멋지다! 그녀는 굉장하다. 오, 의자에 개가 있네. 너의 강아지야?

남: 응. 우리 모두는 거기서 좋은 시간을 보냈어.

어휘 between 사이에(중간에)

watermelon 수박

behind ~ 뒤에

pond 연못

awesome 굉장한

DAY 03

공부할 내용 **미리보기**   pp. 26~27

출제유형 **5** 여자가 한 일 ⓐ   여자가 할 일 ⓒ   남자가 한 일 ⓑ   남자가 할 일 ⓓ   출제유형 **6** ⓑ

출제유형 5   할 일, 부탁한 일

W: Let's check our preparations for Ms. Kim's retirement party.

M: Okay. How about the thank-you video?

W: I finished it. Have you finished decorating the classroom?
_{현재완료(완료)}

M: I've just done it. It took a long time to blow up all the
_{현재완료(완료)} _{It takes+시간+to-V: …하는 데 ~의 시간이 걸리다}
balloons.

W: Good job! What else should we do?

여: 김 선생님 은퇴 파티 준비를 점검해 보자.

남: 좋아. 감사 동영상은 어떻게 됐어?

여: 끝냈어. 너는 교실 장식하는 것을 끝냈니?

남: 방금 그것을 끝냈어. 풍선을 다 부는 데 시간이 오래 걸렸어.

여: 잘했어! 우리가 뭘 더 해야 하지?

남: 김 선생님에게 감사 편지를 쓰고 그녀를 위한 케이크를 주문해야 해.

M: We should write a thank-you letter to Ms. Kim and order a cake for her.

W: Okay. I'll write the thank-you letter. Can you order the cake?

M: No problem. I'll go and order it now.

해설 여자와 남자가 각각 이미 한 일과 앞으로 할 일을 구별하는 문제이다. 여자는 감사 동영상을 만들었고 선생님께 감사 편지를 쓸 것이다. 남자는 교실을 장식했고 케이크를 주문할 것이다.

여: 알겠어. 내가 감사 편지를 쓸게. 네가 케이크를 주문해 줄래?
남: 알겠어. 지금 가서 주문할게.

어휘 preparation 준비
retirement 은퇴 decorate 장식하다
order 주문하다

출제유형 ⑥ 숫자 정보 파악

W: Hi, I'd like to buy admission tickets for two adults and one child. And I need to rent three pairs of skates. I also have my local resident card.

여: 안녕하세요, 저는 성인 두 명과 어린이 한 명의 입장권을 사고 싶어요. 그리고 스케이트 세 켤레를 대여하고 싶어요. 저는 지역 주민 카드도 가지고 있어요.

Grand Ice Skating Rink

Admission

Adult: $10 / Child: $5

Skate Rental

$5 per pair

10% OFF the Total Price for local residents

Grand Ice Skating Rink
입장료
성인: $10 / 어린이: $5
스케이트 대여료
한 켤레 당 $5
지역 거주민 **총액의 10% 할인**

해설 성인 두 명과 어린이 한 명의 입장료는 25달러이고 세 켤레의 스케이트 대여료는 15달러이다. 지역 주민 카드를 가지고 있으므로 총액 40달러의 10%인 4달러를 할인받을 수 있다. 따라서 여자가 지불할 금액은 36달러이다.

어휘 admission 입장 adult 성인
local 지역의 resident 거주민

출제유형 핵심 체크 5 할 일, 부탁한 일

pp. 28~29

05 기출 예제 | ① **05-1** 기출 유사 | ① **05-2** 기출 유사 | ③ **05-3** 기출 유사 | ⑤

05 기출 예제 | 답 ①

M: Hi, Mary. You look worried. What's the matter?

W: Hi, Steve. Remember the report about wildflowers I've been
_{야생화에 관한 보고서가 대화의 주제이다.} _{현재완료 진행형}
working on?

M: Of course. That's for your biology class, right?

W: Yeah. I was able to get pictures of all the wildflowers in my
report for daisies. _{여자는 보고서에 필요한 데이지 사진이 없다.}

M: I see. Can't you submit your report without pictures of daisies?

W: No. I really need them. I even tried to take pictures of daisies
_{여자는 데이지 사진이 꼭 필요하다.} _{try+to-V: ~하려고 노력하다}

남: 안녕, Mary. 걱정이 있어 보여. 무슨 일이야?
여: 안녕, Steve. 내가 작성하고 있는 야생화에 관한 보고서 기억하지?
남: 물론이지. 생물학 수업을 위한 거잖아, 맞지?
여: 응. 데이지를 제외하고는 모든 야생화 사진을 내 보고서에 넣을 수 있었어.
남: 그렇구나. 데이지 사진 없이는 보고서를 제출할 수 없니?

myself, but I found out that they usually bloom from spring
to fall.
명사절을 이끄는 접속사 that

M: You know what? This spring, I went hiking with my dad and
took some pictures of wildflowers.
go+V-ing: ~하러 가다
남자는 아빠와 하이킹하러 가서 야생화 사진을 찍었다.

W: Do you have them on your phone? Can I see them?

M: Sure. Have a look.

W: Oh, the flowers in the pictures are daisies! These will be
great for my report.
남자가 찍은 사진 속에 데이지가 있다.

M: Really? Then I'll send them to you.
남자는 여자에게 꽃 사진을 보낼 것이다.

W: Thanks. That would be very helpful.

여: 응. 그것이 정말 필요해. 직접 데이지 사진을 찍으려고도 해 봤지만, 그 꽃이 보통 봄에서 가을까지 핀다는 것을 알게 되었어.

남: 그거 알아? 올봄에, 나는 아빠와 함께 하이킹하러 가서 야생화 사진을 좀 찍었어.

여: 네 전화기에 그것이 있니? 그것을 볼 수 있을까?

남: 물론이야. 봐봐.

여: 오, 사진에 있는 꽃이 데이지야! 내 보고서에 딱 맞겠다.

남: 정말? 그렇다면 네게 그것을 보내 줄게.

여: 고마워. 그러면 정말 도움이 될 거야.

대화를 듣고, 남자가 여자를 위해 할 일로 가장 적절한 것을 고르시오.

① 사진 전송하기
② 그림 그리기
③ 휴대 전화 찾기
④ 생물 보고서 제출하기
⑤ 야생화 개화 시기 검색하기

어휘 wildflower 야생화
biology 생물학
except for ~ ~을 제외하고는
submit 제출하다 bloom 개화하다

05-1 기출 유사 답 ①

W: Chris, what are you doing?

M: I'm writing interview questions for the feature story of our
next school magazine.

W: Who are you interviewing?

M: The new English teacher. I'm going to interview him
tomorrow.
남자는 내일 새로 오신 선생님을 인터뷰할 것이다.

W: Do you need any help with the interview questions?

M: No, I'm almost done. But I'm still looking for someone to
take photos during the interview.
남자는 인터뷰하는 사진을 찍어 줄 사람을 찾고 있다.
to부정사 형용사적 용법(앞의 someone 수식)

W: Why don't you ask Cindy? She's good at taking photos.
명사절을 이끄는 접속사 that 생략됨

M: I already asked her, but she said she has an important
presentation tomorrow.
사진을 잘 찍는 Cindy를 섭외하지 못했다.

W: Well, how about Tom? He's a member of the photo club.
여자가 사진부의 Tom을 추천하고 있다.

M: You mean the one in our chemistry class?

W: Yes. I think he's the right person. Do you want me to call
him to see if he's available tomorrow?
여자는 Tom에게 전화할 것이다.
to부정사 부사적 용법(목적)

M: That would be great. Thanks.

여: Chris, 뭐 하고 있어?

남: 다음 교내 잡지에 실을 특집 기사를 위한 인터뷰 질문을 작성하고 있어.

여: 누구를 인터뷰하는데?

남: 새로 오신 영어 선생님. 내일 선생님을 인터뷰할 거야.

여: 인터뷰 질문 만드는 것을 도와줄까?

남: 아니, 거의 다 했어. 그런데 인터뷰하는 동안에 사진을 찍어 줄 사람을 아직 찾고 있어.

여: Cindy에게 물어보면 어때? 그녀는 사진을 잘 찍어.

남: 그녀에게 이미 물어봤는데 그녀는 내일 중요한 발표가 있다고 했어.

여: 그럼 Tom은 어때? 그는 사진부 회원이야.

남: 화학 수업을 듣는 사람 말하는 거야?

여: 응. 그가 적임자인 것 같아. 내가 그에게 전화해서 내일 시간이 되는지 물어볼까?

남: 그러면 좋겠어. 고마워.

대화를 듣고, 여자가 할 일로 가장 적절한 것을 고르시오.

① Tom에게 전화하기   ② 화학 과제 제출하기
③ 인터뷰 사진 촬영하기   ④ Cindy와 발표 준비하기
⑤ 인터뷰 질문지 작성하기

어휘 feature story 특집 기사
done 끝난, 완료된
chemistry 화학
available 시간이 있는

05-2 기출 유사 답 ③

M: Honey, Nathan's birthday is tomorrow.
　내일 있을 생일 파티가 대화의 주제이다.
W: I can't believe he's almost ONE!

M: Neither can I. He's already learning to walk.
　도치(neither+조동사+주어)
W: I made a digital photo album for his birthday party.
　여자는 디지털 사진 앨범을 만들었다.
M: Wow! That's great! How do you plan to show it?

W: How about showing the photos on the TV in the living room?

M: Sounds good. What else do we need?

W: Every birthday party needs balloons and a cake.

M: Okay. I'll decorate the living room with balloons.
　남자는 거실을 풍선으로 장식할 것이다.
W: Then, I'll bake the cake.
　여자는 생일 케이크를 구울 것이다.
M: Great! He'll love it.

남: 여보, Nathan의 생일이 내일이네요.
여: 그가 거의 한 살이라는 것이 믿을 수가 없어요!
남: 나도 마찬가지예요. 벌써 걷는 법을 배우고 있어요.
여: 그의 생일 파티를 위해 디지털 사진 앨범을 만들었어요.
남: 왜! 좋네요! 그것을 어떻게 보여 줄 계획이에요?
여: 거실에 있는 TV로 사진을 보여 주는 것은 어때요?
남: 좋아요. 그 밖에 뭐가 더 필요할까요?
여: 모든 생일 파티에는 풍선과 케이크가 필요해요.
남: 알았어요. 내가 거실을 풍선으로 장식할게요.
여: 그럼, 내가 케이크를 구울게요.
남: 좋아요! 그는 그것을 좋아할 거예요.

대화를 듣고, 여자가 할 일로 가장 적절한 것을 고르시오.

① 사진 앨범 만들기   ② 파티 초대장 보내기
③ 생일 케이크 만들기   ④ 풍선으로 거실 장식하기
⑤ TV로 사진 영상 재생하기

어휘 neither ~도 마찬가지이다
decorate 장식하다
bake (음식을) 굽다

05-3 기출 유사 답 ⑤

W: David, how are the preparations going for your meeting
　tomorrow?
　　내일 회의 준비가 대화의 주제이다.
M: Hi, Jennifer. They're almost done. I'm about to check if
　everything is ready.

W: Sounds good. Since I finished my own work today, I can help
　　　　　　　　이유를 나타내는 접속사
　you.

M: That's very kind of you. I confirmed the reservation for
　the meeting room and sent text messages informing the
　　　　　　　　　　　　　　　　　　　앞의 명사를 수식하는 현재분사구
　participants of tomorrow's schedule. 남자는 회의실 예약을 확인했고, 참석자들에게
　　　　　　　　　　　　　　　　　　일정 알림 문자를 보냈다.
W: What about snacks for the meeting?

여: David, 내일 회의 준비는 잘되어 가니?
남: 안녕, Jennifer. 거의 다 끝났어. 모든 게 준비됐는지 확인하려고 해.
여: 좋아. 오늘 내 일을 끝내서 너를 도와줄 수 있어.
남: 정말 친절하구나. 나는 회의실 예약을 확인했고, 참석자들에게 내일 일정을 알려 주는 문자 메시지를 보냈어.
여: 회의 때 간식은 어때?
남: 내 차에 있어. 내일 아침에 내가 그것들을 가져올게.
여: 그리고, 해야 할 다른 일들이 남아 있어?

M: They're in my car. I'll get them tomorrow morning.
남자는 차에서 간식을 가져올 것이다.

W: And, is there anything else left to do?

M: Let me see. I need to make name tags to give to the participants.
to부정사 형용사적 용법(앞의 name tags 수식)

W: Do you want me to help you with that?

M: No, thanks. I can handle it. Could you print out some materials for the meeting instead?
남자가 참석자 이름표를 만들 것이다. *남자는 여자에게 회의 자료 출력을 부탁하고 있다.*

W: Sure. I'll do that for you.
여자는 남자의 부탁을 수락하고 있다.

M: I'll send you the file to print out right now. Thank you.
to부정사 형용사적 용법(앞의 file 수식)

대화를 듣고, 남자가 여자에게 부탁한 일로 가장 적절한 것을 고르시오.

① 회의실 예약 확인하기　　② 일정 알림 문자 보내기
③ 차에서 간식 가져오기　　④ 참석자 이름표 만들기
⑤ 회의 자료 출력하기

남: 어디 보자. 참석자들에게 줄 이름표를 만들어야 해.
여: 내가 그것을 도와줄까?
남: 아니, 괜찮아. 내가 처리할게. 대신 회의 자료를 좀 출력해 줄래?
여: 물론이지. 내가 그것을 할게.
남: 지금 바로 출력할 파일을 너에게 보낼게. 고마워.

어휘 confirm 확인하다
reservation 예약　inform 알리다
participant 참석자　handle 처리하다
material 자료　instead 대신에

---

06 기출 예제 | ②　　**06-1** 기출 유사 | ⑤　　**06-2** 기출 유사 | ②　　**06-3** 기출 유사 | ②

---

06 기출 예제 | 답 ②

M: Welcome to the Chestfield Hotel. How may I help you?

W: Hi, I'm Alice Milford. I made a reservation for me and my husband.

M: [*Typing sound*] Here it is. You reserved one room for one night at the regular rate of $100.
여자는 1박에 100달러인 방을 하루 예약했다.

W: Can I use this 10% discount coupon?

M: Sure, you can. *10% 할인 쿠폰을 쓸 수 있으므로 숙박비는 90달러이다.*

W: Fantastic. And is it possible to stay one more night?
가주어　진주어

M: Let me check. [*Mouse clicking sound*] Yes, the same room is available for tomorrow.
사역동사+목적어+목적격 보어(원형 부정사)

W: Good. Do I get a discount for the second night, too?

M: Sorry. The coupon doesn't apply to the second night. It'll be $100. Do you still want to stay an extra night?
여자는 하루 더 숙박하기를 원하고 둘째 날은 할인받을 수 없으므로 둘째 날 숙박비는 100달러이다.

W: Yes, I do.

M: Great. Will you and your husband have breakfast? It's $10 per person for each day.

W: No thanks. We'll be going out early to go shopping. Here's my credit card.
여자는 아침 식사는 하지 않을 것이므로, 숙박비 190달러만 지불할 것이다.

남: Chestfield 호텔에 오신 것을 환영합니다. 무엇을 도와드릴까요?
여: 안녕하세요, 저는 Alice Milford입니다. 저와 제 남편을 위해 예약을 했습니다.
남: [타자 치는 소리] 여기 있네요. 100달러의 일반 요금으로 1박 1실을 예약하셨네요.
여: 이 10% 할인 쿠폰을 사용할 수 있나요?
남: 물론이죠, 사용하실 수 있습니다.
여: 잘됐네요. 그리고 1박 더 묵는 것이 가능한가요?
남: 확인해 보죠. [마우스 클릭하는 소리] 네, 같은 방을 내일도 이용하실 수 있습니다.
여: 좋네요. 둘째 날 밤에도 할인이 되나요?
남: 죄송합니다. 그 쿠폰은 둘째 날 밤에는 적용되지 않습니다. 100달러입니다. 그래도 추가로 하룻밤 더 묵으시겠습니까?
여: 네, 그렇게 하겠습니다.
남: 좋습니다. 고객님과 남편분은 아침 식사를 하실 건가요? 하루에 인당 10달러입니다.
여: 아뇨, 괜찮습니다. 저희는 쇼핑하러 일찍 나갈 겁니다. 여기 제 신용 카드입니다.

06-1 기출 유사　답 ⑤

M: Hello, ma'am. Welcome to the Aerospace Exhibition.

W: Hi, I'd like to get tickets for the exhibition.
　　여자는 전시회 표를 살 것이다.

M: Sure. We have two options, a full-day ticket and a half-day ticket.

W: I'll take the half-day ticket. How much is it?
　　여자는 반일권을 구매할 것이다.

M: It's $30 for adults and $20 for children. How many tickets do you need?

W: One adult and two children's tickets, please. I have a membership card. Do you offer a discount?
　　어른 한 명과 어린이 두 명의 반일권은 70달러이다.

M: Yes. Gold membership holders get 20% off the total, and silver membership holders get 10% off the total.

W: Great. I have a silver membership.
　　여자는 실버 회원으로 70달러에서 10%를 할인받아 63달러를 지불할 것이다.

M: Okay. May I have your membership card?
　　　　　미래 진행형

W: Here it is. And I'll be paying with cash.

대화를 듣고, 여자가 지불할 금액을 고르시오.

① $40　　② $45　　③ $50　　④ $56　　⑤ $63

남: 안녕하세요, 부인. 항공우주 전시회에 오신 것을 환영합니다.

여: 안녕하세요, 저는 전시회 표를 사고 싶어요.

남: 네. 종일권과 반일권, 두 가지 옵션이 있어요.

여: 반일권을 살게요. 얼마인가요?

남: 어른은 30달러이고 어린이는 20달러입니다. 몇 장 필요하세요?

여: 어른 한 명과 어린이 두 명의 표를 주세요. 제가 회원 카드를 가지고 있어요. 할인이 되나요?

남: 네. 골드 회원 카드 소지자는 총액에서 20%를 할인해 드리고, 실버 회원 카드 소지자는 총액에서 10%를 할인해 드려요.

여: 잘됐네요. 저는 실버 회원입니다.

남: 알겠습니다. 회원 카드를 보여 주시겠어요?

여: 여기 있습니다. 그리고 현금으로 지불할게요.

[어휘] exhibition 전시회
offer 제공하다　holder 소지자

06-2 기출 유사　답 ②

W: Welcome to Good Aroma Candle. How may I help you?

M: Hi. I'm looking for scented candles for my parents. They like flower scents.
　　남자는 향초를 찾고 있다.

W: Come over here and try this flower scent.

M: Thanks. [Pause] I like this rose scented candle. How much is it?

W: Large candles and medium ones are on sale now. Large ones are $20 and medium ones are $10 each.

M: Well then, I'll take two large candles.
　　큰 사이즈 초 두 개는 40달러이다.

W: If you buy any three candles, we give you a soap for free.
　　　　　　　　　　수여동사＋간접목적어＋직접목적어

M: Great. Then I'll have a medium one with the same scent as
　　추가 구매할 중간 사이즈 초 한 개는 10달러이다.

여: Good Aroma Candle에 오신 것을 환영합니다. 무엇을 도와드릴까요?

남: 안녕하세요. 부모님께 드릴 향초를 찾고 있어요. 꽃향기를 좋아하세요.

여: 이쪽으로 오셔서 이 꽃향기를 맡아 보세요.

남: 고맙습니다. [잠시 후] 저는 이 장미 향 초가 좋아요. 그것은 얼마인가요?

여: 큰 사이즈와 중간 사이즈의 초는 지금 세일 중입니다. 큰 사이즈와 중간 사이즈는 각각 20달러와 10달러입니다.

남: 그러면, 큰 초를 두 개 살게요.

여: 아무 초나 세 개를 사면 비누를 공짜로 드려요.

well. Did you say they're $10?

W: Exactly. You're getting two large candles and one medium candle.

M: That's right. Can I also use this mobile coupon?

W: Of course, you get 10% off the total price with that.

쿠폰으로 총액 50달러의 10%를 할인받을 수 있으므로, 여자는 45달러를 지불할 것이다.

M: Thank you. I'll pay by credit card.

남: 잘됐네요. 그럼 같은 향기로 중간 사이즈의 초도 하나 살게요. 10달러라고 하셨나요?

여: 맞아요. 큰 사이즈 초 두 개와 중간 사이즈 초 한 개를 사시는 거네요.

남: 맞아요. 이 모바일 쿠폰도 쓸 수 있나요?

여: 물론이죠. 그것으로 총액에서 10%를 할인 받으세요.

남: 고맙습니다. 신용 카드로 지불할게요.

대화를 듣고, 남자가 지불할 금액을 고르시오.

① $40 ② $45 ③ $50 ④ $54 ⑤ $60

어휘 scented 향기가 나는 scent 향기
on sale 할인 중인 for free 공짜로

06-3 기출 유사 답 ②

M: Good afternoon. How can I help you?

W: I'd like to buy some wireless earphones for my children. How much is this pair? 여자는 무선 이어폰을 사려고 한다.

M: It's $60 for a pair. It's a very popular model.

W: Great. I'll take two pairs. 이어폰 두 쌍은 120달러이다.

M: I see. Is there anything else you need?

W: Oh, I also need a portable speaker. 목적격 관계대명사 that(which) 생략됨

M: These two are the latest models.

W: How much are they?

M: This black one is $80 and the pink one is $100.

W: I'll take the black one. 검은색 휴대용 스피커는 80달러이다.

M: Okay. Is that all you need?

W: Yes. Oh, I have this discount coupon. Can I use it?

M: Sure. You can get 10% off the total price with this coupon.

쿠폰으로 총액 200달러의 10%를 할인받을 수 있으므로, 여자는 180달러를 지불할 것이다.

W: Great. Here's the coupon and here's my credit card.

남: 안녕하세요. 무엇을 도와드릴까요?

여: 아이들을 위한 무선 이어폰을 사고 싶어요. 이 이어폰 한 쌍은 얼마인가요?

남: 한 쌍에 60달러입니다. 매우 인기 있는 모델입니다.

여: 좋네요. 두 쌍을 살게요.

남: 네. 다른 필요한 것이 있나요?

여: 오, 휴대용 스피커도 필요해요.

남: 이 두 개가 가장 최신 모델입니다.

여: 그것들은 얼마인가요?

남: 검은색은 80달러이고 분홍색은 100달러입니다.

여: 검은색으로 살게요.

남: 알겠습니다. 이것이 필요한 전부인가요?

여: 네. 오, 이 할인 쿠폰이 있어요. 그것을 쓸 수 있나요?

남: 물론이죠. 이 쿠폰으로 총액의 10%를 할인받으실 수 있어요.

여: 잘됐네요. 여기 쿠폰과 신용 카드요.

대화를 듣고, 여자가 지불할 금액을 고르시오.

① $140 ② $180 ③ $200 ④ $220 ⑤ $280

어휘 wireless 무선의
portable 휴대용의 latest (가장) 최신의

DAY 03
기초력 집중드릴

pp. 32~35

01 ⑤ 02 ③ 03 ⑤ 04 ④ 05 ① 06 ④ 07 ② 08 ① 09 ④ 10 ③ 11 ① 12 ②

M: Ellie, the school orchestra's concert is just three days away. How's the preparation coming along? 학교 관현악단의 콘서트 준비에 관한 대화이다.

W: Great, Mr. Brown. All of our orchestra members are very excited.

M: Good. Did everyone check their instruments?

W: Of course. Everything sounded fine in practice today.

M: I heard the posters were ready.
포스터가 준비됐다.

W: Yes. Here they are. One of the orchestra members designed them.
one of+복수 명사: ~ 중 하나

M: They look pretty nice. When are you going to put the posters up in the hallway?

W: I'm going to do that now.
여자는 지금 포스터를 붙일 것이다.

M: You're doing a great job as the leader of the school orchestra. Have you arranged the chairs for the audience?
현재완료(완료)

W: I already did it with some of the members.
여자는 이미 관객용 의자를 배치했다.

M: Perfect.

대화를 듣고, 여자가 할 일로 가장 적절한 것을 고르시오.

① 악기 점검하기
② 연습 시간 확인하기
③ 단원들에게 연락하기
④ 관객용 의자 배치하기
⑤ 콘서트 포스터 붙이기

남: Ellie, 학교 관현악단의 콘서트가 3일밖에 안 남았어. 준비는 어떻게 되어 가고 있니?

여: 좋아요, Brown 선생님. 관현악단 단원 모두 매우 신나 하고 있어요.

남: 잘됐구나. 모두 악기를 점검했니?

여: 물론이죠. 오늘 연습에서 모두 소리가 좋았어요.

남: 포스터가 준비됐다고 들었어.

여: 네, 여기요. 관현악단 멤버 중 한 명이 그것들을 디자인했어요.

남: 정말 멋져 보이는구나. 포스터들을 복도에 언제 게시할 거니?

여: 그것을 지금 할 거예요.

남: 학교 관현악단의 단장으로서의 역할을 잘하고 있구나. 관객들을 위한 의자는 배치했니?

여: 몇몇 단원들과 이미 했어요.

남: 완벽해.

[어휘] orchestra 관현악단
instrument 악기 put ~ up 게시하다
hallway 복도 arrange 배치하다
audience 관객

[Telephone rings.]

M: Good evening, John's Food Delivery. How may I help you?

W: Hi. I'd like to order some dinners.
여자는 저녁을 주문하려고 한다.

M: Okay. What would you like?

W: How much is a cheeseburger set?

M: It's eight dollars. How many would you like?

W: I need two sets. Is there anything else you can recommend?
치즈버거 두 세트는 16달러이다.   목적격 관계대명사 that(which) 생략됨

M: Yes, our newest item, the avocado sandwich, is very delicious. It's seven dollars.

W: Good. Add two avocado sandwiches to my order, please.
추가 주문한 아보카도 샌드위치 두 개는 14달러이다.

M: So two cheeseburger sets and two avocado sandwiches, right?

[전화벨이 울린다.]

남: 안녕하세요, John's Food Delivery입니다. 무엇을 도와드릴까요?

여: 안녕하세요. 저녁을 주문하고 싶어요.

남: 알겠습니다. 무엇을 드시고 싶으세요?

여: 치즈버거 세트는 얼마입니까?

남: 8달러입니다. 몇 개를 원하세요?

여: 두 세트요. 추천하고 싶은 다른 것이 있나요?

남: 네, 신제품인 아보카도 샌드위치가 정말 맛있어요. 7달러입니다.

여: 좋아요. 아보카도 샌드위치 두 개를 주문에 추가해 주세요.

남: 그럼 치즈버거 세트 두 개와 아보카도 샌드위치 두 개네요, 맞죠?

W: Yes. And I have <u>a discount coupon for new customers.</u>

M: Okay, then you'll get 10% off the total. Where would you like your food delivered? _{쿠폰으로 총액 30달러의 10%를 할인받을 수 있으므로, 여자는 27달러를 지불할 것이다.}

W: 101 Fifth St., please.

대화를 듣고, 여자가 지불할 금액을 고르시오.

① $15   ② $23   ③ $27   ④ $30   ⑤ $33

여: 네. 그리고 신규 고객을 위한 할인 쿠폰이 있어요.

남: 알겠습니다, 그럼 총액에서 10%를 할인 받으실 수 있어요. 음식을 어디로 배달받기를 원하세요?

여: 5번가 101번지요.

어휘 delivery 배달 order 주문하다
newest 최신의 customer 고객

---

03 답⑤

M: Hey, Lucy! Where are you going?

W: Hi, Steve. I'm on my way to the bank to exchange some money. _{여자의 유럽 여행이 대화의 주제이다.}

M: Oh, is it for your trip to Europe? You must be excited. Did you buy the big backpack you needed? _{강한 추측: ~임이 틀림없다}

W: No, but I borrowed a nice one from my cousin. And I ordered the guidebook you recommended. _{여자는 배낭을 빌리고, 여행안내 책자를 주문했다.}

M: That's good. It'll be very useful. You seem to be all set for your trip. _{to부정사의 수동태}

W: Almost. I've <u>renewed my passport</u> and <u>booked the flight</u>. But I haven't decided on a hotel yet. _{현재완료(완료) / 여자는 여권을 갱신하고 비행기 표를 예약했지만, 호텔을 결정하지 못했다. / 현재완료(완료)}

M: How come?

W: Because there are so many different options. It's difficult to find the right deal. _{가주어 / 진주어}

M: Why don't you use mobile applications to compare the hotel prices? It'll save you time and money. _{to부정사 형용사적 용법 (앞의 mobile applications 수식) / 남자는 호텔 숙박비 비교 앱을 써 보는 것을 제안하고 있다.}

W: Mobile apps? Do you know of any good ones?

M: Yes, I know a few. I'll text you and let you know their names. _{사역동사+목적어+목적격 보어(원형 부정사) / 남자는 여자에게 호텔 숙박비 비교 앱을 알려 줄 것이다.}

W: Thanks. I'll try them out.

대화를 듣고, 남자가 할 일로 가장 적절한 것을 고르시오.

① 배낭 빌려주기
② 항공권 예매하기
③ 은행에서 환전하기
④ 여행안내 책자 주문하기
⑤ 호텔 숙박비 비교 앱 알려 주기

남: 안녕, Lucy! 어디 가니?

여: 안녕, Steve. 돈을 환전하러 은행에 가는 길이야.

남: 오, 유럽으로 가는 여행 때문이야? 신나겠구나. 네가 필요했던 큰 배낭은 샀어?

여: 아니, 하지만 사촌에게 좋은 것을 빌렸어. 그리고 네가 추천한 여행안내 책자를 주문했어.

남: 잘했다. 그것은 아주 유용할 거야. 여행 준비를 다 끝낸 것 같구나.

여: 거의. 여권을 갱신했고 비행기 표를 예약했어. 그런데 아직 호텔을 결정하지 못했어.

남: 왜?

여: 너무 많은 다양한 옵션이 있어서야. 적절한 조건을 찾기가 어려워.

남: 호텔 숙박비를 비교하는 모바일 애플리케이션을 사용하는 것은 어때? 시간과 돈을 아껴 줄 거야.

여: 모바일 앱? 좋은 것을 알고 있어?

남: 응, 몇 개 알아. 문자로 이름을 알려 줄게.

여: 고마워. 그것들을 사용해 볼게.

어휘 exchange 환전하다
renew 갱신하다
book 예약하다
compare 비교하다

W: Hello, sir. How can I help you?

M: I'm looking for a teapot for my mother. She enjoys having tea with her friends.
남자는 찻주전자를 찾고 있다.

W: Okay. How about this teapot with a simple and classic design? It'll never go out of style.

M: I think she'll like it. How much is it?

W: It's $20. But if you like this design, we also have this teapot set that comes with the cups. It's only $30.
주격 관계대명사

M: Great! I'll take the set. Can you recommend some tea as well?
찻주전자 세트는 30달러이다.

W: Sure. How about this lavender tea? It's definitely good for relaxation, and it's $10 a package.

M: Sounds good. I'll take two packages. Can I use this discount coupon?
라벤더 차 두 상자는 20달러이다.

W: Absolutely. You'll get a 10% discount from the total price.
쿠폰으로 총액 50달러의 10%를 할인받을 수 있으므로, 남자는 45달러를 지불할 것이다.

M: Great. Here's my credit card.

대화를 듣고, 남자가 지불할 금액을 고르시오.

① $27　　② $36　　③ $40　　④ $45　　⑤ $63

여: 안녕하세요, 선생님. 무엇을 도와드릴까요?

남: 엄마께 드릴 찻주전자를 찾고 있어요. 엄마는 친구들과 차 마시는 것을 좋아하세요.

여: 그러시군요. 단순하고 고전적으로 디자인된 이 찻주전자는 어떠세요? 그것은 유행에 뒤떨어지는 일이 없답니다.

남: 엄마가 그것을 좋아하실 것 같아요. 얼마인가요?

여: 20달러입니다. 그런데 이 디자인이 맘에 드시면 컵과 함께 구성된 이 찻주전자 세트도 있어요. 30달러밖에 하지 않아요.

남: 잘됐네요! 그 세트를 살게요. 차도 추천해 주시겠어요?

여: 네, 이 라벤더 차는 어떠세요? 긴장 완화에 정말 좋고 한 상자에 10달러입니다.

남: 좋네요. 두 상자를 살게요. 이 할인 쿠폰을 사용할 수 있나요?

여: 물론이죠. 총액의 10%를 할인받을 거예요.

남: 잘됐네요. 여기 제 신용 카드입니다.

[어휘] teapot 찻주전자
relaxation 긴장 완화　package 상자

W: Brian, Mom and Dad are coming home within an hour.

M: I hope they will like this surprise party for Parent's Day.
어버이날 깜짝 파티가 대화 주제이다.

W: Of course they will. [Pause] Good. We finished decorating the party table.
두 사람은 파티 테이블 장식을 끝냈다.

M: I love the balloons on the wall. They're cute.
풍선 장식도 끝냈다.

W: I like them, too. And Dad will love this paper carnation. You did a good job.
남자는 종이 카네이션을 만들었다.

M: Thanks. Where is the cake for the party?

W: It's in the refrigerator. Let me take it out.
여자가 냉장고에서 케이크를 꺼낼 것이다.

M: What else do we need?

W: We have two more things to do, cooking pasta for dinner and writing a thank-you letter.
to부정사 형용사적 용법(앞의 things 수식)

M: Mom does like your cooking, so you do the pasta. And I'll write the letter.
동사(like) 강조
남자는 감사 편지를 쓸 것이다.

W: Okay, I'll do that. Let's hurry.
여자는 파스타를 요리할 것이다.

여: Brian, 엄마랑 아빠가 한 시간 안에 집에 오셔.

남: 부모님들이 어버이날 깜짝 파티를 좋아하시면 좋겠다.

여: 당연히 좋아하실 거야. [잠시 후] 좋아. 파티 테이블 장식은 끝냈어.

남: 벽에 있는 풍선이 진짜 마음에 든다. 귀여워.

여: 나도 그래. 그리고 아빠는 이 종이 카네이션을 정말 좋아하실 거야. 잘 만들었어.

남: 고마워. 파티 케이크는 어디에 있어?

여: 냉장고에 있어. 꺼내 올게.

남: 필요한 것이 뭐가 더 있지?

여: 할 일이 두 개 더 있어. 저녁 식사로 파스타를 만드는 것과 감사 편지를 쓰는 것이야.

남: 엄마는 너의 요리를 좋아하시니까 네가 파스타를 해. 그리고 내가 편지를 쓸게.

여: 좋아, 내가 그것을 할게. 서두르자.

대화를 듣고, 남자가 할 일로 가장 적절한 것을 고르시오.

① 감사 편지 쓰기 ② 풍선 장식하기
③ 파스타 요리하기 ④ 케이크 구매하기
⑤ 카네이션 만들기

[어휘] decorate 장식하다
refrigerator 냉장고
hurry 서두르다

06 답 ④

W: Hello. Can I help you?

M: Yes. I want to buy a baseball bat for my son. He is 11 years old.
남자는 야구 방망이를 살 것이다.

W: How about this baseball bat? It's the most popular. It's 30 dollars.

M: Okay. I'll take one bat. Do you also have baseball gloves?
야구 방망이 한 개는 30달러이다.

W: Sure. How about this glove? It's soft and comfortable.

M: How much is it?

W: It's 15 dollars.

M: Hmm... That's reasonable. I'll buy two gloves.
야구 글러브 두 개는 30달러이다.

W: Okay. Don't you need any safety balls for children? They are light and soft.

M: I think I've got all I need. Can I use this coupon?
현재완료(완료)

W: Of course. Then you can get 10% off the total price.
쿠폰으로 총액 60달러의 10%를 할인받을 수 있으므로, 남자는 54달러를 지불할 것이다.

M: Great. I'll use the coupon and pay by credit card.

여: 안녕하세요. 도와드릴까요?

남: 네. 아들에게 줄 야구 방망이를 사고 싶어요. 그는 11살입니다.

여: 이 야구 방망이는 어떠세요? 가장 인기가 있어요. 30달러입니다.

남: 네. 방망이 한 개를 살게요. 야구 글러브도 있나요?

여: 물론이죠. 이 글러브는 어떠세요? 부드럽고 편해요.

남: 얼마인가요?

여: 15달러입니다.

남: 음…… 가격이 적당하네요. 글러브 두 개를 살게요.

여: 알겠습니다. 아이들을 위한 안전 야구공은 필요하지 않으세요? 가볍고 부드러워요.

남: 필요한 것은 다 산 것 같아요. 이 쿠폰을 사용할 수 있나요?

여: 물론이죠. 그럼 총액의 10%를 할인받을 수 있어요.

남: 잘됐네요. 이 쿠폰을 사용하고 신용 카드로 지불할게요.

대화를 듣고, 남자가 지불할 금액을 고르시오.

① $15 ② $30 ③ $48 ④ $54 ⑤ $60

[어휘] comfortable 편한
reasonable (가격이) 적당한 light 가벼운

07 답 ②

W: Freddie, what are you doing on the computer?

M: I'm working on my music assignment, Mom.
남자는 음악 숙제를 하고 있다.

W: What is it about?

M: I have to write a song, but I can't think of a good melody.
남자는 작곡이 잘 안 되어서 걱정하고 있다.

W: When is the due date?

M: I only have a week to finish. I feel pressed for time.
to부정사 형용사적 용법(앞의 week 수식)

W: Take it easy. Is there anything I can do for you?

여: Freddie, 컴퓨터로 뭘 하고 있어?

남: 음악 숙제를 하고 있어요, 엄마.

여: 무엇에 관한 것이니?

남: 작곡을 해야 하는데 좋은 멜로디가 생각나지 않아요.

여: 마감일은 언제야?

남: 마감이 일주일밖에 남지 않았어요. 시간이 충분하지 않은 것 같아요.

여: 마음 편하게 가져. 내가 도와줄 일이 있어?

M: I think I need to get some fresh air.
<u>남자는 신선한 공기를 마시고 싶어 한다.</u>
W: Why don't you go to the beach? I can take you there.
<u>여자는 남자를 해변에 데려다줄 것이다.</u>
M: Great. It'll help me come up with some ideas. Thanks.
help+목적어+목적격 보어(원형 부정사 또는 to부정사)

대화를 듣고, 여자가 남자를 위해 할 일로 가장 적절한 것을 고르시오.

① 악기 빌려다 주기
② 해변에 데려다주기
③ 음악회에 함께 가기
④ 해양 스포츠 예약하기
⑤ 오디션 일정 확인해 주기

남: 신선한 공기를 좀 마실 필요가 있는 것 같아요.
여: 해변에 가는 게 어때? 거기에 데려다줄게.
남: 좋아요. 아이디어를 생각해 내는 데 도움이 될 것 같아요. 고마워요.

어휘 assignment 과제
due date 마감일
pressed 충분하지 않은
come up with ~을 생각해 내다

---

08 답 ①

M: Honey, I think Paul needs new shoes.

W: You're right. His shoes are getting too tight for his feet.

M: Let's buy a pair online. I know a good store. [*Clicking sound*] Have a look. <u>두 사람은 신발을 살 것이다.</u>

W: Oh, how about these shoes? <u>They're originally $100 a pair, but they're 30% off now.</u>

M: That's a good deal. Let's buy a pair.
30% 할인 중이므로, 신발 한 켤레는 70달러이다.
W: Oh, there are shoe bags, too. Why don't we buy one?

M: Okay. There are two kinds, a $10 bag and a $15 bag. Which one do you like?

W: The $10 one looks good enough.

M: Then let's take it. Is that all we need?
10달러짜리 신주머니를 추가로 구매할 것이다.
W: Yes. Oh, here it says that if you're a member of this online store, you'll get $5 off. 명사절을 이끄는 접속사 that

M: That's good. I'm a member. Let's buy them now.
5달러의 회원 할인을 받을 수 있으므로, 두 사람은 75달러를 지불할 것이다.
W: Okay.

대화를 듣고, 두 사람이 지불할 금액을 고르시오.

① $75 ② $80 ③ $85 ④ $105 ⑤ $110

남: 여보, Paul이 새 신발이 필요한 것 같아요.
여: 맞아요. 그의 신발은 발에 너무 딱 맞아요.
남: 온라인으로 한 켤레 사요. 좋은 가게를 알아요. [클릭하는 소리] 봐요.
여: 오, 이 신발은 어때요? 원래 한 켤레에 100달러인데, 지금 30% 할인하고 있어요.
남: 좋은 가격이네요. 한 켤레 사요.
여: 오, 신주머니도 있네요. 하나 살까요?
남: 좋아요. 종류가 10달러인 것과 15달러인 것 두 개 있네요. 어느 것이 좋아요?
여: 10달러짜리도 충분히 좋아 보여요.
남: 그럼 그것으로 사요. 그게 필요한 전부인가요?
여: 네. 오, 이 온라인 가게의 회원이면 5달러 할인받을 수 있다고 되어 있어요.
남: 좋네요. 나는 회원이에요. 그것들을 지금 사요.
여: 알겠어요.

어휘 tight 꼭 끼이는 originally 원래는
off 할인되어

---

09 답 ④

W: Jake, what are you doing?

M: I'm cleaning the house. Mom and Dad will come back tomorrow from their trip to Hawaii.
<u>남자는 집 청소를 하고 있다.</u>
W: You're right. We need to get ready to welcome them.
to부정사 부사적 용법(앞의 ready 수식)

여: Jake, 뭐 하고 있어?
남: 집 청소를 하고 있어. 엄마랑 아빠가 내일 하와이 여행에서 돌아오셔.
여: 맞아. 부모님을 맞이할 준비를 해야겠구나.
남: 내일이 부모님의 25주년 결혼기념일인 것

M: Do you know tomorrow is their 25th wedding anniversary?

W: Sure. So I'm going to make a special dinner for them.
_{여자는 저녁 식사를 준비할 것이다.}

M: Oh, what will you make?

W: Roast chicken and cream pasta.

M: That's great! They'll love that.

W: I hope so. How are they coming back home from the airport?

M: They'll take a bus.

W: I'm worried they'll be too tired. Why don't you pick them up at the airport tomorrow?
_{여자는 남자에게 부모님을 마중 나갈 것을 제안했다.}

M: Good idea. Could you please check the arrival time of their airplane?
_{남자는 여자에게 비행기 도착 시간을 확인해 달라고 부탁하고 있다.}

W: Of course, I can do that now.

M: Thanks. Then I should go to the gas station to fill up the car.
_{to부정사 부사적 용법(목적)}
_{남자는 주유하러 갈 것이다.}

대화를 듣고, 남자가 여자에게 부탁한 일로 가장 적절한 것을 고르시오.

① 집안 청소하기　　　　② 저녁 식사 준비하기
③ 부모님 마중 나가기　　④ 비행기 도착 시간 확인하기
⑤ 자동차에 주유하기

여: 물론이지. 그래서 나는 그들을 위해 특별한 저녁을 만들 거야.

남: 오, 뭘 만들 건데?

여: 구운 닭요리와 크림 파스타.

남: 그거 좋다! 그들은 그것을 정말 좋아하실 거야.

여: 그러시면 좋겠어. 공항에서 집으로 어떻게 오셔?

남: 버스를 타실 거야.

여: 너무 피곤하실 것 같아서 걱정된다. 내일 공항으로 마중 나가면 어때?

남: 좋은 생각이야. 비행기 도착 시간을 확인해 줄래?

여: 물론이지. 지금 그것을 할 수 있어.

남: 고마워. 그럼 나는 차에 기름을 채우러 주유소에 가야겠다.

10 답 ③

W: Welcome to Springwood Farm Land. How may I help you?

M: Hi, I'd like to buy tickets for a farm experience program.
_{남자는 농장 체험 프로그램 표를 살 것이다.}

W: We're sorry, but most of the programs are sold out except for two programs, the sheep feeding program and the cheese making program.

M: Hmm, my children might want to try something new, so we'll join the cheese making program. How much is it?
_{-thing으로 끝나는 대명사는 형용사가 뒤에서 수식}

W: The price for the cheese making program is $20 per adult and $15 per child.

M: I'd like to buy two adult tickets and two child tickets.
_{어른 두 명과 아이 두 명의 치즈 만들기 프로그램 가격은 70달러이다.}

W: Okay. You want to buy tickets for two adults and two children, right?

M: Yes, and I have the coupon from your website. Can I use this?

W: Sure, then you'll get 10% off the total price.
_{쿠폰으로 총액 70달러의 10%를 할인받을 수 있으므로, 남자는 63달러를 지불할 것이다.}

M: Good! I'll pay by credit card.

여: Springwood 농장에 오신 것을 환영합니다. 무엇을 도와드릴까요?

남: 안녕하세요, 농장 체험 프로그램 표를 사고 싶어요.

여: 죄송하지만 양 먹이 주기 프로그램과 치즈 만들기 프로그램, 이 두 개를 제외한 대부분의 프로그램이 매진입니다.

남: 흠, 제 아이들은 새로운 것을 해 보고 싶어 하니 치즈 만들기 프로그램에 참여할게요. 얼마인가요?

여: 치즈 만들기 프로그램의 가격은 어른은 인당 20달러이고 아이는 15달러입니다.

남: 어른 두 명과 아이 두 명 표를 사고 싶어요.

여: 알겠습니다. 어른 두 명과 아이 두 명 표를 사는 거죠, 맞나요?

남: 네, 그리고 웹 사이트에서 쿠폰을 가져왔어요. 이것을 사용할 수 있나요?

여: 물론이죠. 그러면 총액에서 10%를 할인받을 거예요.

남: 좋네요! 신용 카드로 지불할게요.

대화를 듣고, 남자가 지불할 금액을 고르시오.

① $45   ② $50   ③ $63   ④ $70   ⑤ $72

어휘 sold out 매진된
feed 먹이를 주다

11 답 ①

W: I'm so exhausted. I didn't realize moving was going to be this hard.
이사가 대화의 주제이다.

M: Me neither. I think the move is mostly organized. You already called the cleaning company, right?
여자는 청소업체에 전화했다.

W: Yes, they should be here soon. What else is left for us to do?
의미상 주어+to부정사

M: We still need to book the appointment to set up our Internet connection.

W: Right. We should also fix the computer.

M: Why? Is it broken?

W: The moving center staff dropped it.

M: Have you asked the staff about compensation for it?
현재완료(완료)

W: Yeah. The moving center wants us to fix the computer first and then submit a receipt.
두 사람은 이삿짐센터에 컴퓨터 수리 영수증을 제출해야 한다.

M: My cousin runs an electronics repair shop nearby, so I can take it there today. Can you book the appointment to get the Internet connected?
남자는 사촌에게 컴퓨터 수리를 맡기겠다고 말하며 여자에게 인터넷 연결 예약을 부탁하고 있다.

W: Okay, I'll do that.

여: 너무 기진맥진하다. 이사하는 것이 이렇게 힘들지 몰랐어.

남: 나도 마찬가지야. 이사는 거의 정리가 된 것 같아. 청소업체에 이미 전화했지, 맞아?

여: 응, 곧 여기로 올 거야. 우리가 할 일이 또 뭐가 있지?

남: 인터넷 연결을 설치할 약속을 예약해야 해.

여: 알았어. 컴퓨터도 고쳐야 해.

남: 왜? 고장 났어?

여: 이삿짐센터 직원이 그것을 떨어트렸어.

남: 직원에게 그것에 대한 손해배상에 관해 물어봤어?

여: 응. 이삿짐센터는 우리에게 컴퓨터를 먼저 수리하고 나서 영수증을 제출하라고 했어.

남: 내 사촌이 근처에서 전자제품 수리점을 운영해서 내가 오늘 그것을 거기에 가져갈 수 있어. 너는 인터넷이 연결되도록 약속을 잡아 줄래?

여: 좋아, 내가 그것을 할게.

대화를 듣고, 남자가 여자에게 부탁한 일로 가장 적절한 것을 고르시오.

① 인터넷 연결 예약하기   ② 컴퓨터 수리 맡기기
③ 영수증 재발급 받기   ④ 가전제품 교환하기
⑤ 청소업체 연락하기

어휘 exhausted 기진맥진한
organize 정리하다
compensation 손해배상   receipt 영수증
run 운영하다   nearby 인근에, 근처에

12 답 ②

M: Hello. How can I help you?

W: Hi, I'd like to make a reservation for a rafting trip this Sunday.
여자는 래프팅 여행을 예약하려고 한다.

M: Lovely. We have two options. A full-day trip costs $100, and a half-day trip costs $40. Children under 10 are half price.

W: All right. Do the prices include lunch?

M: Only a full-day trip includes a riverside barbecue lunch.

남: 안녕하세요. 무엇을 도와드릴까요?

여: 안녕하세요. 이번 일요일에 래프팅 여행을 예약하고 싶어요.

남: 좋아요. 두 가지 옵션이 있어요. 전일 여행은 100달러이고 반나절 여행은 40달러입니다. 10살 미만 아이는 반값입니다.

여: 알겠습니다. 점심이 포함된 가격인가요?

남: 전일 여행만 강변에서 먹는 바비큐 점심을 포함하고 있어요.

W: Okay, then I'd like to book a full-day trip for two adults and one eight-year-old child.

성인 두 명과 아이 한 명의 전일 여행 가격은 250달러이다.

M: Beautiful! A full-day trip for two adults and one child.

W: That's right. Can I use this coupon from your website?

M: Sure. With this coupon, you get 10 percent off the total price.

쿠폰으로 총액 250달러의 10%를 할인받을 수 있으므로, 여자는 225달러를 지불할 것이다.

W: Great! I'll pay in cash.

대화를 듣고, 여자가 지불할 금액을 고르시오.

① $216 ② $225 ③ $240 ④ $250 ⑤ $270

여: 알겠습니다. 그럼 전일 여행으로 성인 두 명과 8살 아이 한 명 예약할게요.

남: 훌륭해요! 전일 여행으로 성인 두 명과 아이 한 명이요.

여: 맞아요. 웹 사이트에서 받은 이 쿠폰을 사용할 수 있나요?

남: 물론이죠. 이 쿠폰으로 총액의 10%를 할인받아요.

여: 잘됐네요! 현금으로 낼게요.

어휘 cost (값·비용이) ~이다
include 포함하다 riverside 강변

DAY 04

공부할 내용 **미리보기** pp. 36~37

출제유형 **7** ⓐ 출제유형 **8** ⓑ

출제유형 **7** 이유 추론

W: You know we have a badminton lesson today, right?

M: Yes, but I don't think I can come.

W: Oh, does your left ankle still hurt?

M: No, I've fully recovered.

현재완료(완료)

W: Then, why?

M: Actually, I got a flu shot this morning.

W: I see. I once had a terrible muscle ache after a flu shot.

M: Well, anyway, I'll skip the lesson and get some rest today.

해설 남자는 아침에 독감 주사를 맞아서 배드민턴 레슨을 받지 않고 쉬겠다고 말하고 있다.

여: 오늘 우리 배드민턴 레슨 있는 거 알지, 그렇지?

남: 응, 그런데 나는 갈 수 없을 것 같아.

여: 오, 왼쪽 발목이 아직도 아프니?

남: 아니, 완전히 나았어.

여: 그럼, 왜?

남: 사실 오늘 아침에 독감 주사를 맞았어.

여: 그렇구나. 나도 독감 주사를 맞고 근육통이 심했던 적이 있어.

남: 음, 어쨌든, 나는 오늘 레슨을 빼먹고 좀 쉴래.

어휘 fully 완전히 flu shot 독감 주사
ache 통증 skip (수업 등을) 빼먹다

출제유형 **8** 언급 유무 파악

W: Do you have any special plans for this weekend?

M: Yeah, my Science Club is going on a field trip to the Haven Observatory on Saturday.

W: You mean the observatory located in Mount Greenwood?

앞의 명사를 수식하는 과거분사구

M: Yeah, it's one of the best places to observe stars and planets.

one of the+최상급+복수 명사   to부정사 형용사적 용법(앞의 places 수식)

여: 너는 이번 주말에 특별한 계획이 있니?

남: 응, 토요일에 과학 동아리에서 Haven 천문대에 견학을 갈 거야.

여: Greenwood 산에 위치한 천문대를 말하는 거야?

남: 응, 그것은 별과 행성을 관찰하기에 최적의 장소 중 하나야.

W: Do you have to pay for the entrance?

M: No, it's free.

W: That's great. You'll be staying until evening, right?

M: Sure. The closing time is 10 p.m., so we'll be there until 9 p.m.
_{미래 진행형}

해설 Haven 천문대는 Greenwood 산에 있고, 무료입장이며 폐관 시간은 오후 10시이다. 개관 연도는 언급되지 않았다.

여: 입장할 때 돈을 내야 해?

남: 아니, 그것은 무료야.

여: 잘됐다. 저녁까지 있겠구나, 맞지?

남: 물론이지. 오후 10시에 문을 닫으니까 우리는 오후 9시까지 거기 있을 거야.

어휘 observatory 천문대, 관측소 located ~에 위치한 mount 산 observe 관찰하다 planet 행성 entrance 입장, 입구

출제유형 핵심 체크 **7 이유 추론** pp. 38~39

07 기출 예제 | ③ **07-1** 기출 유사 | ⑤ **07-2** 기출 유사 | ⑤ **07-3** 기출 유사 | ⑤

07 기출 예제 | 답 ③

W: Honey, I'm home.

M: How was your day?

W: Alright. Hey, did you order something? There's a large box outside the door.

M: It's the tent we bought online for our camping trip. I'm returning it.
_{남자는 캠핑 여행을 위해 구입한 텐트를 반품할 것이다.}

W: Is it because of the size? I remember you said it might be a little small to fit all of us.
_{to부정사 부사적 용법(앞의 small 수식)}

M: Actually, when I set up the tent, it seemed big enough to hold us all.
_{텐트는 충분히 크다.} _{형용사+enough+to-V: …하기에 충분히 ~한}

W: Then, did you find a cheaper one on another website?

M: No, price is not the issue.
_{가격이 문제가 되지 않는다.}

W: Then, why are you returning the tent?
_{too+형용사+to-V: …하기에 너무 ~한}

M: It's too heavy to carry around. We usually have to walk a bit to get to the campsite.
_{들고 다니기에 너무 무겁기 때문에 반품할 것이다.} _{to부정사 부사적 용법(목적)}

W: I see. Is someone coming to pick up the box?
_{to부정사 부사적 용법(목적)}

M: Yes. I already scheduled a pickup.

여: 여보, 나 왔어요.

남: 오늘 어땠어요?

여: 괜찮았어요. 그런데, 뭔가를 주문했어요? 문밖에 큰 상자가 있어요.

남: 우리의 캠핑 여행을 위해 온라인으로 산 텐트예요. 그것을 반품하려고요.

여: 크기 때문인가요? 당신이 우리가 모두 들어가기에는 다소 작을 수도 있다고 말했던 것이 기억나요.

남: 사실, 그 텐트를 설치했을 때, 그것은 우리 모두를 수용하기에 충분히 큰 것처럼 보였어요.

여: 그러면, 다른 웹 사이트에서 더 저렴한 것을 찾았나요?

남: 아니요, 가격은 문제가 아니에요.

여: 그러면, 왜 텐트를 반품하려고 하죠?

남: 들고 다니기에 너무 무거워요. 우리는 보통 캠프장에 가려면 약간 걸어야 하잖아요.

여: 알겠어요. 상자를 가지러 누군가가 오겠죠?

남: 네. 이미 회수 일정을 잡았어요.

대화를 듣고, 남자가 텐트를 반품하려는 이유를 고르시오.

① 크기가 작아서 ② 캠핑이 취소되어서

③ 운반하기 무거워서 ④ 설치 방법이 어려워서

⑤ 더 저렴한 제품을 찾아서

어휘 set up the tent 텐트를 세우다 hold 수용하다 campsite 캠프장 pickup (물건을) 찾으러 감

W: James, check out the poster. It's about this year's Winter Sports Camp.

M: I remember we had a great time at last year's camp.

W: Yes, we did. Let's go to the camp together again.

M: I'm afraid I can't.

W: Why not? Do you still have ankle pain?

M: I'm still taking my pills, but don't worry. I'm fine.
발목 통증은 괜찮다.

W: Ah, you must have another family trip scheduled.
앞의 명사를 수식하는 과거분사

M: No, not this time. Actually, it's because of my science project.
가족 여행 때문도 아니다. 남자는 과학 프로젝트 때문에 캠프에 참가할 수 없다.

W: Haven't you finished it yet?
현재완료(완료)

M: I've already handed in the final report for the project, but Mr.
현재완료(완료)
Miller said that I have to participate in the National Science Contest with it.
과학 보고서는 제출했지만, 전국 과학 대회에 참가해야 한다.

W: That's great. You should definitely spend your whole winter vacation preparing for it, then.

M: I'm going to do my best. Have fun for me.

대화를 듣고, 남자가 Winter Sports Camp에 참가할 수 **없는** 이유를 고르시오.

① 다른 캠프 일정과 겹쳐서   ② 발목 통증이 낫지 않아서
③ 가족 여행이 예정되어 있어서   ④ 과학 보고서를 제출하지 못해서
⑤ 전국 과학 대회 참가를 준비해야 해서

여: James, 이 포스터 좀 봐. 올해 동계스포츠 캠프에 관한 거야.

남: 작년 캠프에서 우리가 즐거운 시간을 보낸 것을 기억해.

여: 응, 그랬지. 또 같이 캠프에 가자.

남: 유감이지만 그럴 수 없어.

여: 왜? 아직도 발목에 통증이 있어?

남: 아직 약을 먹고 있지만 걱정하지 마. 괜찮아.

여: 아, 또 하나의 예정된 가족 여행이 있구나.

남: 아니, 이번엔 아니야. 사실은 과학 프로젝트 때문이야.

여: 아직 그것을 끝내지 못했어?

남: 프로젝트의 최종 보고서는 이미 제출했는데, Miller 선생님이 내가 그것을 가지고 전국 과학 대회에 참가해야 한다고 말씀하셨어.

여: 대단하다. 그럼 분명 겨울 방학 내내 대회 준비를 해야겠구나.

남: 나는 최선을 다할 거야. 내 몫까지 재미있게 보내.

어휘 **pain** 통증   **pill** 알약
hand in 제출하다
participate in ~에 참가하다
definitely 분명히, 틀림없이

W: Hey, Patrick. I have good news.

M: Hi, Jennifer. What is it?

W: The outdoor swimming pool at the community center opened last weekend.

M: I heard that. You know it is even open at night.

W: Cool! Let's go swimming tonight, then.

M: Well. I really want to, but I can't.
대부정사(= to go)

W: Do you have other plans?

M: Do you remember I had an interview for a part-time job yesterday?
남자는 어제 면접을 보았다.

W: Sure, how did it go?

여: 안녕, Patrick. 좋은 소식이 있어.

남: 안녕, Jennifer. 뭔데?

여: 지역 문화 센터의 야외 수영장이 지난 주말에 열었어.

남: 나도 그것을 들었어. 심지어 밤에도 열어.

여: 멋지다! 그럼 오늘밤에 수영하러 가자.

남: 음. 나도 그러고 싶은데 그럴 수 없어.

여: 다른 계획이 있어?

남: 내가 어제 아르바이트 면접이 있다고 한 것 기억해?

여: 물론이지, 어떻게 됐어?

남: 그 아르바이트를 구했어. 그래서 나는 오늘 저녁부터 일을 시작해야 해.

M: I got the job. So I have to start working this evening.

오늘 저녁부터 일을 해야 해서 수영장에 갈 수 없다.

W: Oh well, we can go swimming some other day. Good luck!

여: 오, 그럼, 우린 다른 날에 수영하러 갈 수 있어. 행운을 빌어!

대화를 듣고, 남자가 수영장에 갈 수 <u>없는</u> 이유로 가장 적절한 것을 고르시오.

① 감기에 걸려서
② 취업 면접이 있어서
③ 친구와 약속이 있어서
④ 봉사 활동을 가야 해서
⑤ 저녁에 일을 해야 해서

[어휘] outdoor 야외의
community center 지역 문화 센터
interview 면접
part-time job 아르바이트

07-3 기출 유사 | 답 ⑤

W: Jason, you're going camping this weekend, right?

M: I reserved a campsite, but I'm afraid I can't go.

남자는 캠프장을 예약했지만 갈 수 없다.

W: Why not? Is it going to rain?

M: No. It'll be sunny this weekend. *날씨는 화창할 것이다.*

W: Then do you have to work this weekend? You said you're busy with your project.

M: No, I finished the project last week. *프로젝트는 끝냈다.*

W: Then why can't you go camping?

M: My mother fell down the stairs and broke her arm.

남자의 어머니는 계단에서 넘어져서 팔을 다쳤다.

W: Oh, no. Is she all right?

M: Well, she had surgery. So I have to take care of her in the hospital this weekend.

남자는 주말에 어머니를 돌봐야 해서 캠핑하러 갈 수 없다.

W: I see. I hope she'll get better soon.

M: Thanks.

여: Jason, 너 이번 주말에 캠핑 가지, 맞아?
남: 캠프장을 예약했는데, 갈 수가 없어.
여: 왜? 비가 올 거래?
남: 아니. 이번 주말은 화창할 거야.
여: 그럼 이번 주말에 일을 해야 해? 프로젝트로 바쁘다고 했잖아.
남: 아니, 지난주에 그 프로젝트는 끝냈어.
여: 그럼 왜 캠핑을 못 가는 거야?
남: 어머니가 계단에서 넘어지셔서 팔이 부러지셨어.
여: 오, 이런. 어머니는 괜찮으셔?
남: 음, 수술을 받으셨어. 그래서 내가 이번 주말에 병원에서 어머니를 돌봐 드려야 해.
여: 그렇구나. 그녀가 빨리 나으시기를 바랄게.
남: 고마워.

대화를 듣고, 남자가 이번 주말에 캠핑하러 갈 수 <u>없는</u> 이유를 고르시오.

① 계단을 수리해야 해서
② 캠프장을 예약할 수 없어서
③ 폭우로 인해 캠프장이 폐쇄되어서
④ 프로젝트를 마무리해야 해서
⑤ 어머니를 돌봐야 해서

[어휘] reserve 예약하다
surgery 수술
take care of ~을 돌보다
get better (병이) 나아지다

출제유형 핵심 체크 **8 언급 유무 파악** pp. 40~41

08 기출 예제 | ④   **08-1** 기출 유사 | ③   **08-2** 기출 유사 | ④   **08-3** 기출 유사 | ②

08 기출 예제 | 답 ④

M: Hey, Kelly. Have you been to the Bradford Museum of Failure?

현재완료(경험)

남: 안녕, Kelly. Bradford Museum of Failure에 가 본 적이 있니?

W: I've never even heard of it.

M: Well, I went there yesterday and it was amazing. 현재완료(경험)

W: What does the museum exhibit?

M: It exhibits numerous failed products from the world's best-known companies. ① 전시품

W: Interesting. That makes me curious about the purpose of founding the museum. 5형식 동사+목적어+목적격 보어(형용사)

M: It was founded to deliver the message that we need to admit our failures to truly succeed. ② 설립 목적 to부정사 부사적 용법(목적) 동격의 that to부정사 부사적 용법(목적)

W: That's quite a message, and it makes a lot of sense. Did it just open?

M: No, it opened in 2001. ③ 개관 연도

W: How come I've never heard of it? 현재완료(경험)

M: I guess many people don't know about it. But visiting the museum was an eye-opening experience. 동명사구 주어(단수 취급)

W: Where is it?

M: It's located in Greenfalls, Hillside. ⑤ 위치

W: That's not too far from here. I'll be sure to visit it.

여: 그곳에 대해 들어 본 적도 없어.

남: 음, 난 어제 거기에 갔었고, 그곳은 놀라웠어.

여: 그 박물관은 무엇을 전시하고 있니?

남: 그곳은 세계에서 가장 잘 알려진 회사들의 실패한 많은 제품들을 전시하고 있어.

여: 흥미롭구나. 그 말을 들으니 그 박물관을 설립한 목적에 관해 궁금해지는데.

남: 그곳은 우리가 진정으로 성공하기 위해서는 우리의 실패를 인정할 필요가 있다는 메시지를 전달하기 위해 설립되었어.

여: 대단한 메시지이고, 정말 맞는 말이지. 그곳은 막 개관했니?

남: 아니, 그곳은 2001년에 개관했어.

여: 왜 내가 그곳에 관해서 들어 본 적이 없지?

남: 많은 사람이 그곳에 관해 알지 못하는 것 같아. 하지만 그 박물관을 방문한 것은 놀랄 만한 경험이었어.

여: 그곳은 어디에 있니?

남: Hillside의 Greenfalls에 있어.

여: 여기서 그다지 멀지 않네. 꼭 그곳을 방문할 거야.

대화를 듣고, Bradford Museum of Failure에 관해 언급되지 **않은** 것을 고르시오.

① 전시품 ② 설립 목적 ③ 개관 연도
④ 입장료 ⑤ 위치

어휘 failure 실패 numerous 많은
purpose 목적 found 설립하다
admit 인정하다 eye-opening 놀랄 만한

08-1 기출 유사 답 ③

W: Hey, Sam. Have you heard about the Mind-Up Program? 현재완료(경험)

M: No, I haven't. What is it?

W: It's a program for high school students. Its purpose is to encourage us to build a positive mindset. You should come. ① 목적 to부정사 명사적 용법(보어)

M: It sounds interesting. Please tell me more about it.

W: There will be a lot of activities to help relieve stress. Also, we'll get to listen to special lectures from successful young CEOs. ② 특별 강연 to부정사 형용사적 용법(앞의 activities 수식)

M: Awesome! I should sign up. When is it?

W: This Friday. It starts at 6 p.m. ④ 시작 시간

M: Cool. How much is the admission fee?

W: It's free for all students. You can apply for the program on ⑤ 입장료

여: 안녕, Sam. Mind-Up 프로그램에 관해 들어 봤어?

남: 아니, 들어 본 적 없어. 그게 뭐야?

여: 고등학생들을 위한 프로그램이야. 그것의 목적은 우리가 긍정적인 사고방식을 가지도록 격려하는 것이야. 참여해 봐.

남: 흥미롭네. 그것에 관해 좀 더 알려 줘.

여: 스트레스를 완화하는데 도움을 주는 많은 활동들이 있어. 성공한 젊은 경영자들이 하는 특별 강연을 들을 수도 있어.

남: 멋지다! 등록해야겠어. 그것은 언제야?

여: 이번 주 금요일. 오후 6시에 시작해.

남: 괜찮네. 입장료는 얼마야?

여: 학생들은 모두 무료야. 학교 웹 사이트에서 프로그램에 지원할 수 있어.

our school website.

M: Great. I'll do it now.

남: 좋다. 지금 그것을 할게.

대화를 듣고, Mind-Up Program에 관해 언급되지 <u>않은</u> 것을 고르시오.
① 목적　　　② 특별 강연　　　③ 개최 장소
④ 시작 시간　　　⑤ 입장료

[어휘] encourage 격려하다
positive 긍정적인　mindset 사고방식
relieve 완화하다　lecture 강연

08-2 기출 유사　답 ④

W: Mike, did you see the poster for the Rock Music Festival in our town?

M: No, I didn't. Please give me some details. When will it be?

W: On June 13th at 8 p.m. Can you come with me?
　　　① 개최 일시
M: Sure, I'd love to. How much are the tickets for the festival?

W: They're only ten dollars for teens like us. ② 입장료

M: Wonderful! Where is the event taking place?

W: It'll be held nearby, at Central Stadium. ③ 개최 장소
　　미래 시제 수동태
M: That's good. We can get there on foot. Who will be playing?
　　　　　　　　　　　　　　　　　　미래 진행형
W: World famous musicians Garcia and Martin will perform.
　⑤ 참여 음악가
M: Wow! I can't wait to see them.

여: Mike, 우리 동네에서 하는 Rock Music Festival 포스터 봤어?

남: 아니, 못 봤어. 자세한 정보를 알려 줘. 언제 하는데?

여: 6월 13일 저녁 8시야. 나랑 같이 갈래?

남: 물론이지, 그리고 싶어. 축제 표는 얼마야?

여: 우리 같은 십 대는 10달러 밖에 안 해.

남: 좋다! 행사는 어디에서 열려?

여: 근처에 있는 Central 경기장에서 열려.

남: 잘됐다. 거기 걸어서 갈 수 있겠다. 누가 공연을 해?

여: 세계적으로 유명한 음악가인 Garcia와 Martin이 공연을 할 거야.

남: 와! 그들을 보는 게 정말 기대된다.

대화를 듣고, Rock Music Festival에 관해 언급되지 <u>않은</u> 것을 고르시오.
① 개최 일시　　　② 입장료　　　③ 개최 장소
④ 주차 요금　　　⑤ 참여 음악가

[어휘] detail 세부 사항
take place 열리다　on foot 걸어서
musician 음악가

08-3 기출 유사　답 ②

W: Hi, Ross. What's on the flyer?

M: The Pinewood Bake Sale is this Friday. Would you like to go with me?
　　　　① 개최 요일
W: A bake sale? What's that?

M: In a bake sale, people raise money by selling bakery products. At the Pinewood Bake Sale, people will be selling doughnuts and cupcakes. ③ 판매 제품
　　　　　　　by+V-ing: ~함으로써　　　　미래 진행형
W: Sounds delicious. So all profits go to people in need, right?

M: That's right. The flyer says the profits will be donated to Pinewood Children's Hospital. ④ 수익금 기부처
　　　　　　　　　　　　　미래 시제 수동태

여: 안녕, Ross. 전단지에 뭐가 있어?

남: Pinewood Bake Sale이 이번 금요일이래. 나랑 같이 갈래?

여: 빵 판매? 그게 뭐야?

남: 빵 판매에서 사람들이 빵을 팔아서 돈을 모아. Pinewood Bake Sale에서 사람들은 도넛과 컵케이크를 팔 거야.

여: 맛있겠다. 그럼 모든 수익금은 도움이 필요한 사람들에게 가는 거네, 그렇지?

남: 맞아. 전단지에는 수익금이 Pinewood 어린이 병원에 기부될 거라고 되어 있어.

여: 너랑 같이 가고 싶어. 어디서 열리는데?

남: Pinewood 고등학교 체육관에서.

W: I'd like to join you. Where is it going to be held?

M: In the Pinewood High School gym. ⑤ 개최 장소

W: Okay. Let's go together.

여: 알겠어. 같이 가자.

대화를 듣고, Pinewood Bake Sale에 관해 언급되지 <u>않은</u> 것을 고르시오.

① 개최 요일　　　② 시작 시간　　　③ 판매 제품

④ 수익금 기부처　　⑤ 개최 장소

[어휘] raise money 모금하다
profit 수익금　in need 도움이 필요한
donate 기부하다　gym 체육관

DAY 04
기초력 집중드릴

pp. 42~45

| 01 ④ | 02 ④ | 03 ② | 04 ④ | 05 ② | 06 ④ | 07 ④ | 08 ④ | 09 ⑤ | 10 ④ | 11 ⑤ | 12 ③ |

01　답 ④

[*Cell phone rings.*]

M: Hello. Janis! What's up?

W: Hi, Chris. How are you spending your vacation?

M: I've been doing a lot of cooking. How about you? You said
   you're going on a family trip.
   현재완료 진행형

W: Yeah, I was supposed to, but I can't.
   대부정사(= to go on a family trip)

M: Really? Aren't there flight tickets available?

W: Well, it's not about tickets. 비행기 표 때문이 아니다.

M: Then why? Oh, is there still a problem with your ankle?

W: No, I'm okay now. Actually I applied for an overseas
   volunteering program earlier and I was accepted.
   여자는 해외 봉사 활동 프로그램에 합격했다.

M: What a great chance! So you can't go on that family trip.

W: You're right. I'll be abroad for a month. I wanted to say
   goodbye to you before I leave. 여자는 한 달 동안 해외 봉사 활동을 가야 해서 가족 여행을
   갈 수 없다.

M: Take good care of yourself. I'm sure you'll have a meaningful
   experience.

W: Thank you for supporting me. Have a nice vacation!

[휴대 전화벨이 울린다.]

남: 여보세요. Janis! 무슨 일이야?

여: 안녕, Chris. 방학 어떻게 보내고 있어?

남: 요리를 많이 하고 있어. 너는 어때? 가족
   여행을 간다고 했잖아.

여: 응, 그러기로 했었는데 갈 수 없어.

남: 그래? 이용 가능한 비행기 표가 없어?

여: 음, 표 때문이 아니야.

남: 그럼 왜? 오, 발목이 아직 아프니?

여: 아니, 이제 괜찮아. 사실 나는 전에 해외 봉
   사 활동 프로그램에 지원해서 합격됐어.

남: 정말 좋은 기회구나! 그래서 가족 여행을
   갈 수 없구나.

여: 맞아. 나는 한 달 동안 외국에 있을 거야.
   떠나기 전에 너에게 인사를 하고 싶었어.

남: 잘 다녀와. 의미 있는 경험을 할 것이라고
   생각해.

여: 응원해 줘서 고마워. 좋은 방학 보내!

대화를 듣고, 여자가 가족 여행을 갈 수 <u>없는</u> 이유를 고르시오.

① 발목 상태가 좋지 않아서　　② 항공권을 구입하지 못해서

③ 요리 대회에 참가해야 해서　　④ 해외 봉사 활동을 가야 해서

⑤ 부모님께 다른 일정이 생겨서

[어휘] apply for ~에 지원하다
overseas 해외의　accept 받아들이다
meaningful 의미 있는
support 지지하다, 응원하다

M: Kelly, did you see this Junior Badminton Competition leaflet?

W: No, not yet. Let me see. The competition is on November 21st, at 10 a.m.
① 대회 일시

M: It's after the midterm exams. Why don't we sign up for the competition as a team?

W: Sounds exciting. It would be an unforgettable event before graduating.

M: Exactly. The participation fee is only $8. ② 참가비

W: That's reasonable. Oh, look at this. They provide lunch for free.

M: But here it says we have to bring our own rackets. ③ 준비물

W: Then, we should bring ours. How can we apply for the competition?
소유대명사(= our rackets)

M: It says we can sign up online. Let's do it together now.
⑤ 신청 방법

W: Okay. I'm really looking forward to it.

대화를 듣고, Junior Badminton Competition에 관해 언급되지 <u>않은</u> 것을 고르시오.

① 대회 일시　　② 참가비　　③ 준비물
④ 우승 상품　　⑤ 신청 방법

남: Kelly, 청소년 배드민턴 대회 전단을 봤어?

여: 아니, 아직. 어디 보자. 대회는 11월 21일 오전 10시에 있네.

남: 중간고사 뒤야. 우리 한 팀으로 대회에 신청할까?

여: 재밌겠다. 졸업하기 전에 잊지 못할 일이 될 거야.

남: 맞아. 참가비는 8달러밖에 안 해.

여: 적당하네. 오, 이것 좀 봐. 점심을 무료로 제공해.

남: 그런데 여기 우리 라켓을 가지고 가야 한다고 되어 있네.

여: 그럼 우리 것을 가지고 가야지. 대회 참가 신청은 어떻게 할 수 있어?

남: 온라인으로 신청할 수 있다고 되어 있어. 지금 같이 하자.

여: 좋아. 그것이 정말 기대된다.

어휘 competition 대회
leaflet 전단
unforgettable 잊지 못할
racket 라켓

M: Agnes, what are you doing?

W: I'm surfing the Internet to find a nice restaurant for my trip this weekend.
to부정사 부사적 용법(목적)

M: All the places on the website look nice.

W: Yes, but I've finally decided where to go. It's this French restaurant called El Bistro.
현재완료(완료)　　where+to-V: 어디를 ~할지
앞의 명사를 수식하는 과거분사구

M: Oh, I've watched a travel TV show about that restaurant.
현재완료(경험)　식당이 소개된 TV 프로그램을 본 사람은 남자다.

W: Have you?

M: Yes. It said it's so popular among the local people that they have to wait in a long line to get in.
so ~ that: 너무 ~해서 …하다
to부정사 부사적 용법(목적)

W: I know. I don't like crowded places, but I think it'll be worth the wait because of its long tradition. The family's been running it since 1890.
여자는 손님이 많은 곳을 좋아하지 않는다.
현재완료 진행형

남: Agnes, 뭐 하고 있어?

여: 이번 주말 여행을 위한 괜찮은 식당을 찾으려고 인터넷을 검색하고 있어.

남: 웹 사이트에 있는 장소 모두 좋아 보인다.

여: 응, 그런데 어디로 갈지 마침내 결정했어. 티 Bistro라고 불리는 프랑스 레스토랑이야.

남: 오, 여행 TV 프로그램에서 그 레스토랑에 관해 본 적이 있어.

여: 그래?

남: 응. 지역 주민들 사이에서 너무 인기 있어서 들어가려면 긴 줄을 서서 기다려야 한다고 들었어.

여: 맞아. 나는 붐비는 곳을 좋아하지 않는데, 그곳의 오랜 전통 때문에 기다릴 가치가 있을 거라고 생각해. 그 가족은 1890년부터 레스토랑을 운영해 오고 있어.

M: Wow, that long?

W: Yes. I like old places that maintain their tradition. It's far from my hotel, but I'm willing to go anyway.

M: I'm sure you'll enjoy the meal there.

대화를 듣고, 여자가 El Bistro 레스토랑을 선택한 이유를 고르시오.

① 호텔에서 가까워서
② 오랜 전통이 있어서
③ 프랑스 요리로 유명해서
④ TV 프로그램에 소개되어서
⑤ 지역 주민에게 인기가 많아서

남: 와, 그렇게 오래?

여: 응. 나는 전통을 유지하고 있는 오래된 장소를 좋아해. 호텔에서 멀지만, 그래도 기꺼이 갈 거야.

남: 분명 거기 음식을 즐길 수 있을 거야.

[어휘] crowded 붐비는
be worth ~의 가치가 있다
tradition 전통
maintain 유지하다

---

04 답 ④

W: Hey, Ryan, did you hear about the Stress Free Program?

M: Stress Free Program? No, what is it?

W: It's a new school program for students. You might want to join it. You look really stressed out these days.

M: Yeah, I really need to relax. What do I do there?

W: You can take part in various activities like coloring, e-sports, and board games. ① 활동 종류

M: Sounds interesting! How can I register for the program?

W: You can register in person or on the school website. ② 등록 방법

M: Where's the program held?

W: It's held on the second floor of the Student Union building.
③ 운영 장소

M: All right. Is the program available anytime?

W: No, it runs from 3 to 7 p.m. There's a schedule for each activity. ⑤ 운영 시간

M: Okay, I'll check the schedule first.

W: Great. I hope you can refresh your mind there.

대화를 듣고, Stress Free Program에 관해 언급되지 않은 것을 고르시오.

① 활동 종류
② 등록 방법
③ 운영 장소
④ 참가비
⑤ 운영 시간

여: 안녕, Ryan, Stress Free 프로그램에 관해 들었어?

남: Stress Free 프로그램? 아니, 그게 뭐야?

여: 학생들을 위한 새로운 학교 프로그램이야. 너는 그것에 참가하고 싶을지도 몰라. 너 요즘 정말 스트레스를 받는 것 같아.

남: 응, 나는 정말 휴식이 필요해. 거기서 뭘 해?

여: 색칠하기, e스포츠, 그리고 보드게임 같은 다양한 활동에 참여할 수 있어.

남: 재밌겠다! 프로그램에 어떻게 등록해?

여: 직접 등록하거나 학교 웹 사이트에서 등록할 수 있어.

남: 프로그램은 어디에서 하는데?

여: 학생회관 2층에서 해.

남: 알았어. 그 프로그램은 아무 때나 이용 가능해?

여: 아니, 그것은 오후 3시부터 7시까지만 해. 각 활동마다 일정이 있어.

남: 알았어, 일정을 먼저 확인할게.

여: 잘됐다. 네가 거기서 다시 기운을 차리길 바랄게.

[어휘] stressed out 스트레스를 받는
relax 휴식을 취하다   various 다양한
in person 직접   refresh 원기를 회복시키다

---

05 답 ②

M: Linda, there'll be a team debate competition next week. The topic is Social Network Services.

남: Linda, 다음 주에 팀 토론 대회가 있어. 주제는 소셜 네트워크 서비스(SNS)야.

여: 재밌겠다. 등록할 거야?

W: Sounds interesting. Are you going to sign up?

M: Yes. I'm interested in debating. Do you want to be my teammate?

W: I'd love to, but I can't.

M: Right. You said you're busy doing your writing assignment.
be busy+V-ing: ~로 바쁘다

W: No, I've already finished it. 글쓰기 과제는 끝났다.
현재완료(완료)

M: Well, do you find it hard to speak in front of others?
가목적어   진목적어

W: Not really. Actually, I'm preparing for a school musical performance. It's next Thursday.
남들 앞에서 말하는 것이 힘든 것은 아니다.   여자는 뮤지컬 공연 준비를 해야 해서 토론 대회에 참가할 수 없다.

M: Oh, I see. You don't have enough time to join me this time.
to부정사 형용사적 용법(앞의 time 수식)

W: Right. I hope you will find someone good to be your teammate.
to부정사 형용사적 용법
(앞의 someone 수식)

대화를 듣고, 여자가 토론 대회에 참가할 수 없는 이유를 고르시오.

① 남들 앞에서 말하는 것이 힘들어서
② 뮤지컬 공연 준비를 해야 해서
③ 수행평가 일정이 연기되어서
④ 글쓰기 과제를 해야 해서
⑤ 토론 주제가 어려워서

남: 응. 나는 토론에 관심이 있어. 나랑 한 팀이 될래?

여: 그러고 싶은데, 안 돼.

남: 맞다. 너 글쓰기 과제를 하느라 바쁘다고 했지.

여: 아니, 그건 이미 끝냈어.

남: 그럼, 다른 사람들 앞에서 말하는 것이 어렵니?

여: 그렇지 않아. 사실 나는 학교 뮤지컬 공연 준비를 하고 있어. 다음 주 목요일이거든.

남: 오, 그렇구나. 이번에는 나와 함께 할 충분한 시간이 없구나.

여: 맞아. 네 팀이 될 훌륭한 사람을 찾기를 바라.

어휘 debate 토론
sign up 등록하다
assignment 과제
performance 공연

---

06 답 ④

[*Door knocks.*]

M: Can I come in, Ms. Wilson?

W: Sure, come on in. [*Pause*] Oh, Peter. I was waiting for you to come. How's your career search going?

M: I'm still trying to find some information about my future career.
try+to-V: ~하려고 노력하다

W: Good. So I'd like to recommend the Career Vision Camp to you.

M: Okay. I heard that the camp is only for high school students. Is that right?
① 참가 대상

W: Yes. It'll be helpful. Plus, there's no registration fee.
② 등록 비용

M: Great. Hmm, can you tell me when the application deadline is?
간접의문문

W: It's December 14th. You should hurry since it's first come, first served.
③ 지원 마감일   이유를 나타내는 접속사

M: I see. I will apply for the camp as soon as possible.

[문을 두드린다.]

남: 제가 들어가도 될까요, Wilson 선생님?

여: 물론이지, 들어와. [잠시 후] 오, Peter. 네가 오기를 기다리고 있었어. 진로 찾는 것은 어떻게 되어 가고 있니?

남: 아직 진로에 관한 정보를 찾으려고 노력 중이에요.

여: 잘됐구나. 그래서 너에게 Career Vision 캠프를 추천하려고 해.

남: 좋아요. 그 캠프가 고등학생들만을 위한 것이라는 것을 들었어요. 맞나요?

여: 그래. 도움이 될 거야. 게다가, 등록비가 없단다.

남: 잘됐네요. 흠, 지원 마감일이 언제인지 알려주실래요?

여: 12월 14일이야. 선착순이기 때문에 서둘러야 해.

남: 알겠습니다. 가능한 한 빨리 캠프에 지원할게요.

여: 그것은 학교 근처의 Lincoln 센터에서 열

W: It'll be held at the Lincoln Center near school. You can get there easily.

M: Okay. Thank you.

대화를 듣고, Career Vision Camp에 관해 언급되지 <u>않은</u> 것을 고르시오.

① 참가 대상 ② 등록 비용 ③ 지원 마감일
④ 기념품 ⑤ 행사 장소

릴 거야. 거기에 쉽게 갈 수 있어.

남: 알겠습니다. 고맙습니다.

[어휘] career 진로
registration fee 등록 비용
first come, first served 선착순

---

07 답 ④

W: Tony, are you ready for your science presentation tomorrow?

M: Yes, Ms. Woods, thanks to your help. I've already printed out the presentation material.

W: Can I take a look at it? Hmm. I'm afraid you need to make some changes.

M: Why? Are there any errors in the date or the names? I've checked them twice.

W: No, they're correct.

M: Did I use old data?

W: No, you used the latest data. But this picture of the planets is not clear.

M: Oh, my! I'll change it to a clearer picture.

W: Okay. I'm sure you'll do well tomorrow.

M: Thank you, Ms. Woods.

대화를 듣고, 남자가 발표 자료를 수정해야 하는 이유를 고르시오.

① 최신 자료가 아니어서
② 발표 일정이 바뀌어서
③ 명칭 표기에 오류가 있어서
④ 그림 자료가 선명하지 않아서
⑤ 발표할 내용의 순서가 틀려서

여: Tony, 내일 과학 발표 준비됐니?
남: 네, Woods 선생님. 도와주신 덕분이에요. 발표 자료는 이미 출력했어요.
여: 그것을 한번 봐도 될까? 흠. 몇 개를 고쳐야 할 것 같구나.
남: 왜요? 날짜나 명칭에 오류가 있나요? 두 번씩 확인했어요.
여: 아니, 그것들은 정확해.
남: 제가 오래된 자료를 사용했나요?
여: 아니, 넌 최신 자료를 사용했어. 그런데 행성들의 이미지가 선명하지 않아.
남: 오, 이런! 그것을 더 선명한 사진으로 바꿀게요.
여: 그래. 너는 내일 잘할 거야.
남: 고맙습니다, Woods 선생님.

[어휘] presentation 발표
material 자료
take a look ~을 (한번) 보다
error 오류
correct 정확한
planet 행성

---

08 답 ④

W: Honey, it's spring. How about visiting the new botanic garden this weekend?

M: Do you mean the Royal Botanic Garden located in Redwood Valley?

여: 여보, 봄이에요. 이번 주말에 새로 생긴 식물원을 방문하는 것은 어때요?
남: Redwood Valley에 위치한 Royal 식물원을 말하는 건가요?

W: Yes, it's not far from here. It's <u>one of the biggest botanic gardens in the country.</u>
one of the+최상급+복수 명사

M: That's right. I heard its size is about <u>four times larger than a soccer field.</u>
② 크기   배수 표현+비교급+than

W: Yeah. You know, they offer <u>interesting programs such as tree planting and guided tours.</u>
③ 프로그램

M: Sounds great. Our kids will love planting trees.

W: Definitely. Let's go this Saturday. What time shall we leave?

M: How about 9 in the morning? <u>The botanic garden is open from 10 a.m. to 6 p.m.</u>
⑤ 개관 시간

W: Okay. It'll be fun.

대화를 듣고, Royal Botanic Garden에 관해 언급되지 <u>않은</u> 것을 고르시오.

① 위치   ② 크기   ③ 프로그램
④ 입장료   ⑤ 개관 시간

여: 네, 여기서 멀지 않아요. 전국에서 가장 큰 식물원 중 하나예요.

남: 맞아요. 그것의 크기는 축구장보다 네 배나 더 크다고 들었어요.

여: 네. 그들은 나무 심기나 가이드가 안내하는 투어 같은 재미있는 프로그램을 제공해요.

남: 좋네요. 우리 아이들은 나무 심기를 무척 좋아할 거예요.

여: 그렇고말고요. 이번 토요일에 가요. 몇 시에 출발할까요?

남: 아침 9시 어때요? 식물원은 오전 10시부터 오후 6시까지 열어요.

여: 좋아요. 재미있을 거예요.

....

어휘 botanic 식물의
times ~ 배   tree planting 나무 심기
guided 가이드가 안내하는

---

09 답 ⑤

[*Cell phone rings.*]

W: Hey, Ben. Can I talk to you for a second?

M: Hi, Sarah. I'm sorry for not answering the phone this morning. I was in English class.

W: That's okay. I called you <u>to say that our study group meeting made some changes this week.</u>
to부정사 부사적 용법(목적)

M: Thanks. Did the meeting place change?

W: No, we're still going to meet at the school library. But <u>it'll be at 11 a.m. on Saturday.</u> 스터디 모임 일시가 바뀌었다.

M: Saturday? I'm sorry, but I can't make it.

W: Why? You told me that you don't have volunteer work on the weekends.

M: <u>I don't.</u> But I have to go to the hospital.
봉사 활동 때문은 아니다.

W: Oh, that's right. I heard you injured your leg <u>playing soccer.</u>
분사구문
Is that the reason?

다리는 심하게 다치지 않았다.
M: <u>No, my leg wasn't hurt that badly.</u> <u>Actually I have a medical check-up this Saturday.</u>
건강 검진을 받아야 해서 모임에 참여할 수 없다.

W: I see. I'll call you later <u>to tell you the schedule for next time.</u>
to부정사 부사적 용법(목적)

M: Thank you for understanding.

[휴대 전화벨이 울린다.]

여: 안녕, Ben. 잠깐 얘기할 수 있을까?

남: 안녕, Sarah. 오늘 아침에 전화를 못 받아서 미안해. 영어 수업 중이었어.

여: 괜찮아. 이번 주 스터디 그룹 모임에 몇 가지 변경된 것이 있어서 말해 주려고 전화했어.

남: 고마워. 모임 장소가 변경됐어?

여: 아니, 여전히 학교 도서관에서 만날 거야. 그런데 토요일 오전 11시가 될 거야.

남: 토요일? 미안한데, 나는 못 가.

여: 왜? 주말에는 봉사 활동 안 한다고 나한테 말했잖아.

남: 안 해. 그런데 병원에 가야 해.

여: 아, 맞다. 너 축구 하다가 다리를 다쳤다고 들었어. 그것 때문이야?

남: 아니, 다리는 심하게 다치지 않았어. 사실 이번 주 토요일에 건강 검진을 해.

여: 그렇구나. 다음 번 일정을 전화로 알려 줄게.

남: 이해해 줘서 고마워.

대화를 듣고, 남자가 스터디 모임에 참여할 수 없는 이유를 고르시오.

① 영어 수업을 들어야 해서
② 학교 도서관에 가야 해서
③ 봉사 활동에 참여해야 해서
④ 다친 다리를 치료해야 해서
⑤ 건강 검진을 받아야 해서

어휘 volunteer work 봉사 활동
injure 다치게 하다
be hurt badly 크게 다치다   reason 이유
medical check-up 건강 검진

10 답 ④

M: Honey, how about going to the Moonlight Palace Tour this Friday night?

W: I heard about the tour. It'll be wonderful to walk through the palace under the night sky.

M: I agree. The tour starts at 8 p.m. and takes two hours.
① 시작 시간

W: Then we can join it after dinner.

M: Sure! A tour guide tells us historical tales about the royal family.

W: That could be fun. How much is a ticket for the tour?

M: It's $30. It seems expensive but the tour includes watching a traditional dance and tasting traditional tea and snacks.
② 참가비

W: I think it's reasonable. We could have a wonderful night.

M: Right. It's said that only 100 people are accepted per day. Let's hurry up and make a reservation.
③ 인원 제한

W: Okay. How can we do that?

M: We have to register on the website. I'll do it.
⑤ 예약 방법

W: Thanks. I can't wait.

남: 여보, 이번 금요일 저녁에 Moonlight Palace 투어에 가는 것은 어때요?

여: 그 투어에 관해 들었어요. 밤하늘 아래에서 궁전을 산책하는 것은 멋질 것 같아요.

남: 동의해요. 투어는 저녁 8시에 시작해서 두 시간 걸려요.

여: 그럼 저녁을 먹고 나서 그것에 합류할 수 있어요.

남: 네! 투어 가이드가 우리에게 왕가에 관한 역사적인 이야기를 말해 줘요.

여: 재미있을 것 같아요. 투어 표는 얼마예요?

남: 30달러예요. 비싼 것 같지만 투어는 전통 춤을 보는 것과 전통 차와 간식 맛보기를 포함하고 있어요.

여: 적당한 것 같아요. 우리는 멋진 밤을 보낼 수 있을 거예요.

남: 맞아요. 하루에 100명만 신청을 받는다고 해요. 서둘러서 예약을 해요.

여: 네. 그것을 어떻게 해요?

남: 웹 사이트에서 등록을 해야 해요. 내가 그것을 할게요.

여: 고마워요. 정말 기대되네요.

대화를 듣고, Moonlight Palace Tour에 관해 언급되지 않은 것을 고르시오.

① 시작 시간
② 참가비
③ 인원 제한
④ 관람 시 유의점
⑤ 예약 방법

어휘 moonlight 달빛   palace 궁전
historical 역사적인   tale 이야기
royal family 왕가   traditional 전통적인

11 답 ⑤

W: I'm so happy our exams are over.

M: Me, too. They were really tough this time.

W: I know. Getting a cold made me even more stressed.
5형식 동사 + 목적어 + 목적격 보어(형용사)

M: Are you still sick?

W: No, I feel all right now. What are you doing after school today?

M: Some of our classmates are going to play board games to

여: 시험이 끝나서 너무 좋아.

남: 나도 그래. 이번엔 정말 힘들었어.

여: 맞아. 감기까지 걸려서 나는 더 스트레스를 받았어.

남: 아직도 아파?

여: 아니, 지금은 괜찮아. 오늘 방과 후에 뭐 할 거야?

남: 반 친구 몇몇이랑 시험이 끝난 것을 축하

celebrate the end of exams. Do you want to come?

to부정사 부사적 용법(목적)

W: I'd love to go, but I can't.

M: Why not?

여자의 가족은 주말에 스키 여행을 갈 것이다.

W: Did I tell you my family is going on a ski trip this weekend?

M: No, you didn't. Why are you going skiing?

W: It's my dad's birthday, so we planned this trip for him.

아빠 생신이라서 여행을 계획했다.

M: That sounds like a perfect gift for your dad.

W: I hope so. I need to go shopping for goggles and a ski suit for myself today. *여자는 고글과 스키복을 사러 가야 해서 보드게임을 하러 갈 수 없다.*

M: Oh, I see. Have a nice trip.

대화를 듣고, 여자가 보드게임을 하러 갈 수 없는 이유를 고르시오.

① 병문안을 가야 해서   ② 시험공부를 해야 해서

③ 방과 후 수업이 있어서   ④ 생일 파티에 참석해야 해서

⑤ 스키용품을 사러 가야 해서

하려고 보드게임을 할 거야. 너도 올래?

여: 가고 싶은데, 안 돼.

남: 왜?

여: 이번 주말에 우리 가족이 스키 여행을 간다고 말했었니?

남: 아니, 안 했어. 왜 스키를 타러 가는 거야?

여: 아빠의 생신이어서 그를 위해 이 여행을 계획했어.

남: 네 아빠를 위한 완벽한 선물처럼 들린다.

여: 그러길 바라. 나는 오늘 내 고글이랑 스키복을 사러 가야 해.

남: 오, 그렇구나. 즐거운 여행 하렴.

어휘 tough 힘든

celebrate 축하하다

goggle 큰 안경, 고글

ski suit 스키복

---

12 답 ③

M: Amy, have you got any special plans for this winter?

W: I was thinking of joining the Junior Winter Camp, so I got this brochure about it. If you're interested, let's read it together.

M: Okay. What's the purpose of the camp?

W: It helps students boost their leadership skills. ① 목적
help+목적어+목적격 보어(원형 부정사 또는 to부정사)

M: Sounds wonderful. Wow, we can participate in lots of activities.

W: Yeah, like hands-on workshops, team games, and even a treasure hunt. ② 활동 종류

M: It says the winners of the treasure hunt will get a gift card.

W: Cool! Why don't we sign up for this camp together?

M: I'd love that. How can we sign up?

W: We can do it online. ④ 신청 방법

M: Oh, it says registration is limited to only 50 students. We'd better hurry. ⑤ 등록 가능 인원

대화를 듣고, Junior Winter Camp에 관해 언급되지 않은 것을 고르시오.

① 목적   ② 활동 종류   ③ 참가비

④ 신청 방법   ⑤ 등록 가능 인원

남: Amy, 이번 겨울에 특별한 계획 있니?

여: 청소년 겨울 캠프에 참여할 생각이어서 그것에 관한 안내 책자를 받았어. 네가 관심이 있으면 같이 보자.

남: 좋아. 캠프의 목적이 뭐야?

여: 학생들이 리더십 기술을 신장시키는 것을 도와줘.

남: 멋진데. 와, 우리는 많은 활동에 참가할 수 있어.

여: 응, 직접 해 보는 워크숍, 단체 경기, 그리고 심지어 보물찾기 같은 것도 있어.

남: 보물찾기의 승자는 상품권을 받는다고 되어 있어.

여: 괜찮네! 이 캠프에 같이 등록하는 게 어때?

남: 그러고 싶다. 어떻게 등록해?

여: 온라인으로 할 수 있어.

남: 오, 등록은 학생 50명으로 제한된다고 해. 서두르는 게 좋겠다.

어휘 brochure 안내 책자

boost 신장시키다

treasure hunt 보물찾기   limit 제한하다

DAY 05

| 출제유형 **9** ⓑ | 출제유형 **10** ⓑ |

출제유형 **9**   담화 내용 일치

W: Hello, listeners. I'm Jessica Norton, manager of Langford Park. We're happy to announce that the Langford Night Market is coming back. Starting from September 1st for five nights, you can enjoy the event where food trucks and booths will be set up. This year's theme is the Global Food Festival. You can try food from all over the world. Live music performances will be held every night. We hope you enjoy our upcoming event. Thank you.

LANGFORD NIGHT MARKET

Global Food Festival

Starting from September 1st for 5 nights

ENJOY! Live music performances will be held every night.

해설 야시장은 9월 1일부터 시작해서 5일 동안 열린다고 했으므로 ⓑ가 일치하지 않는다.

여: 안녕하세요, 청취자 여러분. 저는 Langford 공원의 관리자, Jessica Norton입니다. Langford 야시장이 다시 열린다는 것을 알려 드리게 되어 기쁩니다. 9월 1일부터 시작해서 5일 동안, 여러분은 푸드 트럭과 부스가 설치된 행사를 즐길 수 있습니다. 올해의 주제는 '세계 음식 축제'입니다. 전 세계에서 온 음식을 시식할 수 있습니다. 라이브 음악 공연이 매일 밤 열릴 것입니다. 여러분 모두가 다가오는 행사를 즐기시길 바랍니다. 고맙습니다.

LANGFORD 야시장

세계 음식 축제
9월 1일부터 시작해서 5일 동안
즐기세요! 라이브 음악 공연이 매일 밤 열릴 것입니다.

어휘 announce 알리다
upcoming 다가오는

출제유형 **10**   도표 내용 일치

W: Fine dust levels are very high these days. We need to buy fine dust masks.

M: You're right. Let's order some online.

W: I think the filter-out rate should be more than 90%.

M: I think so, too. How about the price?

W: We shouldn't spend more than $50 a box.

M: Then we have two options left. Shall we order the white ones?

W: Well, let's choose the other color.

M: Okay. Let's place the order.

해설 차단율이 90% 이상인 것을 원하므로 A는 제외한다. 한 상자에 50달러 이상은 쓸 수 없으므로 D도 제외한다. B와 C 중에서 여자는 흰색이 아닌 다른 색을 주문하자고 했으므로 두 사람이 구입할 마스크는 B이다.

여: 요즘 미세 먼지 수치가 너무 높아. 미세 먼지 마스크를 사야 해.
남: 네 말이 맞아. 온라인으로 주문하자.
여: 차단율은 90% 이상이어야 될 것 같아.
남: 나도 그렇게 생각해. 가격은 어때?
여: 한 상자에 50달러 이상은 쓸 수 없어.
남: 그러면 우리가 선택할 수 있는 것이 두 개 남았어. 흰색으로 주문할까?
여: 음, 다른 색깔을 고르자.
남: 좋아. 주문하자.

어휘 fine dust 미세 먼지
filter-out rate 차단율
place an order 주문하다

09 기출 예제 | 답 ③

W: Hello, listeners. I'm Carla Jones from the National Baking Association. I'm glad to announce that we're hosting the
_{명사절을 이끄는 접속사 that}
National Baking Competition on December 20th. It's an
_{① 해마다 열리는 행사이다.}
annual event aimed to discover people with a talent and
_{앞의 명사를 수식하는 과거분사구}
passion for baking. This year, the theme of the competition is
_{② 올해의 주제는 건강한 디저트이다.}
"healthy desserts." We had the most applicants in the history of this competition, and only 10 participants will advance
_{③ 오직 10명의 참가자만이 결선에 진출한다.}
to the final round. The top three will win the grand prize of $10,000 each, and the recipes of the winners will appear in
_{④ 수상자들의 조리법은 잡지에 실릴 것이다.}
our magazine. You can enjoy watching the entire competition
_{동명사를 목적어로 하는 동사}
from home. It'll be broadcast live on our website starting
_{⑤ 웹 사이트에서 오전 9시부터 생중계될 것이다.}
from 9 a.m. If you're a food lover, you won't want to miss watching this event.

National Baking Competition에 관한 다음 내용을 듣고, 일치하지 <u>않는</u> 것을 고르시오.

① 해마다 열리는 행사이다.
② 올해의 주제는 건강한 디저트이다.
③ 20명이 결선에 진출할 것이다.
④ 수상자들의 조리법이 잡지에 실릴 것이다.
⑤ 웹 사이트에서 생중계될 것이다.

여: 안녕하세요, 청취자 여러분. 전국 제과제빵 협회의 Carla Jones입니다. 12월 20일에 전국 제과제빵 대회를 개최한다는 것을 알리게 되어 기쁩니다. 이는 제과제빵에 대한 재능과 열정을 가진 사람들을 발굴하는 데 목표를 두는 연례행사입니다. 올해에는, 대회의 주제가 '건강한 디저트'입니다. 이 대회 역사상 가장 많은 지원자가 있었고, 오직 10명의 참가자만이 결선에 진출할 것입니다. 상위 3명이 각각 1만 달러의 대상을 수상하게 되며, 수상자들의 요리법은 우리 잡지에 실리게 됩니다. 여러분은 댁에서 대회 전체 관람을 즐기실 수 있습니다. 오전 9시부터 저희 웹 사이트에서 생중계될 것입니다. 음식 애호가라면, 이번 행사를 놓치고 싶지 않으실 것입니다.

어휘 association 협회
annual 연례의 passion 열정
theme 주제 applicant 지원자
advance to ~에 진출하다
entire 전체의
broadcast 방송하다

09-1 기출 유사 | 답 ⑤

M: Hello, listeners. I'm Ted Potter, the manager of the Plata Community Center. I'd like to tell you about the upcoming
_{앞의 명사를 수식하는 과거분사구}
Plata Tea Festival. It's an annual tea festival held at City
_{① 시청에서 개최된다.}
Hall. This year it'll take place on September 5th and 6th. More than 20 tea companies will participate in this festival.
_{② 20개가 넘는 차 회사가 참여할 것이다.}
During the festival, you can enjoy blind tea tasting and food
_{during+명사(구)}

남: 안녕하세요, 청취자 여러분. 저는 Plata 문화 센터의 매니저 Ted Potter입니다. 저는 다가오는 'Plata 차 축제'에 관해 알려 드리고 싶어요. 그것은 해마다 시청에서 열리는 차 축제입니다. 올해는 9월 5일과 6일에 열립니다. 20개가 넘는 차 회사가 이번 축제에 참여합니다. 축제 동안에 여러분은 라벨을 가린 차를 시음 평가하고 차

pairing events. Also, you can learn tea etiquette from experts.
③ 전문가로부터 차 예절을 배울 수 있다.
The admission fee is $10 and children under 5 enter for free.
④ 5세 미만의 어린이는 무료로 입장한다.
Reservations are not necessary. Come to this festival and
⑤ 예약은 필요하지 않다.
share a cup of tea with your friends and family.

와 잘 어울리는 음식을 맛보는 행사를 즐길 수 있습니다. 또한, 전문가로부터 차 예절을 배울 수 있습니다. 입장료는 10달러이고 5세 미만의 어린이는 무료입니다. 예약을 할 필요는 없습니다. 축제에 오셔서 친구와 가족들과 차 한 잔을 함께 하세요.

Plata Tea Festival에 관한 다음 내용을 듣고, 일치하지 <u>않는</u> 것을 고르시오.

① 시청에서 개최되는 행사이다.
② 20개가 넘는 차 회사가 참여할 것이다.
③ 전문가로부터 차 예절을 배울 수 있다.
④ 5세 미만 어린이의 입장료는 무료이다.
⑤ 예약을 해야만 참가할 수 있다.

[어휘] annual 연례의
participate in ~에 참여하다
blind 조건을 숨기고 실행하는
food pairing 함께 잘 어울리는 음식의 조합
etiquette 예절, 에티켓
expert 전문가

09-2 기출 유사 답⑤

M: Hello, students. This is Kyle Evans, your physics teacher.
to부정사 부사적 용법(감정의 원인)
I'm very glad to tell you about the Westbank High School
미래 시제 수동태
Science Fair. It'll be held on July 21st in the school
① 7월 21일에 개최된다.
auditorium. You'll present your projects in front of judges
② 평가자와 방문객 앞에서 과제를 발표한다.
and visitors. The judges will be professors and teachers from
other schools. They'll all provide feedback and comments
③ 각 팀에 피드백과 의견을 제공한다.
to each team. Awards will be given in three areas: Physics,
④ 세 분야에 상이 주어진다.
Chemistry, and Biology. Also, the first 100 visitors will get
⑤ 처음 100명의 방문객들이 무료로 티셔츠를 받을 것이다.
T-shirts for free. Spread the word and please invite your
friends and parents to come. I hope you enjoy the fair.
5형식 동사+목적어+목적격 보어(to부정사)

남: 안녕하세요, 학생 여러분. 저는 물리 선생님인 Kyle Evans입니다. Westbank 고등학교 과학 박람회에 관해 알려 드리게 되어 매우 기쁩니다. 그것은 7월 21일에 학교 강당에서 열립니다. 여러분은 평가자와 방문객들 앞에서 여러분의 프로젝트를 발표할 것입니다. 평가자들은 다른 학교에서 온 교수님들과 선생님들입니다. 그들 모두는 각 팀에게 피드백과 의견을 줄 것입니다. 상은 물리학, 화학, 그리고 생물학 세 개의 분야에서 주어집니다. 또한, 처음 100번째 방문객까지는 티셔츠를 무료로 받을 것입니다. 입소문을 내 주시고 친구와 부모님에게 오시라고 초대해 주세요. 박람회를 즐기시길 바랍니다.

Westbank High School Science Fair에 관한 다음 내용을 듣고, 일치하지 <u>않는</u> 것을 고르시오.

① 7월 21일에 열린다.
② 평가자와 방문객 앞에서 과제 발표가 이루어진다.
③ 각 팀에게 피드백이 주어진다.
④ 세 분야에 상이 주어진다.
⑤ 모든 방문객에게 무료로 티셔츠를 준다.

[어휘] physics 물리학
fair 박람회, 축제 마당
auditorium 강당
judge 평가자, 심사 위원
provide 제공하다
chemistry 화학 biology 생물학
spread the word 입소문을 내다

09-3 기출 유사 답④

W: Hello, Green City residents. This is Rachel White, the head

여: 안녕하세요. Green 시 주민 여러분. 저는 사회복지부의 책임자 Rachel White입니

of the Community Services Department. Are you ready to enjoy the Global Village Festival? It'll be held on March 28th
to부정사 부사적 용법(앞의 ready 수식)   *미래 시제 수동태*
and 29th at Green City Park. This two-day festival includes
① 이틀간 Green City Park에서 열린다.
music performances and art exhibitions. Samples of food
② 음악 공연과 미술 전시회를 포함한다.
from around the world will be served. Prices of the food
미래 시제 수동태
range from $2 to $5 and you can pay by cash or credit card.
③ 현금이나 신용 카드로 지불할 수 있다.
The first 50 visitors will get special gifts. Parking will be
④ 처음 50명의 방문객들이 특별 선물을 받을 것이다.
available for $10 a car. For more information, visit the
⑤ 차량당 10달러에 주차가 가능하다.
festival website. Thank you.

다. 지구촌 마을 축제를 즐길 준비가 되셨나요? 그것은 Green City Park에서 3월 28일과 29일에 열립니다. 이 이틀 동안의 축제는 음악 공연과 미술 전시회를 포함합니다. 전 세계의 음식 샘플이 제공될 것입니다. 음식 가격의 범위는 2달러에서 5달러까지이고, 현금이나 신용 카드로 지불할 수 있습니다. 처음 50번째 방문객까지는 특별 선물을 받을 수 있습니다. 주차는 차량 한 대당 10달러에 이용 가능합니다. 더 많은 정보를 원하시면 축제 웹 사이트를 방문하세요. 고맙습니다.

Global Village Festival에 관한 다음 내용을 듣고, 일치하지 <u>않는</u> 것을 고르시오.

① 이틀간 Green City Park에서 열린다.
② 음악 공연과 미술 전시회를 포함한다.
③ 현금이나 신용 카드로 음식을 구입할 수 있다.
④ 선착순 100명에게 특별 선물을 준다.
⑤ 차량당 주차비는 10달러이다.

<u>어휘</u> resident 거주자
performance 공연
exhibition 전시회
serve (음식·음료 등을) 제공하다
range from ~ to ... (범위가) ~에서 …까지이다

| 10 기출 예제 | ④ | 10-1 기출 유사 | ③ | 10-2 기출 유사 | ② | 10-3 기출 유사 | ② |

10 기출 예제 | 답 ④

M: Hi, Nicole. What are you doing?

W: Hi, Jack. I'm trying to buy a reusable straw set on the Internet. Do you want to see?

M: Sure. [*Pause*] These bamboo ones seem good. They're made from natural materials.
2형식 동사+주격 보어(형용사)

W: That's true, but I'm worried they may not dry quickly.
명사절을 이끄는 접속사 that 생략됨
대나무가 빨리 마르지 않을 수 있는 것이 걱정이라고 했으므로 ① 제외

M: Okay. Then let's look at straws made from other materials.
앞의 명사를 수식하는 과거분사구
How much are you willing to spend on a set of straws?
be willing to-V: 기꺼이 ~하다

W: I don't want to spend more than $10.
10달러 이상은 쓰고 싶지 않다고 했으므로 ⑤ 제외

M: That's reasonable. How about length?

W: To use with my tumbler, eight or nine inches should be perfect.
to부정사 부사적 용법(목적)   *8인치나 9인치를 원하므로 ② 제외*   *추측: (아마) ~일 것이다*

M: Then you're down to these two. A carrying case would be very useful when going out.
휴대 케이스를 원하고 있으므로 ③ 제외
접속사+분사구문

W: Good point. I'll take your recommendation and order this set now.

남: 안녕, Nicole. 뭐 하고 있어?
여: 안녕, Jack. 재사용할 수 있는 빨대 세트를 인터넷에서 사려고 하는 중이야. 보고 싶어?
남: 물론이지. [잠시 후] 이 대나무로 만든 것들이 좋아 보이네. 그것들은 천연 재료로 만들어졌어.
여: 그건 그렇지만, 난 그것들이 빨리 마르지 않을까봐 걱정돼.
남: 알겠어. 그럼 다른 재료로 만든 빨대를 살펴보자. 빨대 한 세트에 얼마를 쓸 생각이 있어?
여: 난 10달러 넘게 쓰고 싶지는 않아.
남: 합리적이네. 길이는 어때?
여: 내 텀블러에 사용하려면 8인치나 9인치가 더할 나위 없이 좋겠어.
남: 그럼 이 두 개밖에 남지 않았어. 휴대 케이스가 외출할 때 매우 유용할 거야.
여: 좋은 지적이야. 네 추천을 받아들여서 지금 이 세트를 주문할게.

다음 표를 보면서 대화를 듣고, 여자가 주문할 재사용 빨대 세트를 고르시오.

Reusable Straw Sets (3 pieces)

	Set	Material	Price	Length (inches)	Carrying Case
①	A	Bamboo	$5.99	7	×
②	B	Glass	$6.99	7	○
③	C	Glass	$7.99	8	×
④	D	Silicone	$8.99	8	○
⑤	E	Stainless Steel	$11.99	9	○

어휘 reusable 재사용할 수 있는
straw 빨대
bamboo 대나무
reasonable 합리적인
length 길이
be down to ~밖에 남지 않다
recommendation 추천

10-1 기출 유사 답 ③

M: Julie, what are you looking at?

W: I'm thinking of buying a new handheld fan. Can you help me pick one?
help+목적어+목적격 보어(원형 부정사 또는 to부정사)

M: Sure. Hmm, how about this one?

W: It looks good, but I don't want to spend more than $30.
감각동사+주격 보어(형용사) 30달러 이상은 쓰고 싶지 않다고 했으므로 ⑤ 제외

M: Okay. And I think you should get one with a battery that lasts more than 8 hours.
주격 관계대명사 배터리가 8시간 이상 지속되는 것을 원하므로 ① 제외

W: I think so, too. I usually spend more than 8 hours outside.

M: What about the fan speed levels? Do you need a fan with 4 levels?

W: No. Three levels will be enough for me.
3단계로 충분하다고 했으므로 ④ 제외

M: Then you have two models left. I recommend the foldable one.
접을 수 있는 것을 추천받고 수락하였으므로 ② 제외

W: What's special about it?

M: If you fold the handle, it'll easily fit into your handbag. It can also stand up on your desk.

W: That sounds convenient. I'll buy that one.

남: Julie, 뭘 보고 있니?
여: 손에 들고 쓰는 선풍기를 새로 살까 해. 고르는 것을 도와줄래?
남: 그래. 흠, 이것은 어때?
여: 괜찮아 보이는데, 나는 30달러 이상 쓰고 싶지 않아.
남: 알았어. 그리고 배터리가 8시간 이상 지속되는 것을 사야 해.
여: 나도 그렇게 생각해. 보통 밖에서 8시간 이상을 보내거든.
남: 선풍기 속도 레벨은 어때? 4단계로 된 선풍기가 필요해?
여: 아니. 나한테는 3단계도 충분해.
남: 그럼 두 개의 모델이 남게 돼. 나는 접을 수 있는 것을 추천해.
여: 그것이 뭐가 특별해?
남: 손잡이를 접으면 너의 핸드백에 쉽게 들어가. 또 책상에 세울 수도 있어.
여: 편리하겠다. 그것을 살게.

어휘 handheld 손에 들고 쓰는
last (기능이) 지속되다
foldable 접을 수 있는
fold 접다
handle 손잡이
fit into ~에 꼭 들어맞다
convenient 편리한

다음 표를 보면서 대화를 듣고, 여자가 구입할 휴대용 선풍기를 고르시오.

Handheld Fans

	Model	Price	Battery Run Time	Fan Speed Level	Foldable
①	A	$20	6 hours	2	×
②	B	$23	9 hours	3	×
③	C	$25	9 hours	3	○
④	D	$28	12 hours	4	○
⑤	E	$33	12 hours	4	○

M: Linda, what are you looking at?

W: Hi, James. I'm thinking of taking one of the summer programs on this time table.
_{one of+복수 명사: ~ 중 하나}

M: Let me see. What program would you like to take?

W: Well, I took English Conversation last year. This time I want to take something different.
_{영어 회화는 작년에 들었고, 다른 것을 듣고 싶다고 했으므로 ① 제외}
_{-thing으로 끝나는 대명사는 형용사가 뒤에서 수식}

M: If I were you, I would take this class.
_{가정법 과거: ~라면, …할 텐데}

W: I'd love to, but I plan to volunteer on Fridays this summer.
_{금요일에는 자원봉사를 할 계획이므로 ⑤ 제외}

M: I see. Then, how about this one?

W: Sounds good, but I have to be home by six for dinner with my family.
_{저녁 식사를 위해 6시까지 집에 가야 하므로 ④ 제외}

M: Then, you're left with two options. Which one do you prefer?

W: Well, considering my budget, I'll take the cheaper one.
_{남아 있는 것 중에 더 저렴한 것을 고른다고 했으므로 ③ 제외}

다음 표를 보면서 대화를 듣고, 여자가 수강할 수업을 고르시오.

Summer Program Time Table

	Class	Day	Time	Monthly Fee
①	English Conversation	Mon.	9:00 a.m.	$50
②	Cartoon Creating	Tue.	10:00 a.m.	$60
③	Aquarobics	Wed.	10:00 a.m.	$75
④	Soccer	Thu.	6:00 p.m.	$80
⑤	Drawing	Fri.	3:00 p.m.	$75

남: Linda, 뭘 보고 있니?

여: 안녕, James. 이 시간표에 있는 여름 프로그램 중에서 하나를 수강하려고 해.

남: 어디 보자. 무슨 프로그램을 수강하고 싶은데?

여: 글쎄, 나는 작년에 영어 회화를 들었어. 이번에는 다른 것을 수강하고 싶어.

남: 내가 너라면 나는 이 수업을 들을 텐데.

여: 나도 그러고 싶은데, 이번 여름에는 금요일마다 자원봉사를 할 계획이야.

남: 그렇구나. 그럼, 이것은 어때?

여: 괜찮은데, 가족들과 저녁 식사를 해야 해서 6시까지는 집에 가야 해.

남: 그럼, 선택할 수 있는 것이 두 개 남아 있어. 너는 어느 것이 더 좋니?

여: 음, 예산을 감안하면 더 저렴한 것을 들어야겠다.

[어휘] volunteer 자원봉사하다
be left with ~이 남다
option 선택(할 수 있는 것)
prefer ~을 (더) 좋아하다
considering ~을 고려(감안)하면
budget 예산
aquarobics 수중 에어로빅

M: Honey, what are you doing on your computer?

W: I'm trying to book a room at Wayne Island Hotel for our summer vacation.

M: Our summer vacation? Isn't it a bit early?

W: We can get a room much cheaper if we book early.
_{비교급 강조}

M: I see. Which room do you have in mind?

W: I was thinking a room with a city view. What do you think?

M: Well, a room with a mountain view or an ocean view would be better.
_{산이나 바다 전망을 가진 방을 선호한다고 했고 이에 동의했으므로 ① 제외}

남: 여보, 컴퓨터로 뭐 하고 있어요?

여: 여름휴가 때 머물 Wayne Island 호텔의 방을 예약하려고요.

남: 여름휴가요? 조금 이르지 않나요?

여: 일찍 예약하면 훨씬 저렴한 방을 구할 수 있어요.

남: 그렇군요. 어떤 방을 고려하고 있어요?

여: 시내 전망을 가진 방을 생각했어요. 당신은 어때요?

남: 글쎄요, 산이나 바다 전망을 가진 방이 더 좋을 것 같아요.

여: 동의해요. 호텔에서 아침을 먹을까요?

W: I agree. Shall we have breakfast in the hotel?
호텔에서 아침 식사를 할 필요가 없다고 했으므로 ③, ⑤ 제외
M: I don't think we need to. I heard there are some good restaurants near the hotel.

W: Okay. Then we have two options left. I'd like to go with the cheaper one.
더 저렴한 곳을 선택한다고 했으므로 ④제외
= room
M: Sounds good. Let's book this room then.

남: 그럴 필요 없을 것 같아요. 호텔 근처에 괜찮은 식당들이 있다고 들었어요.
여: 알겠어요. 그럼 선택할 수 있는 것이 두 개 남았어요. 나는 더 저렴한 것을 선택하고 싶어요.
남: 좋아요. 그럼 이 방으로 예약해요.

[어휘] book 예약하다
a bit 조금, 약간
near ~에서 가까이
go with ~을 선택하다

다음 표를 보면서 대화를 듣고, 두 사람이 예약할 방을 고르시오.

Wayne Island Hotel Rooms

	Room	View	Breakfast	Price
①	A	City	×	$70
②	B	Mountain	×	$80
③	C	Mountain	○	$95
④	D	Ocean	×	$105
⑤	E	Ocean	○	$120

DAY 05
기초력 집중드릴

pp. 52~55

01 ⑤　02 ②　03 ③　04 ②　05 ④　06 ⑤　07 ③　08 ②　09 ⑤　10 ③　11 ④　12 ④

01 답 ⑤

W: Hello, listeners! I'm happy to introduce you to the first
to부정사 부사적 용법(감정의 원인)
children's library in our town. It's the Dream Children's Library. Our library is for children in the sixth grade
① 6학년 학생들과 그보다 더 어린 어린이들을 위한 도서관이다.　A as well as B: B뿐만 아니라 A도
and younger. We have a variety of toys as well as books
② 책뿐만 아니라 다양한 장난감도 있다.
for different ages of children. There are special reading
③ 특별 독서 토론 프로그램들이 있다.
discussion programs for your children. Also, we offer movie showings for children every weekend. We're excited
④ 매주 주말에 어린이들을 위한 영화 상영을 제공한다.
to tell you our library is now ready to open. Our opening
명사절을 이끄는 접속사 that 생략됨　　to부정사 부사적 용법(앞의 ready 수식)
day is November 24th. On opening day, we'll provide
⑤ 개관일에 만화 캐릭터 서표를 제공한다.
cartoon character bookmarks to all the visitors. Don't miss it! For more information, visit our website www.dreamchildrenslibrary.org.

여: 안녕하세요, 청취자 여러분! 저는 우리 마을 최초의 어린이 도서관을 여러분에게 소개하게 되어 행복합니다. 그것은 Dream 어린이 도서관입니다. 저희 도서관은 6학년 학생들과 그보다 더 어린 아이들을 위한 곳입니다. 다양한 연령의 아이들을 위한 책뿐만 아니라 여러 가지 장난감도 있습니다. 아이들을 위한 특별 독서 토론 프로그램이 있습니다. 또한, 주말마다 어린이들을 위한 영화 상영을 제공합니다. 도서관이 이제 문을 열 준비가 되었다고 알려 드리게 되어 기쁩니다. 개관일은 11월 24일입니다. 개관일에는 모든 방문객들에게 만화 캐릭터 서표를 제공합니다. 놓치지 마세요! 더 많은 정보를 원하시면, 저희 웹사이트 www.dreamchildrenslibrary.org 를 방문해 주세요.

Dream Children's Library에 관한 다음 내용을 듣고, 일치하지 <u>않는</u> 것을 고르시오.

① 6학년까지의 어린이를 대상으로 한다.
② 도서뿐 아니라 다양한 장난감이 있다.
③ 특별 독서 토론 프로그램을 운영한다.
④ 주말에 어린이들을 위해 영화를 상영한다.
⑤ 개관일에 만화 캐릭터 엽서를 제공한다.

02 답 ②

M: Hey, Cathy! What are you looking at?

W: Hi, Steve. I was searching for an art supplies set. I'm thinking about sending it as a Christmas gift to children in need.

M: You're so kind. Do you need help choosing one?

W: Yeah, thank you. I want it to be under $20.
5형식 동사+목적어+목적격 보어(to부정사)
20달러 아래로 원하므로 ⑤ 제외

M: All right. Let me see. Which type of coloring tool would be good for them?

W: Hmm... I think watercolors are not very convenient. The kids would need extra things like brushes.
수채화 물감은 편리할 것 같지 않다고 했으므로 ③ 제외

M: I agree. The other tools would be better.

W: Right. How about the number of colors?

M: They'll need more than thirty colors to express what they want.
to부정사 부사적 용법(목적)
30개 이상의 색상이 필요할 것이라고 했으므로 ① 제외
= the thing(s) that(which)

W: You're right. Then, there are two choices left.

M: Yeah. Oh, there is a model which includes a sketchbook.
주격 관계대명사
스케치북을 포함한 것을 고른다고 했으므로 ④ 제외

W: Perfect! They might need it in their art classes. I'll choose that one.
= a sketchbook

남: 안녕, Cathy! 뭘 보고 있니?

여: 안녕, Steve. 미술용품 세트를 찾고 있었어. 그것을 도움이 필요한 어린이들에게 크리스마스 선물로 보내려고 생각 중이야.

남: 너 정말 친절하구나. 고르는 데 도움이 필요하니?

여: 응, 고마워. 나는 그것이 20달러 아래였으면 해.

남: 좋아. 어디 보자. 그들에게 어떤 종류의 색칠 도구가 좋을까?

여: 흠…… 수채화 물감은 그렇게 편리할 것 같지 않아. 아이들은 붓 같은 추가적인 것들이 필요할 거야.

남: 동의해. 다른 도구가 더 나을 것 같아.

여: 맞아. 색상의 수는 어때?

남: 그들이 원하는 것을 표현하려면 서른 가지 이상의 색이 필요할 거야.

여: 네 말이 맞아. 그럼, 두 개의 선택이 남아.

남: 응. 오, 스케치북을 포함하는 제품이 있어.

여: 완벽해! 그들은 미술 시간에 그것이 필요할지도 몰라. 나는 저것을 고를래.

다음 표를 보면서 대화를 듣고, 여자가 선택할 미술용품 세트를 고르시오.

Art Supplies Set for Children

	Model	Price	Coloring Tool	Number of Colors	Sketchbook
①	A	$12	Crayons	24	×
②	B	$16	Crayons	32	○
③	C	$17	Watercolors	28	○
④	D	$18	Markers	32	×
⑤	E	$22	Markers	36	○

W: Hello, students. This is Janice Hawkins, your drama teacher. I'm happy to invite you and your family to the Riverside High School Musical. This year we're presenting *Shrek*, based on the famous animated film. It's full of singing, dancing, romance and lots of fun. The auditions for the show were in December last year. The cast and crew have been rehearsing for months to perfect their performance. The musical will be held in the auditorium for two days on March 15th and 16th. Tickets are $8 per person. You can buy tickets in the drama club room. For more details, visit the school website. Thank you.

Riverside High School Musical에 관한 다음 내용을 듣고, 일치하지 <u>않는</u> 것을 고르시오.
① 공연작은 'Shrek'이다.
② 공연을 위한 오디션은 작년 12월에 있었다.
③ 공연은 사흘간 진행된다.
④ 입장권은 1인당 8달러이다.
⑤ 입장권은 연극 동아리실에서 구입할 수 있다.

여: 안녕하세요, 학생 여러분. 저는 연극 선생님인 Janice Hawkins입니다. 저는 Riverside 고등학교 뮤지컬에 여러분과 여러분의 가족을 초대하게 되어 기쁩니다. 올해 저희는 유명한 만화 영화를 기반으로 한 'Shrek'을 상연합니다. 그것은 노래와 춤과 로맨스, 그리고 많은 재미로 가득 차 있습니다. 공연을 위한 오디션은 작년 12월에 있었습니다. 출연 배우들과 제작팀은 공연을 완벽하게 하기 위해 수개월 동안 예행연습을 해 오고 있습니다. 뮤지컬은 3월 15일과 16일 이틀간 강당에서 열릴 것입니다. 표는 1인당 8달러입니다. 연극 동아리실에서 표를 구입할 수 있습니다. 더 많은 세부 사항을 원한다면 학교 웹 사이트를 방문해 주세요. 고맙습니다.

어휘 present 상연하다
based on ~에 기반을 둔
be full of ~로 가득 차다
the cast 출연 배우들 crew (공연 제작) 팀
rehearse 예행연습을 하다
perfect 완벽하게 하다 hold 개최하다
drama club 연극 동아리

M: Jessica, what are you doing on the computer?
W: I'm looking for a bluetooth keyboard that works with my smartphone.
M: What do you need it for?
W: I need to type during meetings at work. Can you help me choose one?
M: Sure. How about this model? It looks great and is the cheapest.
W: I already have that model, but it's too heavy to carry around.
M: Then, why don't you get something that weighs less than 300 grams?
W: Yeah. That makes sense.
M: You can get this one. It also has a battery life of 100 hours.

남: Jessica, 컴퓨터로 뭐 하고 있어?
여: 내 스마트폰과 함께 작동하는 블루투스 키보드를 찾고 있어.
남: 그게 무엇 때문에 필요해?
여: 직장에서 회의할 때 타이핑하기 위해 필요해. 하나 고르는 것을 도와줄래?
남: 물론이지. 이 모델은 어때? 좋아 보이고 가장 저렴해.
여: 나는 그 모델을 이미 가지고 있는데, 그것은 가지고 다니기에 너무 무거워.
남: 그럼, 무게가 300그램보다 더 적게 나가는 것을 사면 어때?
여: 응. 네 말이 맞아.
남: 너는 이것을 살 수 있어. 그것은 배터리 수명도 100시간이야.
여: 괜찮은데, 접을 수가 없네. 나는 대신 저것을 사고 싶어.

W: It's nice, but it's not foldable. I want to buy that one, instead.
접을 수 있는 것을 사고 싶어 하므로 ①, ③ 제외

M: You mean this foldable keyboard?

W: Yeah, it'll take up much less space in my bag. I think I'll
비교급 강조
order it now.

남: 이 접을 수 있는 키보드 말하는 거야?

여: 응, 그것은 가방에 넣을 때 훨씬 더 적은 공간을 차지할 거야. 그것을 지금 주문해야겠다.

다음 표를 보면서 대화를 듣고, 여자가 주문할 블루투스 키보드를 고르시오.

Bluetooth Keyboards

	Model	Price	Weight	Battery Life	Foldable
①	A	$45	160g	100 hours	×
②	B	$38	250g	82 hours	○
③	C	$30	280g	48 hours	×
④	D	$26	350g	10 hours	○
⑤	E	$15	420g	24 hours	×

어휘 weigh 무게가 나가다
foldable 접을 수 있는
instead 대신
take up 차지하다

---

05 답 ④

W: Hello, listeners! We have some good news for music lovers. The Grand Philharmonic will hold the Forest Concert in Central Park on October 7th. The legendary Russian
① 10월 7일에 열린다.
conductor, Alexander Ivanov, will lead the orchestra with the theme of 'In Search of a Dream.' This concert is a gift
② 주제는 '꿈을 찾아서'이다.
from the Grand Philharmonic to all music lovers so everyone can enjoy free admission to this 90-minute musical treat.
③ 무료로 입장할 수 있다.
Seats are on a first come first serve basis, so prior reservation is not required. You can also watch it live on TV at home,
④ 사전 예약은 필요하지 않다.
⑤ 집에서 TV로 시청할 수 있다.
but seeing it live at the park could be a once in a lifetime
동명사구 주어
experience.

여: 안녕하세요, 청취자 여러분! 음악 애호가들에게 좋은 소식이 있습니다. Grand Philharmonic이 10월 7일에 Central 공원에서 숲속 콘서트를 엽니다. 전설적인 러시아 지휘자인 Alexander Ivanov가 '꿈을 찾아서'라는 주제로 관현악단을 지휘합니다. 이 콘서트는 모든 음악 애호가들에게 주는 Grand Philharmonic의 선물이므로 누구나 이 90분짜리 특별한 음악 선물을 무료로 즐길 수 있습니다. 좌석은 선착순 기준이므로 사전 예약은 할 필요가 없습니다. 집에서 TV로도 라이브 공연을 볼 수 있지만 그것을 공원에서 라이브로 보는 것은 평생 단 한 번뿐인 경험이 될 것입니다.

Forest Concert에 관한 다음 내용을 듣고, 일치하지 않는 것을 고르시오.

① 10월 7일에 열린다.　② 주제는 '꿈을 찾아서'이다.
③ 무료로 입장할 수 있다.　④ 사전 예약이 필요하다.
⑤ 집에서 TV로 시청할 수 있다.

어휘 legendary 전설적인
conductor 지휘자　lead 지휘하다
treat 특별한 선물(것)　prior 사전의
once in a lifetime 평생 단 한 번뿐인

---

06 답 ⑤

M: Hey, Julia. How about learning something exciting after work?
-thing으로 끝나는 대명사는 형용사가 뒤에서 수식

W: Sure. I'd love to spend my evenings doing something more

남: 안녕, Julia. 퇴근하고 재미있는 무언가를 배우는 건 어때?

interesting.

M: I have a time table for evening classes in our community center. Let's look at it.

W: Hmm, they all look good, but I <u>do yoga by myself at home</u>, 이미 혼자서 요가를 하고 있으므로 ④ 제외 so except for that, the others are fine.

M: Okay. Oh, <u>Wednesday doesn't work for me</u>. I have my regular badminton club meeting then. 수요일은 안 된다고 했으므로 ③ 제외

W: I see. I think we need a little break after work, so how about <u>a class starting at 7</u>? 셀 수 없는 명사 수식

7시에 시작하는 수업을 제안했으므로 ② 제외
M: Alright. Then we're left with two options. Which one do you prefer?

W: Actually, I'm on a tight budget these days, so I <u>don't want to spend more than $100</u>.

100달러 이상 쓰고 싶지 않다고 했으므로 ① 제외
M: Me, neither. Let's sign up for the cheaper one.

여: 좋아. 나는 저녁 시간을 좀 더 흥미로운 것을 하면서 보내고 싶어.

남: 우리 지역 문화 센터에서 하는 저녁 수업 시간표가 있어. 같이 보자.

여: 흠, 다 좋아 보이는데, 나는 집에서 혼자서 요가를 하고 있어. 그래서 그것을 제외하면 다른 것은 좋아.

남: 알았어. 오, 나는 수요일은 곤란해. 그때 배드민턴 동아리 정기 모임이 있거든.

여: 그렇구나. 우리는 퇴근 후에 약간의 휴식이 필요하니까 7시에 시작하는 수업이 어때?

남: 좋아. 그럼 우리에게 두 가지 선택이 남는구나. 너는 어느 것을 더 좋아해?

여: 사실, 나는 요즘 예산이 빠듯해서 100달러 이상은 쓰고 싶지 않아.

남: 나도 마찬가지야. 더 저렴한 것을 등록하자.

다음 표를 보면서 대화를 듣고, 두 사람이 선택할 수업을 고르시오.

Rainbow Community Center Evening Classes

	Class	Day	Time (p.m.)	Monthly Fee
①	Pottery	Mon.	7:00 ~ 9:00	$110
②	Drawing	Tue.	6:30 ~ 8:00	$80
③	French Baking	Wed.	6:30 ~ 8:00	$90
④	Yoga	Thu.	6:30 ~ 8:00	$70
⑤	Photography	Fri.	7:00 ~ 9:00	$80

---

07 답 ③

W: Hello, students! This is student president Chloe Ashford. The <u>student council is holding "Welton's Coins for Goats,"</u> to ① 학생회에서 개최한다. help poor people in Africa. We're going to raise money, and
be used to-V: ~하는 데 사용되다
<u>the money will be used to buy goats</u> for families in Africa. ② 모금한 돈은 염소를 사는 데 사용될 것이다.
The goats support them by providing milk, cheese, and so
by+V-ing: ~함으로써
on. <u>This event will be held for two weeks starting on April</u> ③ 행사는 2주 동안 열릴 것이다.
2nd. To participate, just <u>put coins in the donation box in the</u>
to부정사 부사적 용법(목적)   ④ 도서관에 있는 기부함에 동전을 넣으면 된다.   to부정사 명사적 용법(보어)
school library. Each goat costs $50, and <u>our goal is to raise</u>
each+단수 명사   ⑤ 2,000달러를 모으는 것이 목표이다.
$2,000 to buy 40 goats. Let's make it together! Thank you.

여: 안녕하세요, 학생 여러분! 저는 학생회장 Chloe Ashford입니다. 학생회에서 아프리카에 있는 가난한 사람들을 돕기 위해 'Welton's Coins for Goats'를 엽니다. 우리는 모금을 할 것이고, 그 돈은 아프리카에 있는 가족들이 염소를 사는 데 사용될 것입니다. 염소는 우유, 치즈, 그 밖에 다른 것들을 제공함으로써 그들을 지원해 줍니다. 이 행사는 4월 2일에 시작해서 2주 동안 열릴 것입니다. 참여하려면 학교 도서관에 있는 기부함에 동전을 넣으면 됩니다. 염소는 마리당 50달러이고 우리의 목표는 염소 40마리를 사기 위해 2,000달러를 모으는 것입니다. 함께 그것을 달성해 봅시다! 고맙습니다.

Welton's Coins for Goats에 관한 다음 내용을 듣고, 일치하지 <u>않는</u> 것을 고르시오.

① 학생회에서 개최하는 행사이다.
② 모금한 돈은 염소를 사는 데 사용될 것이다.
③ 3주 동안 열린다.
④ 참가자는 학교 도서관에 있는 기부함에 동전을 넣으면 된다.
⑤ 목표 모금액은 2,000달러이다.

---

08 답②

M: Emily, what are you doing?

W: I'm looking for a tumbler for our camping trip.

M: That's great. If we buy a tumbler, we don't have to use disposable cups. Let's choose one.
불필요: ~할 필요가 없다

W: What do you think for capacity? I think one liter is too much.
1리터는 너무 많다고 했으므로 ⑤ 제외

M: I agree. It's too big and too heavy. So, which material do you prefer, stainless steel or ceramic?

W: Ceramic looks fine, but it can break easily. For camping, stainless steel is better.
감각동사+주격 보어(형용사)
스테인리스가 더 좋다고 했으므로 ③ 제외

M: You're right. And we should get one with a good hand grip.
손잡이가 있는 것을 사야 한다고 했으므로 ① 제외

W: Okay. A hand grip will make it easier to hold. Then, we have two options left.
5형식 동사+목적어+목적격 보어(형용사)

M: Which one is cheaper? I don't want to pay more than $40.
40달러 이상 쓰고 싶지 않다고 했으므로 ④ 제외

W: Me, neither. Let's choose the cheaper one.

남: Emily, 뭐 하고 있어?
여: 캠핑 여행을 위한 텀블러를 찾고 있어.
남: 좋아. 텀블러를 사면 우리는 일회용 컵을 쓸 필요가 없어. 하나 고르자.
여: 용량은 어떤 걸 생각하니? 나는 1리터는 너무 많은 것 같아.
남: 나도 그래. 너무 크고 너무 무거워. 그럼, 스테인리스와 도자기 중, 어느 재질이 더 마음에 들어?
여: 도자기는 좋아 보이지만 쉽게 깨질 수 있어. 캠핑용으로는 스테인리스가 더 좋아.
남: 네 말이 맞아. 그리고 손잡이가 좋은 것으로 사야 해.
여: 그래. 손잡이는 그것을 잡기 더 수월하게 할 거야. 그럼, 우리가 선택할 수 있는 것이 두 개 있어.
남: 어느 것이 더 저렴해? 나는 40달러 이상은 쓰고 싶지 않아.
여: 나도 마찬가지야. 더 저렴한 것을 사자.

다음 표를 보면서 대화를 듣고, 두 사람이 구입할 텀블러를 고르시오.

Tumblers

	Model	Capacity (liters)	Materials	Hand Grip	Price
①	A	0.5	Stainless Steel	×	$28
②	B	0.5	Stainless Steel	○	$33
③	C	0.75	Ceramic	○	$38
④	D	0.75	Stainless Steel	○	$42
⑤	E	1	Ceramic	×	$45

---

09 답⑤

W: Hello, ABS radio listeners. I'm Catherine Barton, director of Lingston Circus. I'm so happy to tell you that we're hosting
to부정사 부사적 용법(감정의 원인)

여: 안녕하세요, ABS 라디오 청취자 여러분. 저는 Lingston Circus의 기획자

this year's Circus Experience Festival. It starts on November 20th and lasts for three days. We're offering a variety of

① 11월 20일에 시작해서 3일 동안 지속된다.　② 마술 묘기와 저글링을 포함한 체험 활동을 제공한다.

hands-on activities including magic tricks and juggling. And qualified instructors will teach you. To ensure your safety,

뒤에 오는 명사를 수식하는 과거분사　to부정사 부사적 용법(목적)

we'll limit the number of participants to 10 for each activity.

③ 각 활동의 참가자 수를 10명으로 제한한다.

You can also enjoy taking pictures with some circus clowns

④ 포토존에서 서커스 광대들과 사진을 찍을 수 있다.

in the photo zone. Additionally, we'll give you free postcards

⑤ 기념품으로 무료 엽서를 준다.

as a souvenir of this festival. Are you excited? Come to the Circus Experience Festival and have a great time. Thank you.

Circus Experience Festival에 관한 다음 내용을 듣고, 일치하지 <u>않는</u> 것을 고르시오.

① 11월 20일에 시작해서 3일 동안 지속된다.
② 마술과 저글링을 포함한 다양한 체험 활동을 제공할 것이다.
③ 각 활동의 참가자 수를 10명으로 제한할 것이다.
④ 포토존에서 서커스 광대들과 함께 사진을 찍을 수 있다.
⑤ 기념품으로 무료 티셔츠를 증정할 것이다.

Catherine Barton입니다. 저희가 올해의 Circus Experience Festival을 주최한다는 것을 알려 드리게 되어 무척 기쁩니다. 그것은 11월 20일에 시작해서 3일 동안 지속됩니다. 저희는 마술 묘기와 저글링을 포함한 직접 해 보는 다양한 활동을 제공합니다. 그리고 자격 있는 지도자가 여러분을 지도할 것입니다. 여러분의 안전을 보장하기 위해 각 활동의 참여 인원을 10명으로 제한할 것입니다. 여러분은 또한 포토존에서 서커스 광대들과 사진을 찍을 수 있습니다. 추가로, 이번 축제의 기념품으로 무료 엽서를 드립니다. 기대가 되시나요? Circus Experience Festival에 오셔서 즐거운 시간 보내세요. 고맙습니다.

어휘 director 감독, 기획자
host (행사를) 주최하다
last 계속되다, 지속되다
hands-on 직접 해 보는
qualified 자격이 있는　instructor 강사
ensure 보장하다　limit 제한하다
additionally 게다가　souvenir 기념품

10 답 ③

M: Honey, what are you doing?

W: I'm thinking about buying a wireless microphone set. My throat hurts a lot after giving so many lectures every week.

M: All right. Let me help you. [Typing sound] How long do you think the receiving distance has to be?

W: I'm not sure. I'll be using it in the classroom.

미래 진행형

M: Your classroom is not very small. I think 10 meters is not enough for the receiving distance.

10미터는 충분하지 않다고 했으므로 ① 제외

W: Okay. That's good advice.

셀 수 없는 명사

M: And do you want a headset?

W: I'd like to have one so I can use my hands freely during the lecture.

헤드셋을 가지고 싶다고 했으므로 ⑤ 제외

M: You're right. What color do you want?

W: It doesn't really matter. But I don't want silver.

은색을 원하지 않는다고 했으므로 ② 제외

M: I see. Now you have only two options left.

W: I'll buy the cheaper one. Thank you for your help.

더 싼 것을 산다고 했으므로 ④ 제외

남: 여보, 뭐 하고 있어요?
여: 무선 마이크 세트를 사려고요. 매주 강의를 너무 많이 하고 나면 목이 매우 아파요.
남: 그랬군요. 내가 도와줄게요. [타자 치는 소리] 수신 거리는 얼마나 되어야 한다고 생각해요?
여: 모르겠어요. 그것을 교실에서 사용할 거예요.
남: 교실이 그렇게 작지 않죠. 수신 거리로 10미터는 충분하지 않을 것 같아요.
여: 알겠어요. 좋은 조언이에요.
남: 그리고 헤드셋을 원해요?
여: 강의 중에 손을 자유롭게 쓸 수 있게 하나 가지고 싶어요.
남: 맞아요. 무슨 색을 원해요?
여: 크게 상관없어요. 하지만 은색은 원하지 않아요.
남: 알겠어요. 이제 선택할 수 있는 것이 두 개 남았어요.
여: 더 저렴한 것을 살게요. 도와줘서 고마워요.

다음 표를 보면서 대화를 듣고, 여자가 구입할 무선 마이크 세트를 고르시오.

Wireless Microphone Sets

	Product	Receiving Distance	Headset	Color	Price
①	A	10m	not included	White	$50
②	B	20m	included	Silver	$65
③	C	30m	included	Red	$80
④	D	40m	included	Gold	$90
⑤	E	50m	not included	Black	$100

[어휘] wireless 무선의

throat 목

lecture 강의

receiving distance 수신 거리

advice 조언

freely 자유롭게

matter 중요하다, 문제 되다

11 답 ④

W: Good evening, listeners. I'm Elizabeth, the hostess of the Organic Fair. This year, the fair will be held at Springfield Park. It'll last three days from October 11th to 13th. It aims to promote the eco-lifestyle to a wide range of consumers. Various organic products will be displayed such as organic food and natural cosmetics. You can get a discount if you buy products at the fair. Furthermore, there will be a class where you can learn how to make organic soap. The class will run from 9 a.m. to 11 a.m. each day. If you register online in advance, you can enter the fair for free and join all the activities. For more information, please visit our website at www.springfieldfair.com. I look forward to exploring eco-living with you at the fair.

미래 시제 수동태
① 행사가 3일간 계속된다.
to부정사 명사적 용법(목적어)　미래 시제 수동태
② 다양한 유기농 제품들이 전시될 것이다.
조건절을 이끄는 접속사 if
③ 박람회에서 제품을 사면 할인을 받을 수 있다.
관계부사　how+to-V: ~하는 법
④ 수업은 오전 중에 진행된다.
⑤ 온라인으로 미리 등록하면 무료로 입장할 수 있다.
look forward to -ing: ~하기를 기대하다

여: 안녕하세요. 청취자 여러분. 저는 Organic Fair의 진행자 Elizabeth입니다. 올해 박람회는 Springfield 공원에서 열립니다. 10월 11일부터 13일까지 3일 동안 계속됩니다. 다양한 범위의 소비자들에게 친환경적인 생활 방식을 홍보하는 것을 목표로 합니다. 유기농 식품과 천연 화장품 같은 다양한 유기농 제품들이 전시될 것입니다. 박람회에서 제품을 구입하면 할인을 받을 수 있습니다. 뿐만 아니라, 유기농 비누를 만드는 법을 배울 수 있는 강좌도 있습니다. 강좌는 매일 오전 9시부터 11시까지 운영합니다. 미리 온라인으로 등록하면 무료로 박람회에 입장할 수 있고 모든 활동에 참가할 수 있습니다. 더 많은 정보를 위해 저희 웹 사이트인 www.springfieldfair.com을 방문해 주세요. 박람회에서 여러분과 함께 친환경 생활을 탐구하기를 기대합니다.

Organic Fair에 관한 다음 내용을 듣고, 일치하지 <u>않는</u> 것을 고르시오.

① 3일 동안 열린다.
② 다양한 유기농 제품이 전시된다.
③ 현장에서 제품 구매 시 할인을 받을 수 있다.
④ 유기농 비누 만들기 수업은 오후에 진행된다.
⑤ 온라인 사전 등록 시 무료로 입장할 수 있다.

[어휘] organic 유기농의

aim 목표하다　promote 홍보하다

eco-lifestyle 친환경적인 생활 방식

cosmetics 화장품

furthermore 뿐만 아니라

in advance 미리　explore 탐구하다

12 답 ④

M: Hey, Tiffany. What are you doing?

W: I'm thinking of buying some wireless earbuds. Do you want

남: 안녕, Tiffany. 뭐 하고 있니?
여: 무선 이어폰을 사려고 생각 중이야. 이 다

to help me choose from these five options?

M: Sure. How much can you spend?

W: I don't want to spend more than 200 dollars.
<u>200달러 이상 쓰고 싶지 않다고 했으므로 ⑤ 제외</u>

M: These models are within your budget.

W: What do you think would be a good play time from a single
<u>간접의문문</u>
charge?
<u>재생 시간이 6시간 이상이어야 하므로 ① 제외</u>

M: Hmm... I think <u>it should be longer than six hours</u> so you
don't have to charge them very often.

W: That's a good point. I'll cross out this one. What is noise
canceling?

M: It reduces unwanted sound using active noise control.

W: Does that make a big difference?

M: It can really improve the sound quality of what you listen to.
<u>= the thing(s) which (that)</u>

W: I see. Then, I'll go with ones with noise canceling.
<u>잡음 제거 기능이 있는 것으로 한다고 했으므로 ② 제외</u>

M: Good choice. There are only two models left. Which color do
you prefer?
<u>흰색을 원하지 않는다고 했으므로 ③ 제외</u>

W: I don't want white ones because they'll get dirty too easily.
So, I'll buy this model.

다음 표를 보면서 대화를 듣고, 여자가 구입할 무선 이어폰을 고르시오.

Wireless Earbuds

	Model	Price	Play Time (from a single charge)	Noise Canceling	Color
①	A	$135	5 hours	×	Silver
②	B	$145	8 hours	×	Silver
③	C	$160	8 hours	○	White
④	D	$180	10 hours	○	Black
⑤	E	$205	10 hours	○	Black

섯 가지 선택 중에서 내가 고를 수 있게 도와줄래?

남: 물론이지. 너는 얼마를 쓸 수 있어?

여: 나는 200달러 이상을 쓰고 싶지 않아.

남: 이 모델들이 네 예산 안에 있어.

여: 한 번의 충전으로 적절한 재생 시간은 얼마나 된다고 생각해?

남: 음…… 그것들을 너무 자주 충전할 필요가 없도록 6시간 보다는 더 길어야 한다고 생각해.

여: 좋은 지적이야. 이것은 제외할게. 잡음 제거는 뭐야?

남: 능동적 소음 제어 장치로 듣고 싶지 않은 소리를 줄이는 거야.

여: 그게 큰 차이를 만들어?

남: 네가 듣는 것의 음질을 정말로 향상시킬 수 있어.

여: 그렇구나. 그럼 잡음 제거 기능이 있는 것으로 살래.

남: 좋은 선택이야. 선택할 수 있는 것이 두 개가 남아. 어느 색이 더 마음에 들어?

여: 흰색은 쉽게 더러워져서 원하지 않아. 그래서 나는 이 모델을 살게.

어휘 earbuds 이어폰
charge 충전; 충전하다
cross out 줄을 그어 지우다
noise canceling 잡음 제거
reduce 줄이다
unwanted 원하지 않는
sound quality 음질
get dirty 더러워지다

DAY 06

공부할 내용 **미리보기** pp. 56~57

출제유형 ⑪ ⓐ   출제유형 ⑫ ⓑ

출제유형 ⑪ 짧은 대화의 응답

M: Christine, did you solve this math problem?

남: Christine, 너는 이 수학 문제를 풀었니?

W: Yes, I got the answer after trying for an hour. How about you?
_{접속사+분사구문}

M: Not yet. It's too difficult for me. Can you help me?

W: ⓐ Sure. I'll show you how I solved the problem.

여: 응, 한 시간 동안 고민하다 답을 구했어. 너는 어때?

남: 아직. 나한테 너무 어려워. 나 좀 도와줄래?

여: ⓐ 물론이지. 내가 그 문제를 어떻게 풀었는지 알려 줄게.

[해설] 여자는 한 시간 동안 고민하다 답을 구했다고 했으므로 ⓑ I'd love to, but I didn't get the answer.(그러고 싶은데, 나는 답을 구하지 못했어.)로 답하는 것은 어색하다.

[어휘] solve 해결하다

출제유형 ⑫ 긴 대화의 응답

M: Hello, Diamond Sports Center. May I help you?

W: Hello. I'm a member of your sports center and I want to know if I can suspend my membership.
_{명사절을 이끄는 접속사 if: ~인지 아닌지}

M: Okay, would you tell me your name?

W: I'm Katie Walker.

M: You have an annual membership for swimming classes. You mean you can't come for a while?

W: That's right. I broke my arm yesterday.

M: Oh, I'm sorry. When do you think you can start taking
_{간접의문문}
lessons again?

W: I'll be able to start again after a month.

M: ⓑ Okay. We'll let you have a one-month break.

남: 여보세요, Diamond 스포츠 센터입니다. 도와드릴까요?

여: 여보세요. 저는 스포츠 센터 회원입니다. 회원 자격을 일시 정지할 수 있는지 알고 싶어서요.

남: 네, 성함을 알려 주시겠어요?

여: Katie Walker입니다.

남: 수영 수업 연간 회원이시군요. 잠시 동안 올 수 없으신 거죠?

여: 맞아요. 어제 팔이 부러졌어요.

남: 오, 유감이네요. 언제 수업을 다시 시작할 수 있으세요?

여: 한 달 뒤에 다시 시작할 수 있을 거예요.

남: ⓑ 알겠습니다. 한 달 휴지 기간으로 해 놓을게요.

[해설] 팔이 부러져서 한 달 뒤에 다시 수업을 받을 수 있다고 했으므로 ⓐ Sure. You can take the swimming lesson next week.(물론이죠. 당신은 다음 주에 수영 레슨을 받을 수 있어요.)로 답하는 것은 어색하다.

[어휘] suspend 일시 정지하다
annual 연간의
for a while 잠시 동안

출제유형 핵심 체크 11 짧은 대화의 응답
pp. 58~59

11 기출 예제 | ③	11-1 기출 유사 | ④	11-2 기출 유사 | ⑤	11-3 기출 유사 | ①

---

11 기출 예제 \| 답 ③

M: Lisa, are you okay from all the walking we did today?
_{목적격 관계대명사 that(which) 생략됨}

W: Actually, Dad, my feet are tired from all the sightseeing. Also, I'm thirsty because the weather is so hot out here.
_{딸은 아빠에게 날씨가 너무 더워서 목이 마르다고 말하고 있다.}

M: Oh, then let's go somewhere inside and get something to drink. Where should we go?
_{to부정사 형용사적 용법 (앞의 something 수식)}
_{아빠는 딸에게 마실 것을 사러 어디로 갈지 묻고 있다.}

W: ③ How about going to the cafe over there?

남: Lisa, 오늘 우리가 여기저기를 걸어 다녔는데 괜찮니?

여: 사실, 아빠, 여기저기 관광하느라 발이 피로해요. 또, 여기 바깥 날씨가 너무 더워서 목이 말라요.

남: 오, 그럼 어디 안에 들어가서 마실 것을 좀 사자. 어디로 갈까?

여: ③ 저기 카페로 가는 게 어때요?

대화를 듣고, 남자의 마지막 말에 대한 여자의 응답으로 가장 적절한 것을 고르시오.

① I don't feel like going out today.
② You must get to the airport quickly.
③ How about going to the cafe over there?
④ I didn't know you wanted to go sightseeing.
⑤ Why didn't you wear more comfortable shoes?

① 오늘은 밖에 나가고 싶지 않아요.
② 빨리 공항에 가야 해요.
④ 관광하러 가고 싶은지 몰랐어요.
⑤ 왜 더 편안한 신발을 신지 않았어요?

11-1 기출 유사 답 ④

목적격 관계대명사 that(which) 생략됨

W: Honey, where are the speakers we used when we went camping?
여자는 캠핑 갔을 때 사용한 스피커를 찾고 있다.

M: Oh, I just left them in my car.
스피커는 차에 있다.

W: Really? I need to use them tomorrow.
여자는 스피커가 내일 필요하다고 말하고 있다.

M: ④ Okay. I'll bring you the speakers now.

여: 여보, 우리가 캠핑을 갔을 때 사용한 스피커 어디에 있어요?
남: 오, 그것들을 차에 그냥 두고 왔어요.
여: 그래요? 내일 그것들을 사용해야 해요.
남: ④ 알겠어요. 지금 스피커를 가지고 올게요.

대화를 듣고, 여자의 마지막 말에 대한 남자의 응답으로 가장 적절한 것을 고르시오.

① No problem. Your car is repaired.
② Sorry. I can't go camping with you.
③ Of course. You can borrow my tent.
④ Okay. I'll bring you the speakers now.
⑤ Don't worry. I already turned them off.

① 문제없어요. 당신 차는 수리됐어요.
② 미안해요. 당신과 캠핑을 갈 수 없어요.
③ 물론이죠. 당신은 제 텐트를 빌려도 돼요.
⑤ 걱정 마세요. 이미 그것들을 껐어요.

11-2 기출 유사 답 ⑤

W: Did you hear that Golden Bookstore will hold a book signing event for Lora Johnson?
명사절을 이끄는 접속사 that

M: Oh, she is one of my favorite writers. I've read all of her novels. When is it?
남자가 좋아하는 작가의 사인회가 열린다.   현재완료(완료)

W: This Sunday afternoon. Do you want to come with me?
여자는 남자에게 사인회에 같이 가고 싶은지 묻고 있다.

M: ⑤ Yes. I can't believe I'm going to see her in person.

여: Golden 서점에서 Lora Johnson 책 사인회가 열린다는 소식 들었니?
남: 오, 그녀는 내가 가장 좋아하는 작가 중 한 명이야. 나는 그녀의 소설을 전부 다 읽었어. 그건 언제야?
여: 이번 주 일요일 오후야. 나랑 같이 갈래?
남: ⑤ 응. 그녀를 직접 만난다는 게 믿기지 않아.

대화를 듣고, 여자의 마지막 말에 대한 남자의 응답으로 가장 적절한 것을 고르시오.

① Really? I should have seen her.
② No way. I'm going to miss you a lot.
③ No. I didn't go to the bookstore that day.
④ I'm sorry. I'm not interested in her writing.
⑤ Yes. I can't believe I'm going to see her in person.

① 정말? 나는 그녀를 만나야 했는데.
② 말도 안 돼. 나는 네가 많이 그리울 거야.
③ 아니. 나는 그날 서점에 안 갔어.
④ 미안해. 나는 그녀의 글에 관심이 없어.

M: Jane, are you almost done setting up your drone?

W: Not yet. I'm having a hard time understanding the instructions.
여자는 설명서가 어려워서 드론 조립을 못하고 있다.

남자는 여자에게 조립 동영상을 보라고 조언해 주고 있다.
M: Watching some video clips might be helpful. I'm sure you'll find some showing you how to do it.
앞의 대명사를 수식하는 현재분사구

W: ① Good idea! I'll look for some videos online.

대화를 듣고, 남자의 마지막 말에 대한 여자의 응답으로 가장 적절한 것을 고르시오.

① Good idea! I'll look for some videos online.
② Great! Teach me how to make a video clip.
③ Wow! You're good at controlling the drone.
④ Okay. Let's go buy a new drone together.
⑤ Right. I should read the instructions.

남: Jane, 드론 조립을 거의 다 했니?

여: 아직. 설명서를 이해하기가 쉽지 않아.

남: 비디오 영상을 보는 게 도움이 될지도 몰라. 그것을 어떻게 하는지 보여 주는 것들을 찾을 수 있을 거야.

여: ① 좋은 생각이야! 온라인에서 동영상을 찾아 볼게.

··

[어휘] set up 조립하다
instruction 설명서
control 조종하다

② 잘됐다! 동영상 만드는 법을 나에게 알려 줘.
③ 와! 드론 조종을 잘하는구나.
④ 좋아. 함께 새 드론을 사러 가자.
⑤ 맞아. 나는 설명서를 읽어야만 해.

출제유형 핵심 체크 **12 긴 대화의 응답** pp. 60~61

12 기출 예제 | ②   **12-1** 기출 유사 | ⑤   **12-2** 기출 유사 | ④   **12-3** 기출 유사 | ②

---

12 기출 예제 | 답 ②

W: Hi. Can I get some help over here?

M: Sure. What can I help you with?

W: I'm thinking of buying this washing machine.
여자는 세탁기를 구입하기를 원한다.

M: Good choice. It's our best-selling model.

W: I really like its design and it has a lot of useful features. I'll take it.

M: Great. However, you'll have to wait for two weeks. We're out of this model right now.
여자가 원하는 세탁기 모델은 현재 품절이다.

W: Oh, no. I need it today. My washing machine broke down yesterday.

M: Then how about buying the one on display?
남자는 여자에게 진열된 제품을 사라고 권하고 있다.

W: Oh, I didn't know I could buy the displayed one.
뒤의 대명사를 수식하는 과거분사

M: Sure, you can. We can deliver and install it today.

W: That's just what I need, but it's not a new one.
= the thing(s) which (that)

M: Not to worry. It's never been used. Also, like with the new ones, you can get it repaired for free for up to three years.
현재완료 수동태
새것이 아니라서 머뭇거리는 여자에게 남자는 미사용 제품이고 3년 무상 수리를 받을 수 있다고 말하고 있다.

여: 안녕하세요. 여기 좀 도와주실 수 있나요?

남: 물론이죠. 무엇을 도와드릴까요?

여: 이 세탁기를 구매하려고 생각 중이에요.

남: 잘 선택하셨어요. 저희의 가장 많이 팔리는 모델입니다.

여: 이것의 디자인이 정말 마음에 들고 유용한 기능이 많네요. 이걸 살게요.

남: 좋습니다. 하지만 2주 동안 기다리셔야 할 거예요. 지금 이 모델은 품절이에요.

여: 저런. 저는 오늘 이것이 필요해요. 제 세탁기가 어제 고장 났거든요.

남: 그러면 진열된 제품을 구매하는 것은 어떠신가요?

여: 오, 진열된 것을 구매할 수 있는지 몰랐어요.

남: 물론 구매하실 수 있습니다. 저희가 이것을 오늘 배달해서 설치해 드릴 수 있어요.

여: 그게 바로 제게 필요한 바이지만, 새 제품이 아니네요.

남: 걱정하실 것 없습니다. 이건 사용된 적이 없어요. 또한, 새것과 마찬가지로 3년까지 무상 수리를 받으실 수 있습니다.

W: That's good.

M: We can also give you a 20% discount on it. It's a pretty good deal. 남자는 여자에게 20% 할인도 해 줄 수 있으니 괜찮은 거래라고 말하고 있다.

W: ② I agree. The displayed one may be the best option for me.

대화를 듣고, 남자의 마지막 말에 대한 여자의 응답으로 가장 적절한 것을 고르시오.

Woman: _____

① Sorry. I don't think I can wait until tomorrow for this one.
② I agree. The displayed one may be the best option for me.
③ Oh, no. It's too bad you don't sell the displayed model.
④ Good. Call me when my washing machine is repaired.
⑤ Exactly. I'm glad that you bought the displayed one.

여: 그것 좋네요.

남: 또한 저희가 20% 할인해 드릴 수 있어요. 꽤 괜찮은 거래입니다.

여: ② 동의해요. 진열된 것이 저에게 가장 나은 선택일 것 같네요.

[어휘] feature 기능   on display 진열된
install 설치하다   repair 수리하다

① 죄송해요. 내일까지 이것을 기다릴 수 없을 것 같아요.
③ 이런. 진열된 모델을 판매하지 않는다니 유감이네요.
④ 좋아요. 제 세탁기가 수리되면 전화해 주세요.
⑤ 맞아요. 당신이 진열된 것을 구매해서 기뻐요.

12-1 기출 유사   답 ⑤

W: Honey, look at this bill. Have you been using a movie streaming service? 현재완료 진행형

M: No. But a few months ago, I used a one-month free trial.

W: Look. A $15 membership fee has been charged for three months. 현재완료 수동태 / 두 사람이 알지 못하는 사이에 영화 스트리밍 서비스의 회비가 청구되었다.

M: Oh, no! There must be something wrong. 강한 추측: ~임이 틀림없다

W: Did you get any notice about that? -thing으로 끝나는 대명사는 형용사가 뒤에서 수식

M: Well, I did, but I didn't pay much attention to it when I signed up for it.

W: Let's check it now.

M: Wait. [Clicking sound] Hmm, it says the membership fee will be charged if I don't cancel it after the free trial. 무료 체험 후 취소하지 않으면 회비가 부과된다. 미래 시제 수동태

W: Well, one of my friends was in the same situation and she tried to get a refund but she couldn't. try+to-V: ~하려고 노력하다

M: Then, what should I do?

W: Hmm, the only thing you can do is to end the membership. to부정사 명사적 용법(보어)

M: ⑤ Okay. I'll call customer service to cancel the membership. 여자는 할 수 있는 유일한 것이 회원 탈퇴를 하는 것이라고 말하고 있다.

대화를 듣고, 여자의 마지막 말에 대한 남자의 응답으로 가장 적절한 것을 고르시오.

Man: _____

① Don't worry. I'll send you a notice by email.
② Great. Let me know how to use your services.

여: 여보, 이 청구서를 봐요. 영화 스트리밍 서비스를 이용하고 있어요?

남: 아뇨. 그런데 몇 달 전에 한 달 무료 체험을 이용했어요.

여: 보세요. 3개월 동안 15달러의 회비가 청구됐어요.

남: 오, 이런! 뭔가 잘못된 것이 틀림없어요.

여: 그것에 대한 안내를 받았어요?

남: 음, 네. 그런데 그것에 가입할 때 크게 관심을 갖지 않았어요.

여: 지금 확인해 봐요.

남: 잠깐만요. [클릭하는 소리] 흠, 무료 체험을 한 후에 그것을 취소하지 않으면 회비가 부과될 것이라고 되어 있네요.

여: 음, 내 친구 중 한 명도 같은 상황이었는데 환불을 받으려 했지만 그러지 못했어요.

남: 그럼, 나는 어떻게 하면 될까요?

여: 흠, 당신이 할 수 있는 유일한 것은 회원 탈퇴를 하는 것이에요.

남: ⑤ 알겠어요. 내가 고객 센터에 전화해서 회원 가입을 취소할게요.

[어휘] free trial 무료 체험
be charged 요금이 부과되다
cancel 취소하다   get a refund 환불받다

① 걱정 마세요. 이메일로 안내문을 보내 줄게요.
② 잘됐네요. 당신들의 서비스를 이용하는 법을 알려 주세요.

③ I don't agree. You can get a refund without a receipt.

④ Good. I'm looking forward to watching a movie tonight.

⑤ Okay. I'll call customer service to cancel the membership.

③ 동의하지 않아요. 당신은 영수증 없이 환불 받을 수 있어요.

④ 좋아요. 오늘 밤에 영화 보는 것이 기대돼요.

12-2 기출 유사 답 ④

W: Hi, Andrew. I heard that your tennis club is competing in the City Tennis Tournament.

M: Yes. We've been practicing a lot these days.

W: I'm sure you'll do well.

M: Thanks. But our school tennis court is going to be under construction starting next week, so we won't have a place to practice.

W: What about the community center? It has several tennis courts.

M: We already checked. But all the courts are fully booked.

W: That's too bad. Oh, wait! My sister told me her school tennis courts would be open to the public starting this Saturday.

M: Really? That's great news. Do I need a reservation?

W: Yes. I remember she said that reservations would start at 9 a.m. tomorrow.

M: ④ I hope I can reserve a court to continue practicing.

여: 안녕, Andrew. 너의 테니스 동아리가 City Tennis Tournament에 참가할 거라고 들었어.

남: 응. 우리는 요즘 연습을 많이 하고 있어.

여: 너는 잘할 거라고 생각해.

남: 고마워. 그런데 우리 학교 테니스 코트가 다음 주부터 공사를 시작해서 연습할 장소가 없을 거야.

여: 지역 문화 센터는 어때? 테니스 코트가 여러 개 있어.

남: 이미 확인해 봤어. 하지만 모든 코트가 예약이 꽉 찼어.

여: 안됐다. 아, 잠깐! 내 여동생이 자기 학교 테니스 코트가 이번 주 토요일부터 일반인들에게 개방된다고 했어.

남: 정말이야? 정말 좋은 소식이다. 예약이 필요할까?

여: 응. 예약이 내일 오전 9시에 시작된다고 그녀가 말한 게 기억 나.

남: ④ 내가 연습을 계속할 코트를 예약할 수 있길 바라.

대화를 듣고, 여자의 마지막 말에 대한 남자의 응답으로 가장 적절한 것을 고르시오.

Man: _____

① Your sister had difficulty booking them.

② I'm sure the construction will be done soon.

③ The community center will be available tomorrow.

④ I hope I can reserve a court to continue practicing.

⑤ I don't think they'll allow us to practice in the gym.

[어휘] compete (시합에) 참가하다 construction 공사 fully 완전히 the public 일반 사람들, 대중

① 네 여동생은 그것들을 예약하는 데 어려움이 있었어.

② 공사는 곧 끝날 거야.

③ 지역 문화 센터는 내일 이용 가능할 거야.

⑤ 그들은 우리가 체육관에서 연습하는 것을 허락하지 않을 것 같아.

12-3 기출 유사 답 ②

W: Hey, Minho. What are you doing?

M: Hi, Mrs. Sharon. I'm writing an application letter for college.

W: Can I take a look at it?

여: 안녕, 민호야. 뭐 하고 있어?

남: 안녕하세요, Sharon 선생님. 대학 지원서를 쓰고 있어요.

여: 내가 그것을 봐도 될까?

M: Of course. Please give me some advice after you're finished
　　 reading it. _{수여동사+간접목적어+직접목적어} _{남자는 여자에게 대학 지원서에 대한 조언을 부탁했다.} _{동명사를 목적어로 하는 동사}

W: Hmm... You only listed the activities you've done without
　　 being specific. _{목적격 관계대명사 that (which) 생략됨} _{남자는 지원서에 자신이 했던 활동들을 구체적인 내용 없이 열거했다.}

M: Yeah. Isn't it good to include as many activities as possible?
　　 _{가주어} _{진주어} _{as ~ as possible: 가능한 한 ~한(하게)}

W: No. If you do that, your application letter won't be
　　 memorable. _{조건절을 이끄는 접속사 if}

M: But I thought if I wrote down a lot of activities, I would
　　 stand out. _{가정법 과거: ~라면, …할 텐데}

W: It's actually the opposite. You should focus on a few things
　　 and write about them in detail. _{여자는 몇 가지 것들에 초점을 맞추고 구체적으로 써야 한다고 조언하고 있다.}

M: I never thought about that. Do you really think it'll work?
　　 _{남자는 여자의 조언이 정말 효과가 있을지 묻고 있다.}

W: ② Of course. The more specific, the better.

대화를 듣고, 남자의 마지막 말에 대한 여자의 응답으로 가장 적절한 것을 고르시오.

Woman: _____

① Sure. Write as many activities as possible.
② Of course. The more specific, the better.
③ Thanks. But I'll do it my way this time.
④ Great. You've finally made it to college.
⑤ That's right. First come, first served.

남: 물론이죠. 그것을 읽고 나서 저에게 조언을 좀 주세요.

여: 흠…… 구체적인 내용 없이 네가 한 활동만 열거했구나.

남: 네. 가능한 한 많은 활동을 포함하는 것이 좋지 않나요?

여: 아니야. 그렇게 하면 너의 지원서는 기억에 남지 않을 거야.

남: 하지만 저는 많은 활동을 기입하면 돋보일 거라고 생각했어요.

여: 사실 그 반대란다. 너는 몇 가지에 초점을 두고 그것들에 관해 구체적으로 써야 해.

남: 그것에 관해 생각해 보지 않았어요. 그것이 정말 효과가 있을까요?

여: ② 물론이지. 더 구체적일수록, 더 좋단다.

어휘 application letter 지원서
list 열거하다　specific 구체적인
stand out 빼어나다, 눈에 띄다
opposite 반대　in detail 상세하게
make it to ~에 이르다

① 물론이지. 가능한 한 많은 활동을 적으렴.
③ 고마워. 그런데 이번에는 내 방식대로 할게.
④ 잘했어. 네가 마침내 대학에 가는구나.
⑤ 맞아. 선착순이야.

DAY 06
기초력 집중드릴 _{pp. 62~65}

01 ①　**02** ①　**03** ⑤　**04** ③　**05** ②　**06** ①　**07** ③　**08** ①　**09** ①　**10** ②　**11** ③　**12** ②

---

01 답 ①

W: Jimmy, what are you looking for?

M: My cell phone. I forgot where I left it. _{간접의문문}

W: Why don't you look for it in your room first?
　　 _{남자가 휴대 전화를 잃어버려서 찾고 있는 상황이다.}

M: ① I already did, but I couldn't find it.
　　 _{여자는 방에서 먼저 찾아 볼 것을 제안하고 있다.}

여: Jimmy, 너는 뭘 찾고 있어?
남: 내 휴대 전화. 그것을 어디에 두었는지 잊어버렸어.
여: 먼저 네 방에서 그것을 찾아 보면 어때?
남: ① 이미 찾아 봤는데, 그것을 찾을 수 없었어.

대화를 듣고, 여자의 마지막 말에 대한 남자의 응답으로 가장 적절한 것을 고르시오.

① I already did, but I couldn't find it.
② Okay, I'll wait in the living room.
③ You need to fix the cell phone.
④ I called the Lost and Found.
⑤ Wi-Fi is not available here.

어휘 look for ~을 찾다
Lost and Found 분실물 보관소
available 이용 가능한

② 알았어, 나는 거실에서 기다릴게.
③ 너는 그 휴대 전화를 고쳐야 해.
④ 나는 분실물 보관소에 전화했어.
⑤ 와이파이는 여기서 이용할 수 없어.

02 답 ①

W: Hi, Thomas. Are you okay? You look worried.

M: Cindy, may I ask you a favor?

W: Sure! Just tell me what you need.
수여동사+간접목적어+직접목적어
M: As you know, I'm going on a family trip for three weeks.
현재 진행형(가까운 미래)
W: To Europe this Sunday, right?
접속사: ~하는 동안
M: Yes. Can you look after my plants while I'm away?
남자가 여행 가 있는 동안 여자에게 화분을 돌봐 달라고 부탁하는 상황이다.
W: I'd love to, but I don't know how to take care of them.
여자는 그러고 싶지만 화분을 돌보는 법을 모른다고 말하고 있다.
M: No worries. It's really easy. You just need to remember one
thing: Water them regularly.
남자는 물을 정기적으로 주면 된다고 말한다.
W: I can do that. Do I have to water them every day?
여자는 물을 매일 줘야 하는지 묻고 있다.
M: ① No. Just once a week.

여: 안녕, Thomas. 너 괜찮아? 걱정거리가 있어 보여.
남: Cindy, 부탁 좀 해도 될까?
여: 물론이지! 필요한 것이 무엇인지만 말해.
남: 너도 알다시피, 내가 3주 동안 가족 여행을 가잖아.
여: 이번 일요일에 유럽에 가는 거, 맞지?
남: 응. 내가 떠나 있는 동안에 내 화분들을 돌봐 줄 수 있어?
여: 그러고 싶은데, 나는 그것들을 어떻게 돌봐야 하는지 몰라.
남: 염려 마. 정말 쉬워. 한 가지만 기억하면 돼: 물을 정기적으로 준다.
여: 그건 할 수 있어. 물을 매일 줘야 해?
남: ① 아니, 일주일에 한 번만.

대화를 듣고, 여자의 마지막 말에 대한 남자의 응답으로 가장 적절한 것을 고르시오.

Man: _____

① No. Just once a week.
② Sure. Drink it every day.
③ Sorry. I'm afraid I can't.
④ Yes. Not far from here.
⑤ Exactly. You'll join the trip.

어휘 be away 떨어져 있다, 부재중이다
take care of ~을 돌보다
regularly 정기적으로

② 응. 그것을 매일 마셔.
③ 미안해. 유감이지만 나는 할 수 없어.
④ 응. 여기서 멀지 않아.
⑤ 맞아. 너는 여행에 함께 할 거야.

03 답 ⑤

M: Excuse me. I'd like to buy some flowers for my wife.
남자는 아내에게 줄 꽃을 사러 왔다.
W: Do you have any kind in mind?

M: Not really. What do you recommend?
여자에게 어떤 꽃을 사면 좋을지 추천해 달라고 하고 있다.
W: ⑤ White roses are nice at this time of year.

남: 실례합니다. 아내를 위한 꽃을 사고 싶어요.
여: 염두에 두고 계신 종류의 꽃이 있으세요?
남: 그렇지는 않아요. 어떤 것을 추천하시겠어요?
여: ⑤ 흰색 장미가 이맘때쯤 예뻐요.

대화를 듣고, 남자의 마지막 말에 대한 여자의 응답으로 가장 적절한 것을 고르시오.

① Visiting a sunflower festival would be nice.
② You can't send her a birthday card.
③ Your kindness is always repaid.
④ I'll wrap the flowers for free.
⑤ White roses are nice at this time of year.

04 답 ③

M: Ms. White, you look so busy tonight.
W: I am. I have to check my students' homework.
여자는 학생들의 숙제를 확인하고 있다.
M: Wow, I can't believe students made these.
명사절을 이끄는 접속사 that 생략됨
W: Yeah, I was surprised how creative they were when making
접속사 뒤에 「주어+동사」 생략
their videos.
M: By making videos, students could learn several aspects of
Korean culture and share them in a fun way.
동영상을 만들며 한국 문화를 배우고 공유하는 내용의 숙제이다.
W: You're right. That's why I assigned them this homework.
M: I see. Which is your favorite one?
W: I think this one is the best because it shows 'Ganggangsullae'
앞의 명사를 수식하는 과거분사구
performed by many students in harmony.
가정법 과거: ~라면, …할 텐데
M: It would be excellent if it were shared on the Internet.
남자가 숙제 중 하나를 인터넷에 공유하면 좋을 것 같다는 생각을 말하고 있다.
W: ③ Good idea. It will introduce Korean culture to the world.

남: White 씨, 오늘 밤에 정말 바빠 보이시네요.
여: 바빠요. 학생들 숙제를 확인해야 해요.
남: 와, 학생들이 이것들을 만들었다는 것을 믿을 수가 없어요.
여: 네, 동영상을 만들 때 그들이 얼마나 창의적인지에 놀랐어요.
남: 동영상을 만들면서, 학생들은 한국 문화의 여러 가지 측면을 배우고 재미있는 방식으로 그것들을 공유할 수 있었네요.
여: 맞아요. 그래서 제가 그들에게 이 숙제를 주었어요.
남: 그렇군요. 어느 것이 가장 마음에 드세요?
여: 저는 이것이 가장 좋은 것 같아요. 그것은 많은 학생들이 협조하여 공연된 강강술래를 보여 주거든요.
남: 이것이 인터넷에 공유되면 굉장할 텐데요.
여: ③ 좋은 생각이네요. 그것은 한국 문화를 세계에 소개할 거예요.

대화를 듣고, 남자의 마지막 말에 대한 여자의 응답으로 가장 적절한 것을 고르시오.

Woman: _____

① Sure. You should submit your homework on time.
② Right. Students should have proper Internet etiquette.
③ Good idea. It will introduce Korean culture to the world.
④ Thanks. I really appreciate your inviting us to Korea.
⑤ Okay. I'll go and buy some tickets for them.

05 답 ②

M: This restaurant looks great. Have you been here before?
현재완료(경험)
W: Yeah, it's one of my favorite restaurants. Let's see the menu.
여자가 좋아하는 식당에 두 사람이 방문한 상황이다.

남: 이 식당은 좋아 보인다. 전에 여기 와 본 적 있어?
여: 응, 내가 가장 좋아하는 식당 중 하나야. 메뉴를 보자.

M: Everything looks so good. Can you recommend anything?

W: ② Sure. The onion soup is great here.

남는 여자에게 메뉴를 추천해 줄 수 있는지 묻고 있다.

대화를 듣고, 남자의 마지막 말에 대한 여자의 응답으로 가장 적절한 것을 고르시오.

① No thanks. I'm already full.
② Sure. The onion soup is great here.
③ No idea. I've never been here before.
④ Yes. I recommend you be there on time.
⑤ I agree. Let's go to a Mexican restaurant.

남: 다 너무 맛있어 보여. 하나 추천해 줄래?

여: ② 물론이지. 여기 양파 수프가 훌륭해.

[어휘] favorite 매우 좋아하는 full 배부른
on time 제시간에

① 괜찮아. 나는 이미 배가 불러.
③ 모르겠어. 나는 전에 여기에 와 본 적이 없어.
④ 응. 나는 네가 그곳에 제시간에 갈 것을 권해.
⑤ 동의해. 멕시코 음식점으로 가자.

---

06 답 ①

W: Hey, Chris. What are you looking at on your cell phone?

M: I'm looking for an apartment to rent.
남는 임차할 아파트를 찾고 있다.   to부정사 형용사적 용법(앞의 apartment 수식)

W: Aren't you sharing an apartment with William?
남는 현재 William과 아파트를 함께 쓰고 있다.

M: Yeah, but I'm thinking about moving out.

W: Why? I thought you two get along well with each other.
명사절을 이끄는 접속사 that 생략됨

M: There have been a lot of problems between us. One thing
현재완료(계속)
especially bothers me.

W: Oh, what is it?

M: Actually, he never cleans up. The kitchen and the bathroom
are always messy.   William이 청소를 하지 않는 등 함께 사는 데 문제가 있는 상황이다.
현재완료(경험)

W: That's awful. Have you talked about this issue with him?
여자는 남자에게 William과 그 문제에 대해 이야기해 본 적 있는지 묻고 있다.

M: ① I have, but he didn't take it seriously.

대화를 듣고, 여자의 마지막 말에 대한 남자의 응답으로 가장 적절한 것을 고르시오.

Man: _____

① I have, but he didn't take it seriously.
② Don't worry. I have no problem with him.
③ Well, he always keeps the bathroom clean.
④ Sorry. I delayed moving out of the apartment.
⑤ Of course. I'll help you move into a new apartment.

여: 안녕, Chris. 휴대 전화에서 뭘 보고 있어?
남: 임차할 아파트를 찾고 있어.
여: William과 아파트를 함께 쓰고 있지 않니?
남: 응, 그런데 이사를 나갈까 해.
여: 왜? 나는 너희 둘이 서로 잘 지내고 있다고 생각했는데.
남: 우리 둘 사이에 많은 문제가 있어 왔어. 특히 한 가지가 나를 신경 쓰이게 해.
여: 오, 그게 뭔데?
남: 사실, 그는 청소를 절대 안 해. 부엌과 화장실이 항상 더러워.
여: 끔찍하다. 그 문제에 관해 그와 이야기해 봤어?
남: ① 해 봤는데, 그는 그것을 심각하게 받아들이지 않았어.

[어휘] rent 임차하다
get along well with ~와 잘 지내다
bother 신경 쓰이게 하다
messy 지저분한 awful 끔찍한

② 걱정 마. 나는 그와 아무 문제가 없어.
③ 음, 그는 항상 화장실을 깨끗하게 유지해.
④ 미안해. 나는 아파트에서 이사 나가는 것을 연기했어.
⑤ 물론이지. 새 아파트로 이사하는 것을 도울게.

---

07 답 ③

M: Mom, look! It's raining outside. But we don't have umbrellas.

남: 엄마, 보세요! 밖에 비가 와요. 그런데 우리는 우산이 없어요.

W: I think we need to buy one in this building.
= an umbrella
비가 오는데 우산이 없어 하나 사야 하는 상황이다.
M: Okay. Where can we buy one?
아들이 어디서 살 수 있는지 묻고 있다.
W: ③ We can buy one on the first floor.

대화를 듣고, 남자의 마지막 말에 대한 여자의 응답으로 가장 적절한 것을 고르시오.

① The building is too far from here.
② We don't need to bring umbrellas.
③ We can buy one on the first floor.
④ I don't know where your umbrella is.
⑤ You'd better check the weather forecast.

여: 이 건물에서 하나 사야겠구나.
남: 네. 어디에서 우산을 살 수 있죠?
여: ③ 우리는 1층에서 살 수 있어.

---

08 답 ①

M: Bonnie, what are you doing?
W: I'm checking my bank account. I'm running out of money again.
여자는 돈을 다 써 버려서 곤란한 상황이다.
M: Haven't you gotten paid for your part-time job yet?
현재완료(완료)
W: I have, but I already spent most of the money hanging out with my friends. At the end of month, I'll be broke.
spend money -ing: ~하는 데 돈을 쓰다
M: Then, how about setting a weekly budget?
남자가 여자에게 일주일 예산을 정해 보라고 제안하고 있다.
W: A weekly budget? What do you mean by that?
M: I usually set a budget for each week, and don't spend more than it allows. So I've cut down on everyday spending on chips and soda.
현재완료(결과)
W: Good for you. Can I save money if I make it a habit, too?
M: Of course, you can. If you consider your budget, you'll think twice before you spend money.
W: That makes sense. Keeping a weekly budget seems advantageous.
동명사구 주어(단수 취급)
M: Now that I keep a weekly budget, I spend money only where I need it. I bet it'll work for you, too.
접속사: ~이기 때문에(= since) / 관계부사
여자에게도 효과가 있을 거라고 말하고 있다.
W: ① Great. I should try to keep a weekly budget.

대화를 듣고, 남자의 마지막 말에 대한 여자의 응답으로 가장 적절한 것을 고르시오.
Woman: _____

① Great. I should try to keep a weekly budget.
② Good luck. I hope you can find a part-time job.
③ Come on. You can coach me on my eating habits.

남: Bonnie, 뭐 하고 있니?
여: 은행 계좌를 확인하고 있어. 또 돈을 다 써 버렸어.
남: 아르바이트 한 돈을 아직 받지 못했어?
여: 받았어. 그런데 친구들과 노는 데 그 돈의 대부분을 이미 다 써 버렸어. 이달 말에는 나는 빈털터리일거야.
남: 그럼 일주일 예산을 정해 보는 것은 어때?
여: 일주일 예산? 그게 무슨 의미야?
남: 나는 대개 주마다 예산을 세워서 그것이 허용하는 것보다는 더 많이 쓰지 않아. 그래서 나는 매일 과자와 탄산음료에 쓰던 비용을 줄였어.
여: 잘했다. 나도 그것을 습관으로 만들면 돈을 아낄 수 있을까?
남: 물론, 아낄 수 있지. 예산을 고려한다면 너는 돈을 쓰기 전에 두 번 생각할 거야.
여: 일리가 있네. 일주일 예산을 지키는 것은 이로운 것 같아.
남: 이제 나는 일주일 예산을 지키기 때문에 내가 필요한 곳에만 돈을 써. 그것이 네게도 효과가 있을 거야.
여: ① 좋아. 일주일 예산을 지키려고 노력해 봐야겠다.

④ No way. You can't spend so much money shopping.

⑤ I know. I need to spend more time with my friends.

④ 절대 안 돼. 너는 쇼핑에 그렇게 많은 돈을 쓸 수 없어.

⑤ 나도 알아. 나는 친구들과 더 많은 시간을 보내야 해.

09 답 ①

M: Mom, I have to borrow some books from the library today. 남자는 도서관에 가야 한다. But it's raining outside.

W: Don't worry. I'll give you a ride. Do you want to leave now? 여자가 차로 데려다줄 것이다.

M: Yes. But I need to look for my library card first. Could you 남자는 찾을 물건이 있다며 기다려 줄 수 있냐고 묻고 있다. wait for a second?

W: ① No problem. Just let me know when you're ready.

대화를 듣고, 남자의 마지막 말에 대한 여자의 응답으로 가장 적절한 것을 고르시오.

① No problem. Just let me know when you're ready.
② I'm afraid I can't. I lost my library card yesterday.
③ Sure. You can borrow my books anytime you want.
④ I'm sorry. The sunlight is too strong to go outside.
⑤ Of course. I'm going to walk to the library myself.

남: 엄마, 저는 오늘 도서관에서 책을 몇 권 빌려야 해요. 그런데 밖에 비가 와요.

여: 걱정 마. 데려다줄게. 지금 갈까?

남: 네. 그런데 제 도서관 카드를 먼저 찾아야 해요. 잠깐 기다려 주실래요?

여: ① 물론이지. 준비 되면 알려 주렴.

[어휘] borrow 빌리다
give a ride 태워 주다   sunlight 햇빛

② 유감이지만 안 되겠어. 나는 어제 도서관 카드를 분실했어.
③ 물론이지. 네가 원하면 언제든지 내 책을 빌릴 수 있어.
④ 미안해. 외출하기엔 햇빛이 너무 강해.
⑤ 물론이지. 도서관까지 혼자 걸어갈 거야.

10 답 ②

W: Andrew, did you choose a topic for the English essay?

M: I did. The teacher approved it last week.

W: That's great. Have you started writing it?

M: Not yet. I usually have a hard time making logical arguments have a hard time -ing: ~하는 데 어려움을 겪다 남자는 에세이를 위한 논리적 주장 for my essays. Do you have any suggestions? 만드는 것이 어렵다고 말하고 있다.

W: Well, I read a lot of newspaper articles. I especially like 여자는 신문 기사를 많이 읽을 것을 제안하고 있다. editorials.

M: Does that really help develop logical thinking? help +(to) V: ~하는 것을 돕다

W: Sure. If you read persuasive articles like editorials, you can see how the arguments are developed.

M: That makes sense to me. Maybe I should give it a try. 간접의문문

W: I can send you the website I usually use. It collects editorials 목적격 관계대명사 that(which) 생략됨 from various newspapers. 여자는 신문 사설을 모아 놓은 웹 사이트를 보내 준다고 말하고 있다.

M: ② Thank you. I'll start reading editorials on that site.

여: Andrew, 영어 에세이 주제 골랐니?

남: 골랐어. 선생님께서 지난주에 그것을 승인해 주셨어.

여: 잘됐구나. 그것을 쓰기 시작했어?

남: 아직 아니야. 나는 보통 에세이를 위한 논리적인 주장을 만드는 데 어려움을 겪어. 제안할 것이 있니?

여: 글쎄, 나는 신문 기사를 많이 읽어. 특히 사설을 좋아해.

남: 그것이 논리적 사고력을 기르는 데 정말 도움이 되니?

여: 물론이지. 사설처럼 설득력 있는 기사를 읽으면 주장이 어떻게 전개되는지 알 수 있어.

남: 일리가 있구나. 그것을 시도해 봐야겠어.

여: 내가 보통 이용하는 웹 사이트를 너에게 보내 줄 수 있어. 그것은 여러 신문사의 사설들을 모은 거야.

남: ② 고마워. 그 사이트에서 사설 읽는 것을 시작할게.

대화를 듣고, 여자의 마지막 말에 대한 남자의 응답으로 가장 적절한 것을 고르시오.

Man: _____

① Sure. I'll be careful not to forget the citations.
② Thank you. I'll start reading editorials on that site.
③ Summarizing articles isn't easy, but it works for me.
④ You're right. Nothing is better than writing by myself.
⑤ I agree. Not all information on the Web is trustworthy.

[어휘] approve 승인하다 logical 논리적인 argument 주장 suggestion 제안 editorial 사설 persuasive 설득력 있는 citation 인용문 summarize 요약하다 trustworthy 믿을 수 있는

① 물론이지. 그 인용문을 잊지 않도록 주의할게.
③ 기사를 요약하는 것은 쉽지 않지만 내게는 효과적이야.
④ 맞아. 혼자 작성하는 것이 제일 좋아.
⑤ 동의해. 인터넷에 있는 모든 정보가 믿을 수 있는 것은 아니야.

---

11 답 ③

W: Wow! Josh, this pasta is very delicious. I didn't know you cook.
남자가 요리한 파스타를 여자가 먹고 있는 상황이다.

M: Actually, this is the first time I've made pasta by myself.
목적격 관계대명사 that(which) 생략됨 현재완료(경험) by oneself: 혼자서

W: Really? Where did you learn how to cook it?
여자는 남자에게 요리를 어디에서 배웠는지 묻고 있다.

M: ③ My aunt recently taught me the recipe.

여: 왜! Josh, 이 파스타 정말 맛있어. 네가 요리를 하는지 몰랐어.
남: 사실, 혼자서 파스타를 만든 것이 이번이 처음이야.
여: 진짜? 그것을 요리하는 법을 어디서 배웠어?
남: ③ 이모가 최근에 요리법을 나에게 가르쳐 주셨어.

대화를 듣고, 여자의 마지막 말에 대한 남자의 응답으로 가장 적절한 것을 고르시오.

① I don't think Italian food is healthy.
② I believe what looks good tastes good.
③ My aunt recently taught me the recipe.
④ Remember that too many cooks spoil the soup.
⑤ You should have followed the recipe I gave you.

[어휘] cook 요리하다; 요리사 recipe 요리법 spoil 망치다

① 이탈리아 음식은 건강에 좋은 것 같지 않아.
② 보기에 좋은 것이 맛도 좋다고 생각해.
④ 사공이 많으면 배가 산으로 간다는 것을 기억해.
⑤ 너는 내가 준 요리법을 따라했어야 했어.

---

12 답 ②

M: Ashley, you got a letter from the business department at Corven University.

W: Oh, it might be my acceptance letter, Dad. I'm so nervous about it. Can you open it for me?
추측: 어쩌면 ~일지도 모른다

M: Okay. Let's see... [Pause] You got in, sweetie. Congratulations!

W: Really? Wow, I'm so happy!

M: I'm so proud of you. And you also got accepted to the
여자는 경영학과와 수학과에 모두 합격한 상황이다.

남: Ashley, Corven 대학 경영학과에서 편지가 왔어.
여: 오, 합격 통지서인가 봐요, 아빠. 너무 긴장이 되네요. 저 대신 열어 주실래요?
남: 그래. 어디 보자…… [잠시 후] 얘야, 너 합격했어. 축하한다!
여: 정말요? 와, 정말 기뻐요!
남: 네가 정말 자랑스럽구나. 그리고 다른 대학의 수학과에서도 입학 허가를 받았잖아.

mathematics department of the other university.

W: Yeah. I have to make a decision soon. But it's hard for me to choose between the two.

M: Hmm... What do you really want to study?

W: Actually, I love math. But business is one of the most popular majors.

M: I think you shouldn't choose a major based on what other people say.

W: Do you mean I have to consider my own interests?

M: Of course. You will be happy doing what you love to do.

W: ② I agree. I'd rather major in mathematics.

대화를 듣고, 남자의 마지막 말에 대한 여자의 응답으로 가장 적절한 것을 고르시오.

Woman: _____

① Not really. I should change my major.
② I agree. I'd rather major in mathematics.
③ Oh, no. Let me call them and check again.
④ I got it. Popularity of the major is important.
⑤ Terrific! I can be a successful business person.

여: 네. 곧 결정을 해야 해요. 그런데 두 개 사이에서 고르는 것이 쉽지 않아요.

남: 흠…… 너는 무엇을 정말 공부하고 싶니?

여: 사실, 저는 수학이 진짜 좋아요. 그런데 경영학도 가장 인기 있는 전공 중 하나예요.

남: 다른 사람이 말하는 것을 기반으로 전공을 선택해서는 안 된다고 생각해.

여: 제 관심사를 고려해야 한다는 거죠?

남: 물론이지. 네가 정말 하고 싶은 것을 하면 행복할 거야.

여: ② 동의해요. 전 수학을 전공하고 싶어요.

....

[어휘] acceptance letter 합격 통지서
nervous 긴장한   major 전공
would rather ~하고 싶다
popularity 인기   terrific 아주 멋진
successful 성공한

① 사실 그렇지 않아요. 저는 전공을 바꿔야 해요.
③ 오, 아뇨. 제가 그들에게 전화해서 다시 확인할게요.
④ 알겠어요. 전공의 인기는 중요해요.
⑤ 굉장해요! 저는 성공한 사업가가 될 수 있어요.

DAY 07

공부할 내용 **미리보기**   pp. 66~67

출제유형 ⑬ ⓐ   출제유형 ⑭ Q1. ⓑ Q2. ⓒ

출제유형 ⑬ 상황에 적절한 말

❶ Willy is a student who lives alone in a house near his university. Returning home after school, he finds that the room temperature of his house is very low.

❷ It feels quite chilly. He turns on the heating system, but it doesn't work. Willy calls a repairman and asks him to come and fix it.

❸ The repairman comes and fixes the problem. Willy says thanks to him and pays for the repair.

❹ After the repairman leaves, Willy finds that one of the

① Willy는 대학교 근처에 있는 집에서 혼자 사는 학생이다. 학교에서 집에 돌아와서 그는 집의 방 온도가 매우 낮은 것을 알게 된다.

② 매우 춥다. 그는 난방 장치를 켜지만 그것은 작동하지 않는다. Willy는 수리 기사에게 전화를 해서 그것을 고치러 와 달라고 요청한다.

③ 수리 기사가 와서 문제를 해결한다. Willy는 그에게 고맙다고 말하고 수리비를 지불한다.

④ 수리 기사가 떠나고 나서, Willy는 수리 기사

repairman's tools is on the floor. Willy calls the repairman
again to let him know about this.
사역동사+목적어+목적격 보어(원형 부정사)

의 연장 하나가 바닥에 있는 것을 발견한다.
Willy는 이것에 대해 알려 주려고 수리 기사
에게 다시 전화한다.

해설 난방 장치를 고치러 Willy의 집에 왔던 수리 기사가 연장 하나를 두고 가서 Willy가 그
에게 알려 주려고 하고 있다.
ⓐ 제 집에 연장 하나를 두고 가셨어요.　　ⓑ 난방기가 다시 작동을 멈췄어요.

어휘 temperature 온도　chilly 추운
repairman 수리 기사　tool 연장, 도구

출제유형 ⑭　긴 담화의 주제와 세부 내용

M: Hello, I'm Dr. Damon. As parents, we are all worried about
our children starting to wear glasses at younger ages. Today, I
　　　　　　앞의 명사를 수식하는 현재분사구
will tell you some foods that can help protect your children's
　　　　　　　　　　주격 관계대명사
eyes. First, carrots are rich in vitamin A, which keeps the eye
　　　　　　　　　　　　　　　　　　관계대명사 계속적 용법
surface healthy by preventing it from drying out. Cheese is
not only rich in vitamin A, but it also prevents eye fatigue
not only A but also B: A뿐만 아니라 B도
due to its high levels of iron. Lastly, blueberries are rich in
antioxidants, which improve night vision as well as maintain
　　　　　　　관계대명사 계속적 용법　　　　　　　　A as well as B: B뿐만 아니라 A도
general eye health. I hope you encourage your children to try
　　　　　　　　　　　　　　　　　5형식 동사+목적어+목적격 보어 (to부정사)
the foods I recommended today.
　　　　∧
목적격 관계대명사 that (which) 생략됨

남: 안녕하세요, 저는 Damon 박사입니다. 부
모로서 우리는 모두 우리 아이들이 더 어린
나이에 안경을 쓰기 시작하는 것에 대해 걱
정을 합니다. 오늘, 저는 아이들의 눈을 보
호하는 데 도움이 되는 몇몇 음식들을 알려
드리겠습니다. 먼저, 당근은 비타민 A가 풍
부한데, 그것은 눈이 건조해지는 것을 방지
함으로써 눈 표면을 건강하게 유지시켜 줍
니다. 치즈는 비타민 A가 풍부할 뿐만 아니
라 철분 함량이 높기 때문에 눈의 피로를
방지해 주기도 합니다. 마지막으로 블루베
리는 노화 방지제가 풍부한데, 그것들은 전
반적인 눈 건강을 유지시킬 뿐만 아니라 야
간 시력을 향상시키기도 합니다. 오늘 제가
추천한 음식들을 아이들이 먹도록 격려해
주시길 바랍니다.

해설 아이들의 눈을 건강하게 할 수 있는 음식들에 대해 이야기하고 있다. 아몬드는 예시로
언급되지 않았다.
Q1. ⓐ 아이의 성장을 위한 핵심 영양소　　ⓑ 아이의 눈 건강을 보호하기 위한 음식

어휘 rich 풍부한　surface 표면　fatigue
피로　iron 철분　antioxidant 노화 방지제
nutrient 영양소　growth 성장

출제유형 핵심 체크　13 상황에 적절한 말　pp. 68~69

| 13 기출 예제 | ① | 13-1 기출 유사 | ⑤ | 13-2 기출 유사 | ① | 13-3 기출 유사 | ⑤ |

13 기출 예제 | 답 ①

W: Ben and Stacy are neighbors. Ben has been growing
　　Ben과 Stacy는 이웃이다.　　　　　　　　　　현재완료 진행형
tomatoes in his backyard for several years. Ben shares
his tomatoes with Stacy every year because she loves his
Ben은 매년 Stacy와 그의 토마토를 나눠 먹는다.
fresh tomatoes. Today, Ben notices that his tomatoes will
　　　　　　　　　　　　　　　　　　명사절을 이끄는 접속사 that
be ready to be picked in about a week. However, he leaves
　　　to부정사의 수동태　　　　　　　　　　　　　　Ben은 내일 한 달간의 출장을 떠난다.
for a month-long business trip tomorrow. He's worried that
there'll be no fresh tomatoes left in his backyard by the time

여: Ben과 Stacy는 이웃이다. Ben은 몇 년 동
안 뒤뜰에서 토마토를 재배해 오고 있다.
Ben은 매년 자신의 토마토를 Stacy와 나
누어 먹는데, 이는 그녀가 그의 신선한 토
마토를 매우 좋아하기 때문이다. 오늘 Ben
은 자신의 토마토가 약 1주일 후에 딸 준
비가 되리라는 것을 알게 된다. 하지만 그
는 내일 한 달간의 출장을 떠난다. 그는 자
신이 돌아올 때쯤에는 자신의 뒤뜰에 남

he comes back. He'd like Stacy to have them while they are

5형식 동사＋목적어＋목적격 보어(to부정사)

fresh and ripe. So, Ben wants to tell Stacy that she can come

Ben은 Stacy가 언제든지 자신의 뒤뜰에서 토마토를 가져가도 된다고 말하고 싶어 한다.

and get the tomatoes from his backyard whenever she wants.

복합관계부사

In this situation, what would Ben most likely say to Stacy?

Ben: ① Feel free to take the tomatoes from my backyard.

다음 상황 설명을 듣고, Ben이 Stacy에게 할 말로 가장 적절한 것을 고르시오.

Ben: _____

① Feel free to take the tomatoes from my backyard.
② Tell me if you need help when planting tomatoes.
③ Do you want the ripe tomatoes I picked yesterday?
④ Why don't we grow tomatoes in some other places?
⑤ Let me take care of your tomatoes while you're away.

아 있는 신선한 토마토가 하나도 없을 것을 걱정한다. 그는 토마토가 신선하고 익었을 때 Stacy가 그것들을 먹기를 원한다. 그래서 Ben은 Stacy가 원할 때 언제든지 와서 자신의 뒤뜰에서 토마토를 가져가도 된다고 말하고 싶어 한다. 이러한 상황에서, Ben은 Stacy에게 뭐라고 말할까?

Ben: ① 마음 놓고 제 뒤뜰에서 토마토를 가져가셔도 됩니다.

어휘 neighbor 이웃 backyard 뒤뜰
ripe 익은 plant (식물을) 심다

② 토마토 심을 때 도움이 필요하면 제게 말씀하세요.
③ 제가 어제 딴 익은 토마토를 원하세요?
④ 다른 곳에서 토마토를 재배하는 게 어때요?
⑤ 안 계시는 동안 제가 댁의 토마토를 돌봐 드릴게요.

13-1 기출 유사 답 ⑤

M: Cathy and Brian are members of the same orchestra. They are practicing together for the upcoming concert. Lately, Brian doesn't look so good and seems to be unable to

seem＋to-V: ~인 것 같다

concentrate during practice. When Cathy asks why, he tells

because of＋명사(구)

her that it's because of his back pain. He sits for long periods

Brian은 요통으로 힘들어 하고 있다.

of time preparing for the concert, so his back hurts. Cathy understands his pain because she had the same problem

Cathy도 작년에 같은 문제가 있었다.

last year. However, after she started yoga, her back pain

요가를 시작한 후 그녀의 요통은 사라졌다.

disappeared. She wants to suggest to Brian that he start yoga.

Cathy는 Brian에게 요가를 시작하라고 제안하고 싶어 한다.

In this situation, what would Cathy most likely say to Brian?

Cathy: ⑤ Why don't you try yoga for your back pain?

다음 상황 설명을 듣고, Cathy가 Brian에게 할 말로 가장 적절한 것을 고르시오.

Cathy: _____

① Let me show you how to play better.
② You should practice more after school.
③ Will you come to the concert with me?
④ You need to follow the doctor's instructions.
⑤ Why don't you try yoga for your back pain?

남: Cathy와 Brian은 같은 관현악단의 단원이다. 그들은 다가오는 공연을 위해 함께 연습한다. 최근에, Brian은 안색이 좋아 보이지 않고 연습하는 동안 집중하지 못하는 것 같다. Cathy가 왜 그런지 물었을 때, 그는 그녀에게 요통 때문이라고 말한다. 그는 공연 준비를 하면서 오랜 시간 동안 앉아 있어서 그의 허리가 아프다. Cathy는 그녀도 작년에 같은 문제가 있었기 때문에 그의 통증을 이해한다. 그러나 그녀가 요가를 시작한 후에 그녀의 요통은 사라졌다. 그녀는 Brian에게 요가를 시작하라고 제안하고 싶어 한다. 이러한 상황에서, Cathy는 Brian에게 뭐라고 말할까?

Cathy: ⑤ 요통을 고치기 위해 요가를 해 보면 어때?

어휘 concentrate 집중하다
disappear 사라지다 instruction 지시

① 더 잘 연주하는 법을 너에게 보여 줄게.
② 너는 방과 후에 더 연습해야 해.
③ 나와 함께 공연에 갈래?
④ 너는 의사의 지시에 따라야 해.

W: Olivia likes to shop online. She ordered a pair of blue pants
(Olivia는 파란색 바지를 주문했다.)
from a famous online shopping mall a few days ago. When
they are delivered, she finds out that the pants are not blue,
(배달된 바지는 검은색이다.)
but black. So she calls the customer service center. When
(not A but B: A가 아니라 B)
she explains her situation, the employee who answers her
(주격 관계대명사)
call apologizes for their mistake and tells her that the blue
pants are sold out. So, Olivia wants to return the black pants
(파란색 바지는 품절이다.) (Olivia는 검은색 바지를 반납하고 돈을 돌려받기를 원한다.)
and get her money back. In this situation, what would Olivia
most likely say to the customer service employee?

Olivia: ① I'd like to send the pants back and get a refund.

다음 상황 설명을 듣고, Olivia가 온라인 쇼핑몰 고객 센터 직원에게 할 말로 가장
적절한 것을 고르시오.

Olivia: _____

① I'd like to send the pants back and get a refund.
② Could you deliver the pants by tomorrow?
③ Let me know when you have blue pants.
④ Can I exchange them for blue pants?
⑤ I want to check the delivery status.

여: Olivia는 온라인으로 쇼핑하는 것을 좋아한
다. 그녀는 며칠 전에 유명한 온라인 쇼핑
몰에서 파란색 바지 한 벌을 주문했다. 바
지가 배달되었을 때 그녀는 바지가 파란색
이 아니라 검은색인 것을 발견한다. 그래
서 그녀는 고객 센터에 전화를 한다. 그녀
가 상황을 설명하자, 그녀의 전화를 받은
직원은 그들의 실수에 대해 사과를 하고
파란색 바지는 품절됐다고 말한다. 그래서
Olivia는 검은색 바지를 반납하고 돈을 돌
려받기를 원한다. 이러한 상황에서, Olivia
는 고객 센터 직원에게 뭐라고 말할까?

Olivia: ① 저는 바지를 돌려보내고 환불받고
싶어요.

어휘 deliver 배달하다 employee 직원
apologize 사과하다 exchange 교환하다
delivery status 배송 상태

② 바지를 내일까지 배달해 주시겠어요?
③ 파란색 바지가 들어오면 알려 주세요.
④ 그것을 파란색 바지로 교환할 수 있나요?
⑤ 배송 상태를 확인하고 싶어요.

M: Billy entered high school this year. In Billy's school, letters
to parents are given to the students. The letters include a lot
(학부모에게 보내는 편지가 학생들에게 주어진다.)
of information about school events such as parent-teacher
(셀 수 없는 명사)
meetings. Students have to deliver them to their parents,
(forget+to-V: ~하는 것을 잊다) (= the letters)
but Billy often forgets to bring them to his mother. Billy's
(Billy는 종종 엄마에게 편지를 전하는 것을 잊어버린다.)
mother is worried that she may not get important information
about school events. She even missed some of them because
(= school events)
she didn't get the letters. So she wants to tell Billy that he
must give them to her. In this situation, what would Billy's
(Billy의 엄마는 Billy가 자신에게 편지들을 줘야 한다고 말하고 싶다.)
(= the letters)
mother most likely say to Billy?

Billy's mother: ⑤ Don't forget to bring me the letters.

남: Billy는 올해 고등학교에 입학했다. Billy의
학교에서는 학부모에게 보내는 편지가 학
생들에게 주어진다. 그 편지는 학부모 면담
과 같은 학교 행사에 관한 많은 정보가 담
겨 있다. 학생들은 그것들을 부모님께 전달
해야 하지만 Billy는 종종 엄마에게 그것들
을 드리는 것을 잊는다. Billy의 엄마는 그
녀가 학교 행사에 관한 중요한 정보를 받
지 못할지도 모른다고 걱정한다. 그녀는 심
지어 편지를 받지 못해서 그것들 중 몇 개
를 놓쳤다. 그래서 그녀는 Billy에게 그가
그것들을 자신에게 줘야 한다고 말하고 싶
다. 이러한 상황에서, Billy의 엄마는 Billy에
게 뭐라고 말할까?

Billy의 엄마: ⑤ 나에게 (학교에서 보내는) 편
지를 가져오는 것을 잊지 마라.

다음 상황 설명을 듣고, Billy의 어머니가 Billy에게 할 말로 가장 적절한 것을 고르시오.

Billy's mother: _____

① Make sure to answer the letters.
② Try to participate in school events often.
③ I'm sure you can make some good friends.
④ You need to prepare for the meeting.
⑤ Don't forget to bring me the letters.

어휘 include 포함하다
information 정보
miss 놓치다
participate in ~에 참가하다

① 편지에 꼭 답장을 해라.
② 학교 행사에 자주 참가하려고 노력해라.
③ 네가 좋은 친구를 사귈 수 있다고 확신해.
④ 너는 회의 준비를 해야 해.

출제유형 핵심 체크 14 긴 담화의 주제와 세부 내용

pp. 70~71

14 기출 예제 | Q1. ⑤ Q2. ⑤   **14-1** 기출 유사 | Q1. ① Q2. ②   **14-2** 기출 유사 | Q1. ② Q2. ④

14 기출 예제 | 답 Q1. ⑤ Q2. ⑤

M: Hello, students. Last time, I gave you a list of English expressions containing color terms. Today, we'll learn how these expressions got their meanings. The first expression is "out of the blue," meaning something happens unexpectedly. It came from the phrase "a lightning bolt out of the blue," which expresses the idea that it's unlikely to see lightning when there's a clear blue sky. The next expression, "white lie," means a harmless lie to protect someone from a harsh truth. This is because the color white traditionally symbolizes innocence. Another expression, "green thumb," refers to a great ability to cultivate plants. Planting pots were often covered with tiny green plants, so those who worked in gardens had green-stained hands. The last expression, "to see red," means to suddenly get very angry. Its origin possibly comes from the belief that bulls get angry and attack when a bullfighter waves a red cape. I hope this lesson helps you remember these phrases better.

남: 안녕하세요, 학생 여러분. 지난번에는 제가 여러분에게 색채어가 포함된 영어 표현 목록을 주었습니다. 오늘은 이 표현들이 어떻게 그 의미를 갖게 되었는지 배우도록 하겠습니다. 첫 번째 표현은 어떤 일이 예기치 않게 발생한다는 의미의 'out of the blue'입니다. 그것은 'a lightning bolt out of the blue'라는 구절에서 유래했는데, 그것은 하늘이 청명하고 푸를 때는 번개를 볼 가능성이 없다는 생각을 표현합니다. 그 다음 표현인 'white lie'는 가혹한 진실로부터 누군가를 보호하려는 악의 없는 거짓말을 의미합니다. 이는 흰색이 전통적으로 결백을 상징하기 때문입니다. 또 다른 표현인 'green thumb'은 식물을 재배하는 뛰어난 능력을 가리킵니다. 화분은 흔히 작은 녹색 식물들로 뒤덮여 있어서, 정원에서 일하는 사람들은 양손에 녹색 얼룩이 져 있었습니다. 마지막 표현인 'to see red'는 갑자기 크게 화를 낸다는 의미입니다. 그것의 기원은 아마도 투우사가 붉은 망토를 흔들면 황소가 화가 나서 공격한다는 믿음에서 유래한 것 같습니다. 저는 이 수업이 여러분이 이 구절들을 더 잘 기억하는 데 도움이 되면 좋겠습니다.

다음을 듣고, 물음에 답하시오.

Q1. 남자가 하는 말의 주제로 가장 적절한 것은?

① color change in nature throughout seasons
② various colors used in traditional English customs
③ differences in color perceptions according to culture
④ why expressions related to colors are common in English
⑤ how color-related English expressions gained their meanings

Q2. 언급된 색깔이 <u>아닌</u> 것은?

① blue　　　　　② white　　　　　③ green
④ red　　　　　⑤ yellow

어휘 unexpectedly 뜻밖에　lightning bolt 번갯불　harmless 무해한　harsh 가혹한　symbolize 상징하다　innocence 결백, 무죄　refer to ~을 나타내다 cultivate 재배하다　green-stained 녹색으로 얼룩진　belief 믿음　bull 황소 bullfighter 투우사　cape 망토 perception 지각, 자각

Q1. ① 계절 내내 있는 자연의 색채 변화
② 영국의 전통 풍습에 쓰이는 다양한 색깔
③ 문화에 따른 색채 지각의 차이
④ 왜 색깔과 관련된 표현이 영어에 흔한가
⑤ 어떻게 색깔 관련 영어 표현이 그 의미를 갖게 되었나

14-1 기출 유사　답 Q1. ①　Q2. ②

W: Hello, class! Last time we learned about LED technology. I hope all of you have a clear idea of what an LED is now. Today, I'll talk about how LEDs make our lives better. First, one of the advantages of LEDs is the long lifespan. LED bulbs are used in lamps and last for over 17 years before you need to change them. Second, LEDs use very low amounts of power. For example, a television using LEDs in its backlight saves a lot of energy. Next, LEDs are brighter than traditional bulbs. So, they make traffic lights more visible in foggy conditions. Finally, thanks to their small size, LEDs can be used in various small devices. Any light you see on a computer keyboard is an LED light. Now, let's think about other products that use LEDs.

여: 안녕하세요, 반 친구들! 지난 시간에 우리는 LED 기술에 관해 배웠습니다. 저는 여러분 모두 이제 LED가 무엇인지 명확한 생각을 가지고 있기를 바랍니다. 오늘, 저는 LED가 우리 삶을 어떻게 더 낫게 만드는지에 관해 말하겠습니다. 먼저, LED의 이점 중 하나는 긴 수명입니다. LED 전구는 램프로 사용되고 그것들을 교체하기 전에 17년 이상 지속됩니다. 두 번째로, LED는 매우 낮은 전력을 사용합니다. 예를 들어, 배면광으로 LED를 사용하는 텔레비전은 많은 에너지를 절약합니다. 다음으로 LED는 기존의 전구보다 더 밝습니다. 그래서 그것들은 안개가 낀 상황에서도 교통 신호등을 더 잘 보이게 합니다. 마지막으로, 그것들의 작은 크기 덕분에 LED는 다양한 작은 기기에도 사용될 수 있습니다. 컴퓨터 키보드에서 보는 빛은 LED 빛입니다. 이제 LED를 사용하는 다른 제품에 관해 생각해 봅시다.

어휘 technology 기술　advantage 이점　lifespan 수명　bulb 전구 backlight 배면광　visible 잘 보이는 foggy 안개가 낀　thanks to ~ 덕분에 device 기기　benefit 이점

다음을 듣고, 물음에 답하시오.

Q1. 여자가 하는 말의 주제로 가장 적절한 것은?

① benefits of using LEDs
② how the LED was invented
③ misunderstandings about LEDs

④ competition in the LED market
⑤ ways to advance LED technology

Q2. 언급된 물건이 <u>아닌</u> 것은?

① lamps   ② clocks   ③ a television
④ traffic lights   ⑤ a computer keyboard

misunderstanding 오해   advance
나아가다; (지식·기술 등이) 진전을 보다

Q1. ① LED 사용의 이점
② LED가 어떻게 발명되었는가
③ LED에 관한 오해
④ LED 시장의 경쟁
⑤ LED 기술을 진전시키기 위한 방법

14-2 기출 유사   답 Q1. ②   Q2. ④

M: Good morning, listeners. This is Dr. Cooper of Daily HealthLine Radio. These days, you can see many people around you who suffer from back pain. Any incorrect positioning of your body or lifting of heavy objects may cause it. So, today, I'll share some useful types of exercise to help reduce your own back pain. First, biking can decrease back pain by building your core muscles. Second, swimming is good because you can do it without much stress on your back muscles. Also, yoga is a helpful way to stretch safely and strengthen your back as well. Finally, walking is the easiest exercise to keep your spine in a natural position to avoid back pain. I hope this will be helpful information for you and allow you to be fit again.

남: 안녕하세요, 청취자 여러분. 저는 Daily HealthLine 라디오의 Cooper 박사입니다. 요즘 여러분은 요통으로 고통받는 많은 사람들을 주위에서 볼 수 있습니다. 신체의 잘못된 자세나 무거운 물건을 드는 것이 그것을 야기할 수 있습니다. 그래서 오늘 저는 여러분의 요통을 감소시키는 데 도움을 주는 몇 가지 유용한 운동 형태를 공유하려고 합니다. 먼저, 자전거 타기는 중심 근육을 키움으로써 요통을 감소시킬 수 있습니다. 두 번째로, 수영은 허리 근육에 스트레스를 많이 주지 않으면서 할 수 있기 때문에 좋습니다. 또한 요가도 안전하게 스트레칭을 하면서 허리 또한 강화하는 데 도움이 되는 방법입니다. 마지막으로, 걷기는 요통을 피하는 자연스러운 자세로 척추를 유지시켜주는 가장 쉬운 운동입니다. 저는 이것이 여러분에게 도움이 되는 정보가 되고 여러분을 다시 건강하게 하기를 바랍니다.

[어휘] incorrect 부정확한   object 물건
cause 야기하다   decrease 감소시키다
core muscle 중심 근육
strengthen 강화시키다   spine 척추
avoid 피하다   effective 효과적인
flexible 유연한   posture 자세
common 흔한   symptom 증상

다음을 듣고, 물음에 답하시오.

Q1. 남자가 하는 말의 주제로 가장 적절한 것은?

① various aerobic workouts for losing weight
② effective exercises for reducing back pain
③ activities to make your body flexible
④ importance of having correct posture
⑤ common symptoms of muscle pain

Q2. 언급된 운동이 <u>아닌</u> 것은?

① biking   ② swimming   ③ yoga
④ climbing   ⑤ walking

Q1. ① 체중 감량을 위한 다양한 에어로빅 체조
② 요통을 줄이는 효과적인 운동
③ 몸을 유연하게 만드는 활동
④ 바른 자세를 갖는 것의 중요성
⑤ 근육통의 일반적인 증상

01 ①	02 ⑤	03 ④	04 ③	05 ③	06 ③	07 ③	08 ①	09 ③	10 ①	11 ①	12 ⑤
13 ⑤	14 ①	15 ③	16 ④	17 ①	18 ③						

01 답 ①

M: Ted and Linda are classmates. Linda has some trouble with her friends because she often forgets her appointments with them. In contrast, Ted is always on time and the other classmates think he's very responsible and reliable. Today, Linda even forgets to submit an important paper. She knows what she has to do, but it's not easy for her to remember everything. Disappointed in herself, she asks Ted for some help on how she can overcome her habit of forgetting. He thinks using a calendar app could help break her bad habit. So Ted wants to advise Linda to try using a calendar app to remind her of important things. In this situation, what would Ted most likely say to Linda?

Ted: ① Why don't you use a calendar app as a reminder?

다음 상황 설명을 듣고, Ted가 Linda에게 할 말로 가장 적절한 것을 고르시오.

Ted: _____

① Why don't you use a calendar app as a reminder?
② I recommend you ask your friends for some help.
③ Do you prefer a wall calendar or a desk calendar?
④ I wonder why you didn't submit your paper on time.
⑤ Could you tell me how you overcame your bad habit?

남: Ted와 Linda는 급우이다. Linda는 친구들과 한 약속을 자주 잊어서 친구들과 문제가 좀 있다. 그에 반해, Ted는 항상 시간을 잘 지키고, 다른 급우들은 그가 매우 책임감 있고 믿을 만하다고 생각한다. 오늘 Linda는 중요한 과제를 제출하는 것조차 잊었다. 그녀는 해야 할 일이 무엇인지 알지만, 모든 것을 기억하는 것이 그녀에게는 쉽지 않다. 자신에게 실망하여, 그녀는 Ted에게 그녀가 어떻게 깜빡하는 습관을 극복할 수 있을지에 대한 도움을 요청한다. 그는 달력 앱을 사용하는 것이 그녀의 나쁜 습관을 고치는 데 도움이 될 수 있다고 생각한다. 그래서 Ted는 Linda에게 중요한 것들을 그녀에게 상기시켜 줄 달력 앱을 사용하는 것을 시도해 보라고 조언하기를 원한다. 이러한 상황에서, Ted는 Linda에게 뭐라고 말할까?

Ted: ① 상기시키는 것으로 달력 앱을 사용하는 것은 어때?

어휘 in contrast 그에 반해
responsible 책임감 있는
reliable 믿을 만한   overcome 극복하다
remind A of B A에게 B를 상기시키다

② 친구들에게 도움을 요청하는 것을 추천해.
③ 벽걸이 달력과 책상 달력 중 뭘 선호하니?
④ 왜 과제를 제때에 제출하지 않았는지 궁금해.
⑤ 나쁜 습관을 어떻게 극복했는지 말해 줄래?

02~03 답 02 ⑤ 03 ④

W: Good morning, class. What did you have for breakfast? I guess some of you had your favorite cereal with milk. Have you ever wondered where milk comes from? Most people

여: 안녕하세요, 반 친구들. 아침으로 무엇을 먹었나요? 여러분 중 몇몇은 가장 좋아하는 시리얼을 우유와 함께 먹었을 거예요. 여러분은 우유가 어디에서 오는지 궁금해

would say it's from cows, and they're right. Around ninety percent of milk in Canada and the U.S. comes from cows. But cows are not the only source of milk. People around the world get milk from different animals. Water buffalos are the main source of milk in India. They produce half the milk consumed in the country. Some people in the northern part of Finland drink reindeer milk because they are the only dairy animals that can survive such a cold environment. People in Romania get milk from sheep and use it to make cheese. It has twice the fat content of cow milk. Now let's watch a video about these animals.

한 적이 있나요? 대부분의 사람들은 젖소에서 온다고 말할 것이고, 그들이 맞아요. 캐나다와 미국에서 우유의 약 90%는 젖소에서 와요. 하지만 젖소가 유일한 우유의 공급원은 아닙니다. 전 세계의 사람들은 다양한 동물들로부터 우유를 얻습니다. 인도에서는 물소가 우유의 주 공급원입니다. 그들은 그 나라에서 소비되는 우유의 절반을 생산합니다. 핀란드 북부의 어떤 사람들은 순록이 그렇게 추운 환경에서 생존할 수 있는 유일한 착유 동물이기 때문에 순록 우유를 마십니다. 루마니아 사람들은 양에서 우유를 얻고 그것을 치즈를 만드는 데 사용합니다. 그것의 지방 함량은 젖소 우유의 지방 함량의 두 배입니다. 이제 이 동물들에 관한 영상을 봅시다.

다음을 듣고, 물음에 답하시오.

02. 여자가 하는 말의 주제로 가장 적절한 것은?

① major exporting countries of dairy products
② health benefits of drinking milk regularly
③ unique food cultures around the world
④ suitable environments for dairy animals
⑤ various milk sources in different countries

03. 언급된 나라가 아닌 것은?

① Canada ② India ③ Finland ④ Norway ⑤ Romania

[어휘] wonder 궁금해하다 source 공급원 main 주요한 consume 소비하다 reindeer 순록 dairy animal 착유 동물(搾乳 動物) survive 생존하다 content 함량 export 수출하다 suitable 적합한

02. ① 주요 유제품 수출 국가
② 규칙적으로 우유를 마시는 것의 건강상 이점
③ 세계의 독특한 음식 문화
④ 착유 동물에 적합한 환경
⑤ 여러 나라의 다양한 우유 공급원

---

04 답 ③

M: Jina is a high school student. Her school is hosting a Market Day to raise money for the homeless in the neighborhood. Jina's teacher says that students who want to take part in the event should bring their own items to school. Jina wants to participate in the school market, so as soon as she gets home, she starts looking for items she can sell at the school Market Day. Finally, she finds her mother's old flower pot in the basement. Now, she wants to ask her mother for permission to take the flower pot to school. In this situation, what would Jina most likely say to her mother?

Jina: ③ Can I take this flower pot for a school event?

남: Jina는 고등학교 학생이다. 그녀의 학교는 동네의 노숙자들을 위한 돈을 모으기 위해 Market Day(장날)를 주최한다. Jina의 선생님께서는 행사에 참여하기를 원하는 학생들은 자신들의 물품을 학교에 가져오라고 말한다. Jina는 학교 시장에 참여하기를 원해서 집에 가자마자 그녀가 학교 장날에 팔 수 있는 물품을 찾기 시작한다. 마침내, 그녀는 지하실에서 어머니의 오래된 화분을 찾는다. 이제 그녀는 그녀의 어머니에게 화분을 학교에 가져가도 되는지 허락을 구하기를 원한다. 이러한 상황에서, Jina는 그녀의 어머니에게 뭐라고 말할까?

Jina: ③ 제가 이 화분을 학교 행사에 가져가도 될까요?

다음 상황 설명을 듣고, Jina가 어머니에게 할 말로 가장 적절한 것을 고르시오.

Jina: _____

① Please help me choose a nice flower pot.
② Would you come with me to the Market Day?
③ Can I take this flower pot for a school event?
④ I'm not sure if I can plant my flowers in this pot.
⑤ Why don't we look for an item to sell at the market?

어휘 the homeless 노숙자들
neighborhood 근처, 이웃
basement 지하실   permission 허락

① 제가 괜찮은 화분을 고르는 것을 도와주세요.
② 장날에 저와 같이 가실래요?
④ 제 꽃을 이 화분에 심을 수 있는지 모르겠어요.
⑤ 시장에서 팔 물품을 찾는 것은 어때요?

05~06 답 05 ③ 06 ③

W: Hello, students! Last class we learned about recycling. Today, I'll introduce you to something better than recycling. It's the process of turning waste into new items in a creative way. Let me show you some examples. First, one creative way is to make plastic bottles into vases for your home. Second, you can turn old cardboard boxes into fun chairs. All you need is just a little time and some paint. Third, an easy way to use empty cans creatively is turning them into fancy pencil holders for your desk. Lastly, when old newspapers pile up in your home, you can use them to wrap any present. It'll make your gift unique and memorable. In this way, you can create something new out of waste on your own. There are an endless number of ideas you can come up with if you use your imagination. Let's do something wonderful for our planet by this process, upcycling.

여: 안녕하세요, 학생 여러분! 지난 수업에서 우리는 재활용에 관해 배웠습니다. 오늘은 재활용보다 더 나은 것을 여러분에게 소개하려고 합니다. 그것은 쓰레기를 창의적인 방법으로 새 물건으로 바꾸는 과정입니다. 몇 가지 예를 보여 줄게요. 먼저, 창의적인 방법 하나는 플라스틱 병을 집을 위한 꽃병으로 만드는 것입니다. 두 번째로, 헌 판지 상자를 재미있는 의자로 바꿀 수 있습니다. 여러분에게 필요한 것은 약간의 시간과 페인트뿐입니다. 세 번째로, 빈 깡통을 창의적으로 사용하는 쉬운 방법은 그것들을 여러분의 책상에 놓을 화려한 연필통으로 바꾸는 것입니다. 마지막으로, 헌 신문지가 집에 쌓이면 그것들을 선물을 포장하는 데 사용할 수 있습니다. 그것은 선물을 독특하고 기억에 남게 만들 것입니다. 이러한 방법으로 여러분은 쓰레기로 자신만의 새로운 무언가를 만들 수 있습니다. 여러분의 상상력을 사용하면 여러분이 생각해 낼 수 있는 아이디어는 무한합니다. 업사이클링이라는 이 과정으로 지구를 위한 멋진 무언가를 합시다.

다음을 듣고, 물음에 답하시오.

05. 여자가 하는 말의 주제로 가장 적절한 것은?

① limits to producing energy-saving products
② importance of teaching recycling to teenagers
③ creative ways of turning waste into new items
④ useful tips for making household furniture easily
⑤ various reasons for using eco-friendly materials

어휘 cardboard box 판지 상자
fancy 색깔이 화려한   pile up 쌓이다
memorable 기억할 만한   a number of
다수의   endless 무한한   imagination
상상력   limit 한계   household 가정의

05. ① 에너지 절약 상품을 생산하는 것의 한계
② 십 대들에게 재활용을 가르치는 것의 중요성

06. 언급된 물건이 아닌 것은?

① plastic bottles　② cardboard boxes　③ glasses
④ cans　　　　　　⑤ newspapers

③ 쓰레기를 새 물건으로 바꾸는 창의적인 방법
④ 가정용 가구를 쉽게 만드는 유용한 팁
⑤ 환경 친화적인 재료를 사용하는 다양한 이유

---

07 답 ③

W: Alex and Olivia have been close friends since they were
　현재완료(계속)
　Alex와 Olivia는 어렸을 때부터 친구였다.
children. They grew up in the same town, and they attend the
same high school. One day, Alex tells Olivia that his father
　　　　　　　　　　　　　　　　　　　　명사절을 이끄는 접속사 that
got a new job so his family has to move to another city.
That's why he's going to transfer to a new school next week.
　　　Alex는 다음 주에 새 학교로 전학을 갈 것이다.
Olivia feels sad because they have been friends for such a
　　　　　　　　　　　　　　　　현재완료(계속)
long time. Alex also hopes to keep his friendship with her.
　　　　요구·제안 동사　　　　　　(should+)동사원형
So, Alex wants to suggest that they remain in close touch
　　Alex는 도시를 떠난 후에도 계속 Olivia와 친한 사이로 남기를 제안하고 싶어 한다.
even after he leaves the city. In this situation, what would
Alex most likely say to Olivia?

Alex: ③ Let's keep in touch even after we part.

다음 상황 설명을 듣고, Alex가 Olivia에게 할 말로 가장 적절한 것을 고르시오.

Alex: ＿＿＿＿＿＿＿＿＿＿＿＿＿＿＿＿＿＿＿

① You're very lucky to have a new job.
② I'll tell you where you should transfer to.
③ Let's keep in touch even after we part.
④ I was deeply touched by your kind words.
⑤ I hope you'll get used to your new school.

여: Alex와 Olivia는 아이였을 때부터 친한 친구이다. 그들은 한동네에서 자랐고 같은 고등학교를 다닌다. 어느 날, Alex는 Olivia에게 그의 아빠가 새 직장을 구해서 가족이 다른 도시로 이사를 가야 한다고 말한다. 그래서 그는 다음 주에 새 학교로 전학을 갈 것이다. Olivia는 그들이 그렇게도 오랜 시간 동안 친구였기 때문에 슬프다. Alex도 그녀와 우정을 지키기를 바란다. 그래서 Alex는 그가 도시를 떠난 후에도 친한 사이로 남기를 제안하고 싶다. 이러한 상황에서, Alex는 Olivia에게 뭐라고 말할까?

Alex: ③ 우리가 헤어진 후에도 연락하자.

어휘 transfer 옮기다, 전학 가다
close touch 친밀한 관계　keep in
touch 연락하다　part (~와) 헤어지다
get used to ~에 익숙해지다

① 새 직장을 구하다니 너는 정말 운이 좋구나.
② 네가 어디로 전학 가야 하는지 알려 줄게.
④ 너의 친절한 말에 깊이 감동 받았어.
⑤ 네가 새로운 학교에 익숙해지길 바라.

08~09 답 08 ① 09 ③

W: Hello, everyone! Today, I want you to consider this: do
　　　　　　　　　　　　　　　5형식 동사+목적어+목적격 보어(to부정사)
you have something you're not using in your home? Then,
담화의 주제 *물건을 공유하는 것의 좋은 점들*
how about sharing it with others? It enables products to be
　　　　　　　　　　　　　　　　　　　　to부정사의 수동태
recycled and reused, reducing the negative effects on the
　　　　　　　　　　분사구문
environment. For example, if you have a nice dress for a
　　　　　　　　　　　　　　　　　　　　　예시 1 *드레스*
party, lend it to others who need it. Then the materials used
　　　　　　　　　주격 관계대명사
in making a new dress can be saved. The same thing with
앞의 명사를 수식하는 과거분사구
toys. Every year, millions of toys that children no longer play
예시 2 *장난감*　　　　　　　　　　목적격 관계대명사

여: 안녕하세요, 여러분! 오늘, 저는 여러분이 이것을 생각해 보았으면 합니다. 여러분은 집에 사용하지 않는 것이 있습니까? 그렇다면, 다른 사람들과 그것을 공유하는 것은 어떨까요? 그것은 환경에 부정적인 영향을 줄이면서 물건이 재활용되고 재사용되는 것을 가능하게 합니다. 예를 들어, 여러분이 파티에 입을 멋진 드레스를 가지고 있다면, 그것이 필요한 다른 사람들에게 그것을 빌려주세요. 그러면 새 드레스를 만드는 데 사용되는 재료가 절약될 수 있습니

with are thrown away. By sharing things with others, you can reduce waste. Also, you can benefit financially by sharing your goods. If you have books you've finished reading, register them on online sharing systems. Then, someone who wants to read your books can rent them and you can make money by sharing. Similarly, if you need a bicycle, you can find some people who share theirs on bike-sharing systems and save money. Why don't you awaken your "sleeping" goods?

다. 장난감도 마찬가지입니다. 매년 어린이들이 더 이상 가지고 놀지 않는 수백만 개의 장난감이 버려집니다. 물건을 다른 사람들과 공유함으로써 쓰레기를 줄일 수 있습니다. 또한, 소유물을 공유함으로써 재정적으로 이득을 볼 수 있습니다. 다 읽은 책이 있다면 그것들을 온라인 공유 시스템에 등록하세요. 그러면 여러분의 책을 읽기를 원하는 누군가가 그것들을 빌릴 수 있고 여러분은 공유를 함으로써 돈을 벌 수 있습니다. 마찬가지로, 여러분이 자전거가 필요하면, 자전거 공유 시스템에서 그들의 것을 공유하는 사람을 찾을 수 있고 돈을 아낄 수 있습니다. 여러분의 '잠자는' 소유물을 깨우는 것이 어때요?

다음을 듣고, 물음에 답하시오.

08. 여자가 하는 말의 주제로 가장 적절한 것은?

① benefits of sharing things
② ways to sell used stuff online
③ steps in the recycling process
④ necessity of sharing information
⑤ problems caused by online markets

09. 언급된 물품이 아닌 것은?

① a dress　② toys　③ a car　④ books　⑤ a bicycle

어휘　enable 가능하게 하다
recycle 재활용하다　reuse 재사용하다
negative 부정적인　environment 환경
financially 재정적으로　goods 소유물
similarly 마찬가지로　awaken 깨우다
necessity 필요(성)

08. ① 물건을 공유하는 것의 이점
② 중고 제품을 온라인으로 파는 방법
③ 재활용 과정의 단계
④ 정보를 공유하는 것의 필요성
⑤ 온라인 시장이 야기하는 문제점

10 답 ①

M: Clara and Becky go to summer camp together every year. They are planning to join one this year, too. Today Clara gets a flyer for an interesting camp at the community center. She shows Becky the flyer and asks her to sign up for the camp together. Checking the dates, Becky finds out that she has a family vacation during that period. When Becky tells Clara that she won't be able to join the camp, Clara is very disappointed. So Becky wants to suggest to Clara that they look for another camp. In this situation, what would Becky most likely say to Clara?

Becky: ① Why don't we find a camp on different dates?

남: Clara와 Becky는 매년 여름 캠프에 같이 간다. 그들은 올해도 같이 하기로 계획을 세운다. 오늘 Clara는 지역 문화 센터에서 하는 재미있는 캠프에 관한 전단지를 받는다. 그녀는 Becky에게 전단지를 보여 주고 함께 그 캠프에 등록하자고 말한다. 날짜를 확인하고 Becky는 그녀가 그 기간에 가족 여행을 가는 것을 알게 된다. Becky가 Clara에게 캠프에 함께할 수 없다고 말하자, Clara는 매우 실망한다. 그래서 Becky는 Clara에게 다른 캠프를 찾자고 제안하고 싶다. 이러한 상황에서, Becky는 Clara에게 뭐라고 말할까?

Becky: ① 다른 날짜의 캠프를 찾는 것은 어때?

다음 상황 설명을 듣고, Becky가 Clara에게 할 말로 가장 적절한 것을 고르시오.

Becky: _____

① Why don't we find a camp on different dates?
② You should check the camp dates on this flyer first.
③ You need your parents' permission to join the camp.
④ How about signing up for the camp right now?
⑤ Let's not go to camp this year.

[어휘] flyer 전단지   period 기간
disappointed 실망한, 낙담한
suggest 제안하다

② 먼저 이 전단지에서 캠프 날짜를 확인해야 해.
③ 캠프에 참가하려면 부모님의 허락이 필요해.
④ 당장 캠프에 등록하는 게 어때?
⑤ 올해는 캠프에 가지 말자.

11~12 답 11 ① 12 ⑤

M: Hello, everyone. Last class we learned about the dangers of climate change. Today, I'll tell you about some foods that might disappear because of climate change. First of all, 70 percent of the world's coffee could disappear by 2080 due to climate change. In Africa, the amount of coffee produced has dropped by more than 50 percent. Secondly, avocados are also in danger. It usually takes 72 gallons of water to make just one pound of avocados. Climate change in California has resulted in a lack of water, so the avocado plants aren't producing enough fruit. Thirdly, warmer temperatures affect apple trees, too. To grow properly, apple trees need a certain period of cold weather. Lack of cold weather time leads to lower apple production. Finally, the unstable climatic conditions through crop season are causing a decrease in strawberry production in Florida. Specifically, hotter-than-normal weather has delayed the flowering and production of strawberries. Now, let me show you some slides about this issue.

남: 안녕하세요, 여러분. 지난 수업에서 우리는 기후 변화의 위험에 관해 배웠습니다. 오늘 저는 여러분에게 기후 변화 때문에 사라질지도 모르는 식량에 관해 말씀 드리겠습니다. 가장 먼저 세계 커피의 70%가 기후 변화로 인해 2080년쯤에 사라질 수 있습니다. 아프리카에서 생산되는 커피의 양이 50% 이상까지 줄어들었습니다. 두 번째로, 아보카도 역시 위험에 직면해 있습니다. 아보카도 단 1파운드를 얻는 데 보통 72갤런의 물이 필요합니다. 캘리포니아의 기후 변화는 물 부족을 야기했고, 아보카도 나무는 충분한 과일을 생산하지 못하고 있습니다. 세 번째로, 더 따뜻해진 기온은 사과 나무에도 영향을 줍니다. 제대로 성장하기 위해, 사과 나무는 어느 정도 날씨가 추운 기간이 필요합니다. 날씨가 추운 시간의 부족은 사과 생산량을 낮아지게 합니다. 마지막으로 플로리다에서 작물 수확기 동안의 불안정한 기후 상태는 딸기 생산량 감소를 야기하고 있습니다. 구체적으로 말하면, 평소보다 더 따뜻한 날씨는 딸기의 개화와 생산을 지연시킵니다. 이제 이 문제에 관한 슬라이드를 보여 드리겠습니다.

다음을 듣고, 물음에 답하시오.

11. 남자가 하는 말의 주제로 가장 적절한 것은?

① foods at risk due to climate change
② reasons why sea temperatures rise
③ animals and plants in the water
④ requirements of growing crops
⑤ ways to solve global warming

[어휘] climate change 기후 변화
due to ~ 때문에   in danger 위험에 직면한   temperature 온도   affect 영향을 미치다   lower 낮추다   unstable 불안정한   climatic 기후의   delay 미루다   at risk 위험에 처한   requirement 필요조건

11. ① 기후 변화로 인해 위험에 처한 식량

12. 언급된 음식이 아닌 것은?

① coffee ② avocados ③ apples ④ strawberries ⑤ coconuts

② 해수 온도가 상승하는 이유
③ 물속에 사는 동식물
④ 작물을 기르는 필요조건
⑤ 지구 온난화를 해결할 방법

13 답 ⑤

W: Sophia and John are classmates and they study math together in a study group. John spends lots of time studying math
spend time -ing: ~하는 데 시간을 보내다
but his grades have not improved much. Sophia is good at math so John asks her to help him as a mentor. Sophia
5형식 동사+목적어+목적격 보어(to부정사)
finds out that John always tries to solve difficult questions
John은 쉬운 문제를 연습하지 않고 어려운 문제를 풀려고 한다.
without practicing easier ones. Sophia thinks that in order
전치사+V-ing
to get a good grade, John has to go from easy questions to
in order to-V: ~하기 위해서
difficult ones step by step. So she wants to suggest to John that he should solve easy math questions before going on to
Sophia는 John에게 어려운 문제를 풀기 전에 쉬운 문제를 풀라고 제안하려 한다.
challenging ones. In this situation, what would Sophia most likely say to John?

Sophia: ⑤ Why don't you practice less challenging math questions first?

다음 상황 설명을 듣고, Sophia가 John에게 할 말로 가장 적절한 것을 고르시오.

Sophia: _____

① Let's preview what we'll learn next class.
② How about applying math theory to the real life?
③ Could you tell me your secret to improving math skills?
④ You should read the directions of the questions carefully.
⑤ Why don't you practice less challenging math questions first?

여: Sophia와 John은 급우이고 스터디 모임에서 수학을 같이 공부한다. John은 수학 공부를 하는 데 많은 시간을 할애하지만 성적이 많이 향상되지 않았다. Sophia가 수학을 잘해서 John은 그녀에게 멘토로서 그를 도와 달라고 요청한다. Sophia는 John이 항상 더 쉬운 문제들을 연습하지 않고 어려운 문제를 풀려고 하는 것을 알게 된다. Sophia는 좋은 점수를 얻기 위해서는 John이 쉬운 문제에서 어려운 문제로 점차적으로 가야 한다고 생각한다. 그래서 그녀는 John이 어려운 문제들로 넘어가기 전에 쉬운 수학 문제를 풀어야 한다고 제안하고 싶다. 이러한 상황에서, Sophia는 John에게 뭐라고 말할까?

Sophia: ⑤ 좀 덜 어려운 수학 문제를 먼저 연습하는 건 어때?

[어휘] step by step 점차로
challenging 도전적인 theory 이론

① 다음 수업에 배울 것을 예습하자.
② 수학 이론을 실생활에 적용해 보는 것은 어때?
③ 수학 실력을 향상시킨 너의 비결을 말해 줄 수 있니?
④ 문제의 지시문을 주의 깊게 읽어야 해.

14~15 답 14 ① 15 ③

W: Hello, class. You must have heard of the proverb, 'Birds
must have p.p.: ~했음이 틀림없다   *예시 1 새*
of a feather flock together.' We all know what this proverb means because it's commonly used. Like this, there are
전치사+관계대명사
many proverbs in which animals appear. Let's talk about
담화의 주제 동물이 나오는 속담들
them today. First one is, 'When the cat's away, the mice
예시 2 고양이와 쥐
will play.' It is using the fun relationship between the two animals. We can easily guess the meaning of this proverb:

여: 안녕하세요, 반 친구들. 여러분들은 '깃털이 같은 새들이 함께 모인다.'라는 속담을 들어 봤을 겁니다. 우리 모두는 그것이 흔히 사용되기 때문에 이 속담이 무슨 의미인지 알고 있습니다. 이처럼, 동물이 등장하는 속담이 많이 있습니다. 오늘은 그것들에 관해 이야기해 봅시다. 가장 먼저, '고양이가 없으면 쥐가 살판이 난다.'입니다. 그것은 두 동물 사이의 재미있는 관계를 이

the weaker do whatever they want when the stronger are not around. The next one is, 'Don't count your chickens before they're hatched.' It's using a chicken's life cycle. From this proverb, we can learn the lesson that we should not make hasty decisions. Now it's your turn to talk about a few proverbs like these. You may have already thought about one with dogs, like 'Every dog has its day.' Let's talk about some together.

용하고 있습니다. 우리는 '더 강한 것이 주변에 없을 때 더 약한 것은 그들이 하고 싶은 것이 무엇이든지 한다.'라는 이 속담의 의미를 쉽게 추측할 수 있습니다. 다음은 '부화되기 전에 병아리부터 세지 마라.'입니다. 그것은 닭의 생명 주기를 이용합니다. 이 속담으로부터 우리는 성급한 결정을 내리지 말아야 한다는 교훈을 배울 수 있습니다. 이제 여러분들이 이와 같은 몇몇 속담에 관해 이야기해 볼 차례입니다. 여러분은 이미 '모든 개는 자기의 날을 갖는다.'처럼 개가 등장하는 속담이 떠올랐을지도 모릅니다. 몇 개를 함께 이야기해 봅시다.

다음을 듣고, 물음에 답하시오.

14. 여자가 하는 말의 주제로 가장 적절한 것은?

① proverbs that have animals in them
② different proverbs in various cultures
③ why proverbs are difficult to understand
④ importance of studying animals' behavior
⑤ advantages of teaching values through proverbs

15. 언급된 동물이 아닌 것은?

① birds ② mice ③ cows ④ chickens ⑤ dogs

[어휘] proverb 속담 feather 깃털
flock 무리 짓다 be around 존재하다
count 세다 hatch 부화시키다
life cycle 생명 주기 lesson 교훈
hasty 성급한 turn 차례
behavior 행동 value 가치, 가치관

14. ① 동물을 포함하고 있는 속담
② 다양한 문화에서의 여러 가지 속담들
③ 왜 속담은 이해하기 어려운가
④ 동물의 행동을 연구하는 것의 중요성
⑤ 속담을 통해 가치관을 가르치는 것의 이점

---

16 답 ④

M: Brian and Jane are a married couple. One day, Brian needs to use a car and borrows Jane's. After Brian leaves home, Jane gets ready for work. She realizes that one of her credit cards is missing. Jane goes through her stuff, but she can't find it. She is about to call the card company to report the card missing. Then she remembers using it when she went to a gas station the night before. She thinks she left it in her car. To check if it's still there, Jane calls Brian. In this situation, what would Jane most likely say to Brian?

Jane: ④ Could you check if my credit card is in the car?

남: Brian과 Jane은 부부이다. 어느 날, Brian은 차를 사용해야 해서 Jane의 것을 빌린다. Brian이 집을 떠난 후, Jane은 출근할 준비를 한다. 그녀는 그녀의 신용 카드 중 한 장이 없는 것을 알아차린다. Jane은 그녀의 물건들을 살펴보지만, 그것을 찾을 수 없다. 그녀는 카드 분실을 알리기 위해 카드 회사에 전화를 하려던 참이다. 그때 그녀는 전날 밤 주유소에 갔을 때 그것을 사용했던 것을 기억한다. 그녀는 그녀가 그것을 차에 두었다고 생각한다. 그것이 아직 거기에 있는지 확인하기 위해 Jane은 Brian에게 전화를 한다. 이러한 상황에서, Jane은 Brian에게 뭐라고 말할까?

Jane: ④ 내 신용 카드가 차에 있는지 확인해 줄 수 있어요?

다음 상황 설명을 듣고, Jane이 Brian에게 할 말로 가장 적절한 것을 고르시오.

Jane: _____

① May I use your car tomorrow?
② Did you fill up my car with gas?
③ Can you pick me up on your way home?
④ Could you check if my credit card is in the car?
⑤ Would you mind calling the card company for me?

어휘 realize 알아차리다
go through ~을 살펴보다
report 알리다, 보고하다
gas station 주유소

① 내일 당신의 차를 써도 될까요?
② 내 차에 기름을 채웠어요?
③ 집에 가는 길에 나 좀 태워 줄래요?
⑤ 나 대신 신용 카드 회사에 전화해 줄래요?

17~18 답 17 ① 18 ③

M: Welcome to 'Smart Traveler.' I'm your host, Brian Lewis. While traveling, shopping for souvenirs is one of the greatest 접속사+분사구문 pleasures, and many people enjoy bringing small souvenirs back home. Today I'll introduce some of the best souvenirs 담화의 주제 전 세계의 최고의 기념품들 from around the world! First, when you travel to Beijing, 예시 1 베이징: 재스민차 jasmine tea is a great souvenir. Scented tea in the morning will become a wonderful reminder of all those memories there. Second, in Paris, Eiffel Tower keychains are popular. 예시 2 파리: 에펠 탑 열쇠고리 With this little metal item hanging on your keys, you can with+(대)명사+분사: ~가 …한(된) 채로 remember the special moment of being at the top of the Eiffel Tower. Third, when visiting Hawaii, bring back a Hawaiian 예시 3 하와이: 춤추는 인형 dancing doll. It'll remind you of the intense sun, crystal clear water, and amazing beaches. Last, in Venice, you can buy a traditional Venetian mask. Hanging the mask on the wall as 예시 4 베니스: 베니스 전통 가면 분사구문 a decoration, you can feel the spirit of Venice at home long afterwards. I hope these tips will help you in your souvenir 명사절을 이끄는 접속사 that 생략됨 shopping.

다음을 듣고, 물음에 답하시오.

17. 남자가 하는 말의 주제로 가장 적절한 것은?

① the best souvenirs to bring home from travel
② popular places in the world to photograph nature
③ tips on how to save money on souvenir shopping
④ the variety of cultural environments around the world
⑤ the most important travel safety rules to keep in mind

18. 언급된 지역이 아닌 것은?

① Beijing   ② Paris   ③ Sydney   ④ Hawaii   ⑤ Venice

남: Smart Traveler에 오신 것을 환영합니다. 저는 진행자 Brian Lewis입니다. 여행을 하는 동안, 기념품을 사는 것은 가장 큰 즐거움 중의 하나이고 많은 사람들이 집에 작은 기념품을 가지고 오는 것을 즐깁니다. 오늘 저는 전 세계의 최고의 기념품 중 몇 개를 소개하려고 합니다! 먼저, 베이징을 여행한다면 재스민차가 훌륭한 기념품입니다. 아침에 마시는 향기로운 차는 그곳의 모든 기억을 상기시켜 주는 아주 멋진 것이 될 것입니다. 두 번째로, 파리에서는 에펠 탑 열쇠고리가 인기 있습니다. 이 작은 금속 아이템이 여러분의 열쇠에 매달려 있는 채로, 여러분은 에펠 탑 꼭대기에서의 특별한 순간을 기억할 수 있습니다. 세 번째로, 하와이를 방문하면 하와이의 춤추는 인형을 가지고 돌아오세요. 그것은 여러분에게 강렬한 태양, 수정 같이 맑은 물, 그리고 멋진 해변을 상기시켜 줄 것입니다. 마지막으로, 베니스에서는 베니스의 전통 가면을 살 수 있습니다. 벽에 장식품으로 가면을 걸어 놓으면 여러분은 나중에 집에서 베니스의 정신을 오래도록 느낄 수 있습니다. 저는 이 조언들이 여러분의 기념품 쇼핑에 도움이 되길 바랍니다.

어휘 souvenir 기념품 pleasure 기쁨
scented 향기로운 memory 기억
metal 금속 intense 강렬한
afterwards 나중에 variety 다양성

17. ① 여행지에서 집으로 가져올 최고의 기념품
② 자연을 사진 찍기 위한 세계의 인기 있는 장소
③ 기념품 쇼핑비를 절약하는 법에 관한 조언
④ 전 세계의 문화적 환경의 다양성
⑤ 명심해야 할 가장 중요한 여행 안전 규칙

| 1 ② | 2 ② | 3 ⑤ | 4 ⑤ | 5 ① | 6 ⑤ | 7 ⑤ | 8 ⑤ | 9 ② | 10 ① |

---

1 답 ②

W: Hello and welcome back to 'Happy Life.' I'm Christine
Brown, professional life coach. When was the last time
화자는 전문 인생 상담가이다.
you sat down and thought about the good things in your
life? With our busy schedules, we easily forget to count the
forget+to-V: ~하는 것을 잊다
blessings we already have. However, according to a recent
목적격 관계대명사 that(which) 생략됨
study, people who are more grateful for what they have are
주격 관계대명사   = the thing(s) that(which)
more hopeful and physically healthier. So here is today's tip.
Write a gratitude journal. A gratitude journal is a diary in
여자는 가진 것에 감사하는 것의 장점에 대해 언급하며 감사 일기를 쓰라고 말하고 있다.
which you can express all the things you're thankful for. Just
= 관계부사 where   목적격 관계대명사 that(which) 생략됨
invest five to ten minutes each day in the journal. You'll feel
more thankful and stay healthier.

다음을 듣고, 여자가 하는 말의 목적으로 가장 적절한 것을 고르시오.
① 강의 일정 변경을 공지하려고
② 감사 일기 쓰는 것을 권장하려고
③ 건강 관리의 중요성을 강조하려고
④ 자기소개서 작성 요령을 설명하려고
⑤ 효과적인 시간 활용법을 안내하려고

여: 안녕하세요. '행복한 삶'에 다시 오신 것을 환영합니다. 저는 전문 인생 상담가, Christine Brown입니다. 여러분 인생에서 좋은 것들에 관해 시간을 가지고 생각해 본 것이 언제가 마지막입니까? 바쁜 일정으로 우리는 이미 가지고 있는 좋은 것들을 세는 것을 쉽게 잊습니다. 하지만, 최근 연구에 따르면 가지고 있는 것에 대해 좀 더 감사해하는 사람들이 더 희망적이고 신체적으로 더 건강합니다. 그래서 여기 오늘의 조언이 있습니다. 감사 일기를 쓰세요. 감사 일기는 여러분이 감사히 여기는 모든 것들을 표현하는 일기장입니다. 일기에 매일 5분에서 10분만 투자하세요. 더 감사함을 느끼고 더 건강할 것입니다.

·······

[어휘] professional 전문가의
blessing 좋은 점
according to ~에 따르면
grateful 감사하는   hopeful 희망적인
gratitude 감사   thankful 감사하는
invest 투자하다

---

2 답 ②

W: Daniel, I see you're reading a book. What's it about?
M: Hello, Ms. Williams. It's about time travel. I'm a big fan of
science fiction.
W: I know that. But why do you only read science fiction?
M: I feel like reading science fiction makes me more creative.
접속사: 마치 ~인 것처럼   5형식 동사+목적어+목적격 보어(형용사)
W: I see. But if you really want to improve your creativity, you
shouldn't just read science fiction. It would be better to read
가주어   진주어
books on various topics.
여자는 남자에게 창의력을 향상시키려면 다양한 주제의 책을 읽어야 한다고
조언하고 있다.

여: Daniel, 책 읽고 있구나. 무엇에 관한 거야?
남: 안녕하세요. Williams 선생님. 시간 여행에 관한 것이에요. 저는 공상 과학 소설의 열혈 팬이거든요.
여: 알고 있어. 그런데 너는 왜 공상 과학 소설만 읽니?
남: 공상 과학 소설을 읽는 것은 저를 좀 더 창의적으로 만드는 것 같아요.
여: 그렇구나. 그런데 네가 창의력을 향상시키길 정말 원하면 공상 과학 소설만 읽으면 안 된단다. 다양한 주제의 책을 읽는 것이

M: What does that have to do with improving my creativity?

W: Reading many kinds of books will make you see things from many different perspectives. 다양한 종류의 책을 읽으면 여러 다른 관점으로 사물을 볼 수 있다고 말하고 있다.
사역동사+목적어+목적격 보어(원형 부정사)

M: That makes sense. With more perspectives, I can be more creative.

W: Exactly! Reading books on various topics will help you think outside the box. 여자는 자신의 의견을 다시 한번 반복하고 있다. help+목적어+목적격 보어 (원형 부정사 또는 to부정사)

M: Okay, I'll try it. Thank you for your advice.

대화를 듣고, 여자의 의견으로 가장 적절한 것을 고르시오.

① 공상 과학 소설을 읽으면 과학에 대한 흥미를 키울 수 있다.
② 다양한 주제의 책을 읽는 것이 창의력 향상에 도움이 된다.
③ 책을 읽을 때에는 배경지식을 활용하는 것이 중요하다.
④ 꾸준한 독서를 통해 작문 실력을 향상시킬 수 있다.
⑤ 책의 내용을 반복해서 읽어야 기억에 오래 남는다.

남: 그게 창의력을 향상시키는 것과 무슨 관계가 있어요?
여: 다양한 종류의 책을 읽는 것은 네가 어떤 것을 여러 다른 관점으로 볼 수 있게 해 줘.
남: 일리가 있네요. 더 많은 관점으로 좀 더 창의적이 될 수 있겠어요.
여: 맞아! 다양한 주제의 책을 읽는 것은 네가 새로운 사고를 하는 데 도움이 될 거야.
남: 알겠어요, 시도해 볼게요. 조언 감사해요.

[어휘] science fiction 공상 과학 소설
creativity 창의력
have to do with ~와 관계가 있다
perspective 관점
think outside the box 틀에 박힌 사고방식에서 벗어나다

---

3 답⑤

M: Hello, Ally! Long time no see.

W: Hi, Robert. It's been a long time since I came to your store.
현재완료(계속)   접속사: ~한 이후로

M: You must have been busy.
must have p.p.: ~했음이 틀림없다

W: Yeah. Did I tell you that I had to prepare for an exhibition?
명사절을 이끄는 접속사

M: Oh, yeah. I remember. How did it go?

W: It went well. It was finally over last week.

M: Good. So what kind of hat are you looking for today?
남자는 여자에게 오늘은 어떤 모자를 찾고 있는지 묻고 있다.

W: Actually I've changed my hair style, so I'm not sure which hat will suit me.
현재완료(결과)   간접의문문

M: Oh, you cut your hair short! Why don't you try this hat? It goes well with short hair. 여자에게 모자를 써 보라고 권하는 것으로 보아 남자는 모자 가게에서 일하고 있다.

W: Let me try. [Pause] I love it!

M: It looks great on you.
감각동사+주격 보어(형용사)

W: Thanks. I'll take it. 여자는 써 본 모자를 사겠다고 말하고 있으므로 손님이다.

대화를 듣고, 두 사람의 관계를 가장 잘 나타낸 것을 고르시오.

① 미용사 – 고객
② 화방 점원 – 화가
③ 미술관장 – 방문객
④ 패션 디자이너 – 모델
⑤ 모자 가게 주인 – 손님

남: 안녕하세요, Ally! 오랜만이네요.
여: 안녕하세요, Robert. 당신 가게에 온 지 오래됐네요.
남: 바쁘셨나봐요.
여: 네. 제가 전시회를 준비해야 한다고 말했었나요?
남: 오, 네. 기억나요. 어떻게 됐나요?
여: 잘됐어요. 지난주에 드디어 끝났어요.
남: 잘됐네요. 그럼 오늘은 어떤 종류의 모자를 찾으세요?
여: 사실 헤어스타일을 바꿔서 저에게 어떤 모자가 어울릴지 모르겠어요.
남: 오, 머리를 짧게 자르셨네요! 이 모자를 써 보시면 어때요? 짧은 머리에 잘 어울려요.
여: 써 볼게요. [잠시 후] 정말 맘에 들어요!
남: 당신에게 잘 어울려요.
여: 고마워요. 그것을 살게요.

[어휘] exhibition 전시회
be over 끝나다
suit 어울리다
go well with ~와 잘 어울리다

4 답 ⑤

M: Mom, this is a picture from Science Day.

W: Let me see. The woman wearing glasses must be your
    science teacher.
    _{앞의 명사를 수식하는 현재분사구}
    ① 여자는 안경을 쓰고 있다.

M: Yes, she is. She helped me a lot. Do you see the rocket next
    to the flower pot?
    ② 화분 옆에 로켓이 있다.

W: Oh, it looks fantastic! Who made it?

M: I made it myself. I received a lot of good comments about it.
    _{재귀대명사(강조)}

W: Good job. What are the two pictures on the wall?
    ③ 벽에 사진 두 개가 걸려 있다.

M: They are pictures of great scientists.

W: I see. And there is a robot in front of the window.
    ④ 창문 앞에 로봇이 있다.

M: Yeah, my class put all the parts of the robot together.

W: Sounds great. I can see a star-shaped clock on the table, too.
    ⑤ 탁자에 별 모양 시계가 있다.

M: My teacher showed us how to make it with a 3D-printer, and
    _{how+to-V: ~하는 법}
    it was very exciting.
    _{must have p.p.: ~했음이 틀림없다}

W: You must've had a great time.

대화를 듣고, 그림에서 대화의 내용과 일치하지 않는 것을 고르시오.

남: 엄마, 이것은 과학의 날에 찍은 사진이에
    요.

여: 어디 보자. 안경을 쓰고 있는 여성은 너의
    과학 선생님이시겠구나.

남: 네, 맞아요. 그녀는 저를 많이 도와주셨어
    요. 화분 옆에 로켓 보이세요?

여: 오, 정말 멋지구나! 그것은 누가 만들었니?

남: 제가 직접 만들었어요. 그것에 대해 좋은
    의견을 많이 받았어요.

여: 잘했다. 벽에 있는 두 개의 사진은 뭐야?

남: 훌륭한 과학자들 사진이에요.

여: 그렇구나. 그리고 창문 앞에 로봇이 있네.

남: 네, 우리 반이 함께 로봇의 모든 부분을 조
    립했어요.

여: 대단하다. 탁자에 별 모양 시계도 보이는구
    나.

남: 선생님께서 3D 프린터로 그것을 만드는
    법을 저희에게 보여 주셨고, 그것은 정말
    신났어요.

여: 좋은 시간을 보냈구나.

⋯⋯⋯⋯⋯⋯⋯⋯⋯⋯⋯⋯⋯⋯⋯⋯⋯⋯⋯⋯

[어휘] put ~ together (부품을) 조립하다
star-shaped 별 모양의

5 답 ①

W: Honey, what are we going to do today?

M: We planned to go to the beach.

W: But I checked today's weather forecast, and it's going to be
    rainy all day.
    _{여자가 일기 예보를 확인했다.}

M: Hmm... Then, how about going to the art museum instead?

W: Okay. I heard there's a Picasso exhibition at the national art
    _{명사절을 이끄는 접속사 that 생략됨}
    museum.

M: Great! Do we need to buy tickets in advance?

W: Of course. Otherwise we would have to stand in line.

여: 여보, 오늘 우리 뭐 할까요?

남: 해변에 가려고 계획했잖아요.

여: 그런데 오늘 일기 예보를 확인했는데 하루
    종일 비가 올 거라고 해요.

남: 흠⋯⋯ 그럼, 대신 미술관에 가는 것은 어
    때요?

여: 좋아요. 국립 미술관에서 Picasso 전시회
    가 있다고 들었어요.

남: 잘됐네요! 표를 미리 사야 해요?

여: 물론이죠. 그렇지 않으면 줄 서서 기다려야
    할 거예요.

M: You're right. I'll book the tickets online. Should we drive there?
<small>남자는 온라인으로 표를 예약할 것이다.</small>

W: Well, it's hard to find a parking place on the weekend. Taking the subway is better.
<small>가주어 / 진주어</small>

M: I agree. Which subway line should we take to get there?

W: I'll look it up and let you know.
<small>사역동사+목적어+목적격 보어(원형 부정사)</small>
<small>여자는 지하철 노선을 알아볼 것이다.</small>

남: 당신이 옳아요. 내가 온라인으로 표를 예약할게요. 거기 운전해서 갈까요?

여: 글쎄요. 주말에는 주차할 곳을 찾기 어려워요. 지하철을 타는 것이 더 나아요.

남: 동의해요. 거기에 가려면 지하철 몇 호선을 타야 해요?

여: 내가 찾아보고 알려 줄게요.

대화를 듣고, 여자가 할 일로 가장 적절한 것을 고르시오.

① 지하철 노선 알아보기
② 일기 예보 확인하기
③ 미술관 입장권 예매하기
④ 주차 장소 검색하기
⑤ 관람할 전시회 찾아보기

[어휘] weather forecast 일기 예보
instead 대신 in advance 미리, 사전에
otherwise 그렇지 않으면 (않았다면)
look up 찾아 보다

---

6 답 ⑤

M: Hi, Charlotte, long time no see!

W: Hi, Andrew. Are you doing well at your new school?

M: I think I'm adjusting well. All of my new classmates are nice.

W: Good to hear that. Are you still playing the guitar? I loved your performance at the school festival last year.

M: Yeah, I joined my new school's rock band. I've been practicing hard with the other members.
<small>현재완료 진행형</small>

W: Great! I'd like to listen to your band play.
<small>지각동사+목적어+목적격 보어(원형 부정사)</small>

M: Actually, our band will have a street performance at Union Square. Will you come and watch?
<small>남자는 여자가 자신의 밴드가 하는 거리 공연에 올 수 있는지 묻고 있다.</small>

W: Sure, I'd love to. When exactly will it be?

M: Next Saturday at 2 o'clock. Can you make it?

W: Oh, sorry but unfortunately not. I have to meet my group members next Saturday afternoon for the science project.
<small>여자는 과학 프로젝트 때문에 조원들을 만나야 해서 갈 수 없다고 말하고 있다.</small>

M: Okay. There should be another performance soon.

W: I'll try to make it then!

남: 안녕, Charlotte, 오랜만이야!

여: 안녕, Andrew. 새 학교에서 잘 지내고 있니?

남: 잘 적응하고 있는 것 같아. 새 급우들 모두 좋아.

여: 잘됐다. 너 아직도 기타 치니? 작년 학교 축제에서 너의 공연은 정말 좋았어.

남: 응, 새 학교에서 록 밴드에 가입했어. 다른 멤버들과 열심히 연습하고 있어.

여: 잘됐네! 너의 밴드가 연주하는 것을 듣고 싶다.

남: 실은, 우리 밴드가 Union 광장에서 거리 공연을 할 거야. 와서 볼래?

여: 응, 그러고 싶어. 그것은 정확히 언제야?

남: 다음 주 토요일 2시야. 올 수 있어?

여: 오, 미안한데 안타깝게도 안 되겠어. 과학 프로젝트 때문에 다음 주 토요일 오후에 조원들을 만나야 해.

남: 알았어. 곧 또 다른 공연이 있을 거야.

여: 그땐 가 보도록 할게!

대화를 듣고, 여자가 거리 공연을 보러 갈 수 <u>없는</u> 이유를 고르시오.

① 학교 축제를 위한 부스를 만들어야 해서
② 좋아하는 밴드의 팬 사인회에 가야 해서
③ 동아리 부원들과 기타 연습을 해야 해서
④ 학급 친구들과 합창 대회 준비를 해야 해서
⑤ 과학 프로젝트를 위해 조원들을 만나야 해서

[어휘] adjust 적응하다
make it 가다 (참석하다)
unfortunately 유감스럽게도

M: Honey, what are you reading?

W: Look at this article. There will be a World Dinosaur Exhibition this Saturday. Why don't we bring the kids?

M: That sounds great! Where's the exhibition held?

W: At the Redstone Science Museum. ① 전시회가 열리는 장소

M: Good. I know where that is.

W: There are fun programs for children like making dinosaur toys and watching a 3D dinosaur movie. ② 프로그램 종류

M: Our kids will love them. What time shall we go?

W: Since the exhibition runs from 10 a.m. to 5 p.m., how about going there in the afternoon? ③ 전시회 운영 시간

M: Okay. How much is the admission fee?

W: It's $10 for an adult and $5 for a child and if we register online, we can get a discount. ④ 입장료

M: Really? Let's register now.

W: Okay.

대화를 듣고, World Dinosaur Exhibition에 관해 언급되지 <u>않은</u> 것을 고르시오.

① 장소　　② 프로그램　　③ 운영 시간　　④ 입장료　　⑤ 교통편

남: 여보, 뭘 읽고 있어요?

여: 이 기사를 봐요. 세계 공룡 전시회가 이번 토요일에 있어요. 아이들을 데리고 가면 어때요?

남: 좋은 생각이에요! 전시회는 어디에서 열리나요?

여: Redstone 과학 박물관에서요.

남: 잘됐네요. 거기 어디인지 알아요.

여: 공룡 장난감 만들기와 3D 공룡 영화 시청하기와 같은 아이들을 위한 재미있는 프로그램도 있어요.

남: 우리 아이들은 그것들을 정말 좋아할 거예요. 몇 시에 갈까요?

여: 전시회가 오전 10시부터 오후 5시까지 하니까 거기 오후에 가면 어때요?

남: 좋아요. 입장료는 얼마예요?

여: 성인은 10달러이고 아이는 5달러예요. 그리고 온라인으로 등록하면 할인을 받을 수 있어요.

남: 그래요? 지금 등록해요.

여: 좋아요.

[어휘] admission fee 입장료
register 등록하다

W: Good morning, residents. This is the librarian of the Jacksonville Community Center. We're holding the Children's Book Fair for three days, from June 21st to the 23rd. ① 박람회는 3일 동안 진행된다. It will offer your children an opportunity to feel the joy 수여동사+간접목적어+직접목적어 (앞의 opportunity 수식) of reading books. We'll display a wide variety of children's ② 만화책, 그림책, 동화책을 포함한 아동용 도서가 전시된다. books including comic books, picture books, and fairy tales. In addition, you will be able to buy all books at 50% off their ③ 50% 할인된 가격으로 책을 살 수 있다. original prices. On the first day of the fair, you will be able ④ 행사 첫 날에 유명한 작가를 만날 수 있다. to meet and talk with the famous writer, Andy Murphy. Also, 앞의 명사를 수식하는 현재분사구 every child visiting the fair will get a T-shirt as a gift. I hope ⑤ 선물은 티셔츠이다. you will enjoy the fair. Thank you.

여: 주민 여러분, 좋은 아침입니다. 저는 Jacksonville 지역 문화 센터의 도서관 사서입니다. 저희는 6월 21일부터 23일까지 3일 동안 어린이 도서 박람회를 엽니다. 그것은 여러분의 아이들에게 책을 읽는 즐거움을 느낄 수 있는 기회를 제공할 것입니다. 만화책, 그림책, 그리고 동화책을 포함한 매우 다양한 아동용 도서를 전시할 것입니다. 또한, 모든 도서를 정가의 50% 할인된 가격에 구입할 수 있습니다. 박람회의 첫 날에는 유명한 작가인 Andy Murphy를 만나서 이야기를 나눌 수 있습니다. 또한, 박람회를 방문하는 모든 어린이는 티셔츠를 선물로 받을 것입니다. 여러분이 박람회를 즐기시길 바랍니다. 고맙습니다.

Children's Book Fair에 관한 다음 내용을 듣고, 일치하지 <u>않는</u> 것을 고르시오.

① 3일 동안 진행된다.
② 만화책을 포함한 아동용 도서를 전시한다.
③ 50% 할인된 가격으로 책을 살 수 있다.
④ 행사 첫 날에 유명 작가를 만날 수 있다.
⑤ 방문하는 모든 어린이는 책갈피를 선물로 받는다.

[어휘] resident 주민 librarian 사서
fair 박람회 offer 제공하다
opportunity 기회
a wide variety of 매우 다양한
fairy tale 동화
in addition 게다가, 또한

---

9 답 ②

W: Good morning. How may I help you?

M: I'm looking for an exercise mat for home training.

W: Okay. Here are our best-selling models.

M: They all look nice. Are thicker mats better?

W: Not really. But I think it should be at least 5mm for home
trainers.
최소 5mm 이상이라고 했으므로 ① 제외

M: I see. Then I have to choose from these four.

W: How about this one? It's the most popular.

M: It's too expensive. 40달러 미만이라고 했으므로 ④, ⑤ 제외 I don't want to spend more than $40.

W: Out of these two options left, I recommend this model with a
앞의 명사를 수식하는 과거분사
non-slip surface. It keeps you from sliding around.

M: Okay. Safety is important. I'll take it. 표면이 미끄럽지 않은 제품을 살 것이므로 ③ 제외

여: 안녕하세요. 어떻게 도와드릴까요?
남: 저는 집에서 운동을 하기 위한 운동 매트를 찾고 있어요.
여: 네. 여기 가장 잘 팔리는 제품이 있습니다.
남: 다 좋아 보여요. 더 두꺼운 매트가 더 좋나요?
여: 그렇지는 않아요. 하지만 집에서 운동하는 용으로는 최소 5mm는 되어야 해요.
남: 그렇군요. 그럼 이 네 개 중에서 골라야겠네요.
여: 이것은 어떠세요? 가장 인기 있어요.
남: 너무 비싸요. 저는 40달러 이상은 쓰고 싶지 않아요.
여: 남은 이 두 개의 선택 사항 중에서, 저는 표면이 미끄럽지 않은 이 제품을 추천해요. 그것은 당신이 미끄러지지 않도록 해 줘요.
남: 좋아요. 안전은 중요하죠. 그것을 살게요.

[어휘] best-selling 가장 잘 팔리는
thick 두꺼운 at least 최소한
out of ~ 중에서 option 선택 사항
non-slip 미끄럽지 않은 surface 표면
keep A from B A가 B하는 것을 방지하다
slide 미끄러지다 safety 안전
thickness 두께

다음 표를 보면서 대화를 듣고, 남자가 구입할 운동 매트를 고르시오.

Exercise Mats

	Model	Thickness	Price	Non-slip Surface
①	A	4mm	$24	×
②	B	6mm	$33	○
③	C	8mm	$38	×
④	D	8mm	$45	○
⑤	E	10mm	$55	○

---

10 답 ①

W: Honey, don't forget to bring your umbrella to work today.
don't forget to-V: ~하는 것을 잊지 마라

M: Umbrella? The sky is clear now.

W: The weather forecast said it'd rain this afternoon.
여자는 남자에게 일기 예보에서 비가 내린다고 했으니 우산을 가져가라고 말하고 있다.

M: ① I see. Thank you for letting me know.

여: 여보, 오늘 출근할 때 우산 가지고 가는 것을 잊지 말아요.
남: 우산이요? 지금 하늘이 맑아요.
여: 일기 예보에서 오늘 오후에 비가 올 거라고 했어요.
남: ① 알겠어요. 알려 줘서 고마워요.

대화를 듣고, 여자의 마지막 말에 대한 남자의 응답으로 가장 적절한 것을 고르시오.

① I see. Thank you for letting me know.
② Unfortunately, I got caught in the rain.
③ Well, it's been raining since yesterday.
④ You're right. It'll be sunny this afternoon.
⑤ Yeah. These umbrellas are available online.

어휘 get caught in the rain 비를 만나다
available 구할 수 있는

② 유감스럽게도, 저는 비를 만났어요.
③ 음, 어제부터 비가 오고 있어요.
④ 맞아요. 오늘 오후에는 화창할 거예요.
⑤ 네, 이 우산들은 온라인에서 구할 수 있어요.

DAY 08

누구나 100점 테스트 | 2회

| 1 ② | 2 ② | 3 ① | 4 ④ | 5 ① | 6 ① | 7 ④ | 8 ⑤ | 9 ③ | 10 ② |

1 답②

M: May I have your attention, please? This is your principal, Mr.
화자는 교장 선생님이다.
Adams. Last Thursday after school, one of our students was
one of+복수 명사: ~ 중 하나
unfortunately involved in a car accident while jaywalking in
접속사: ~하는 동안
front of our school. The student got hurt because he didn't
횡단보도로 길을 건너지 않은 학생이 학교 앞에서 교통사고로 다쳤다.
use a crosswalk to cross the street. It's very dangerous
to부정사 부사적 용법(목적)   가주어
to cross the road illegally because you can't always see
진주어
approaching vehicles. You might want to cut across streets to
뒤의 명사를 수식하는 현재분사
get to where you need to go, but doing so increases the risk
전치사 to의 목적어절   = cutting across streets ~ to go
of getting hit by a car. For your safety, we cannot overlook
this situation. Once more, I strongly advise you not to
무단 횡단하지 말라는 것을 강조하고 있다.   to부정사 부정형
jaywalk.

다음을 듣고, 남자가 하는 말의 목적으로 가장 적절한 것을 고르시오.
① 횡단보도 위치 변경을 안내하려고
② 무단 횡단을 하지 않도록 당부하려고
③ 신호등 추가 설치 위치를 공지하려고
④ 학교 앞 도로 제한 속도 준수를 촉구하려고
⑤ 교통사고로 다친 학생의 후원금을 모금하려고

남: 여러분, 주목해 주시겠습니까? 저는 교장인 Adams 선생님입니다. 유감스럽게도 지난 목요일 방과 후에 우리 학교 학생 중 한 명이 학교 앞에서 무단 횡단을 하다가 교통사고를 당했습니다. 그 학생은 횡단보도로 길을 건너지 않았기 때문에 다쳤습니다. 다가오는 차량을 항상 알아차릴 수 없기 때문에 불법으로 길을 건너는 것은 매우 위험합니다. 가야 하는 곳으로 가기 위해 길을 질러가고 싶겠지만 그렇게 하면 차에 치일 위험이 증가합니다. 여러분의 안전을 위해 저희는 이 상황을 간과할 수 없습니다. 다시 한번, 무단 횡단을 하지 말 것을 여러분에게 강력히 권고합니다.

어휘 be involved in ~에 관련되다
jaywalk 무단 횡단하다
crosswalk 횡단보도   illegally 불법으로
approach 다가오다   vehicle 차량
cut across ~을 질러가다
risk 위험   overlook 간과하다

2 답②

M: What are you doing, Jennifer? Mom wants us to study now.
5형식 동사+목적어+목적격 보어(to부정사)

남: Jennifer, 뭐 하고 있어? 엄마가 지금 우리 공부하라고 하셨어.

W: I'm getting ready to go to the library to study.

M: Walking to the library takes so much time. Why don't you study at home?

W: Strangely, I can't focus on my studies here. I don't know why.

M: Hmm, how about tidying up your study space?

W: Tidying up my study space? Why?

M: When I organized my study place, I could avoid distractions and focus better.

W: Do you really think it'll work for me as well?

M: Sure. A disorganized desk leads to a disorganized mind. Messy spaces can even create stress.

W: That makes sense. I often get anxious looking at my messy desk.

M: Right. I think an organized study space can help to improve your focus.

W: I guess it's worth trying out.

대화를 듣고, 남자의 의견으로 가장 적절한 것을 고르시오.
① 집중력 향상을 위해서는 충분한 휴식이 필요하다.
② 정돈된 학습 공간은 집중력을 높이는 데 도움이 된다.
③ 효율적인 학습을 위해서 학습 계획표를 작성해야 한다.
④ 많은 과제는 학생에게 학습에 대한 스트레스를 줄 수 있다.
⑤ 책임감을 기르기 위해서는 자녀도 집안일을 분담해야 한다.

여: 공부하러 도서관에 가려고 준비하고 있어.

남: 도서관까지 걷는 것은 시간이 너무 오래 걸려. 집에서 공부하는 것은 어때?

여: 이상하게, 나는 여기서는 공부에 집중할 수 없어. 이유를 모르겠어.

남: 흠, 학습 공간을 정리하는 것은 어때?

여: 학습 공간을 정리하라고? 왜?

남: 나는 학습 공간을 정리했을 때 집중을 방해하는 것이 없어서 더 잘 집중했었거든.

여: 나에게도 그것이 정말 효과가 있을까?

남: 물론이지. 정리가 안 된 책상은 마음을 불안정하게 해. 지저분한 공간은 스트레스를 줄 수도 있어.

여: 그거 말이 된다. 나는 지저분한 내 책상을 보며 종종 불안함을 느끼거든.

남: 맞아. 정돈된 학습 공간은 집중력을 향상하는 데 도움이 될 수 있어.

여: 시도해 볼 만한 것 같아.

어휘 tidy up ~을 깔끔하게 정리하다 organize 정돈하다 avoid 피하다 distraction 집중을 방해하는 것 disorganized 무질서한, 체계적이지 못한 messy 지저분한 anxious 불안해하는 worth ~할 가치가 있는, ~해 볼 만한

---

3 답 ①

W: Good afternoon. How may I help you?

M: I made a reservation online. It's under the name of Stennis.

W: Could you spell it, sir?

M: Sure. S-T-E-N-N-I-S.

W: All right. You've booked a double room with an ocean view for two nights. Is that correct?

M: Yes. And I want to stay on a higher floor if possible.

W: Let me check. [*Typing sound*] We have rooms available on the 15th and 19th floors. Which one would you prefer?

M: 19th is better.

W: Okay. You'll be staying in Room 1911. Here are your key and breakfast coupons.

여: 안녕하세요. 어떻게 도와드릴까요?

남: 온라인으로 예약을 했어요. Stennis라는 이름으로 되어 있습니다.

여: 철자를 불러 주시겠어요, 선생님?

남: 네. S-T-E-N-N-I-S.

여: 알겠습니다. 바다 전망의 더블 룸을 2박 예약하셨네요. 맞아요?

남: 네. 그리고 가능하다면 더 높은 층에 묵고 싶어요.

여: 확인해 볼게요. [타자 치는 소리] 15층과 19층에 이용 가능한 방이 있어요. 어느 것을 선호하세요?

남: 19층이 더 좋아요.

여: 알겠습니다. 1911호에 숙박하세요. 여기 열쇠와 아침 식사 쿠폰입니다.

M: Thanks. When does the morning buffet begin?

W: You can have breakfast from 7 to 9 a.m. at the restaurant on the first floor. Have a nice stay.

남: 고맙습니다. 아침 뷔페는 언제 시작하나요?

여: 오전 7시부터 9시까지 1층에 있는 식당에서 아침을 드실 수 있습니다. 즐겁게 머물러 주세요.

대화를 듣고, 두 사람의 관계를 가장 잘 나타낸 것을 고르시오.

① 호텔 직원 – 투숙객
② 식당 지배인 – 요리사
③ 여행 가이드 – 여행객
④ 열쇠 수리공 – 집주인
⑤ 부동산 중개인 – 세입자

[어휘] make a reservation 예약하다
under the name of ~라는 이름으로
spell 철자를 말하다
book 예약하다

---

4 답 ④

M: What are you looking at, Sumi?

W: Hi, David. I'm looking at the picture✓I took on my middle school graduation day.
　　　　　　　　　목적격 관계대명사 that (which) 생략됨

M: Let me see it. [*Pause*] Wow! There are heart-shaped balloons above the blackboard.
　　　① 칠판 위에 하트 모양 풍선이 있다.

W: Yeah. My friends and I put them there.

M: How nice! I also like the "Thank You" banner below the balloons.
　감탄문(How+형용사(+주어+동사)!)　② 풍선 밑에 'Thank You' 현수막이 있다.

W: We really wanted to express our thanks to our homeroom teacher, Mr. Kim. I took this picture with him.

M: Oh, he's wearing a striped tie. ③ 김 선생님은 줄무늬 넥타이를 하고 있다.

W: Right. He usually doesn't wear a tie, but it was a special day.

M: I see. What is it in your hand?

W: It's the school yearbook.
　　④ 여자는 손에 졸업 앨범을 들고 있다.

M: And you're making a V-sign with your fingers.
　　⑤ 여자는 손가락으로 V자를 만들고 있다.

W: Yes. I was very happy and proud that day.

남: 수미야, 뭘 보고 있어?

여: 안녕, David. 중학교 졸업식 날에 찍은 사진을 보고 있어.

남: 어디 보자. [잠시 후] 와! 칠판 위에 하트 모양의 풍선이 있구나.

여: 응. 내 친구들과 내가 그것들을 거기에 붙였어.

남: 멋지구나! 풍선 밑에 '고맙습니다' 현수막도 맘에 들어.

여: 담임 선생님이신 김 선생님에게 우리의 감사를 정말 표현하고 싶었어. 나는 이 사진을 선생님과 함께 찍었어.

남: 오, 그는 줄무늬 넥타이를 하고 계시구나.

여: 맞아. 그는 보통 넥타이를 안 하시는데, 그날은 특별한 날이었어.

남: 그렇구나. 네 손에 그것은 뭐야?

여: 학교 졸업 앨범이야.

남: 그리고 너는 손으로 V자를 하고 있구나.

여: 응. 나는 그날 정말 행복했고 자랑스러웠어.

[어휘] graduation 졸업
heart-shaped 하트 모양의
yearbook 졸업 앨범
proud 자랑스러운

대화를 듣고, 그림에서 대화의 내용과 일치하지 <u>않는</u> 것을 고르시오.

[*Cell phone rings.*]

W: Benjamin, I'm sorry to call you during work, but I have great news to share.
_{to부정사 부사적 용법(감정의 원인)}
_{to부정사 형용사적 용법(앞의 news 수식)}

M: No problem, Mom. I'm about to leave my office. What's up?
_{be about+to-V: 막 ~하려는 참이다}

W: Your brother Wilson got the football scholarship! Let's throw a party tonight to celebrate.
_{to부정사 부사적 용법(목적)}

M: Wow, wonderful. I'll buy a cake for him on my way home.
_{남자가 케이크를 사겠다고 말하고 있다.}

W: Good! I'll cook his favorite steak.
_{여자가 스테이크를 요리할 것이다.}

M: Oh, he'll love it!

W: Yeah, I hope so. But I think something is missing from the meal. How about adding mashed potatoes as a side dish?
_{전치사: ~로써}

M: Great, it goes well with steak.

W: Right, but we're out of potatoes. _{여자가 감자가 없다고 하자 남자가 사가지고 가겠다고 말하고 있다.}

M: Don't worry. I'll buy some for you. The grocery store is near the bakery. I'll be at home in an hour.

W: Thanks. No rush. We still have some time.

대화를 듣고, 남자가 여자를 위해 할 일로 가장 적절한 것을 고르시오.

① 감자 사 오기　　　　② 케이크 만들기
③ 장학금 신청하기　　④ 스테이크 주문하기
⑤ 식료품점 위치 검색하기

[휴대 전화벨이 울린다.]

여: Benjamin, 일하는데 전화해서 미안한데, 알려 줄 굉장한 소식이 있어.

남: 괜찮아요, 엄마. 지금 퇴근하려던 참이에요. 무슨 일인데요?

여: 네 동생 Wilson이 축구 장학금을 받았어! 오늘 밤에 축하 파티를 열자.

남: 와, 굉장하네요. 집에 가는 길에 그를 위한 케이크를 살게요.

여: 좋아! 나는 그가 가장 좋아하는 스테이크를 요리할게.

남: 오, 그는 정말 좋아할 거예요!

여: 응, 그러길 바라. 그런데 음식에 뭔가 빠진 것 같아. 곁들임 요리로 으깬 감자를 추가하면 어떨까?

남: 좋아요, 스테이크랑 잘 어울리죠.

여: 맞아, 그런데 감자가 다 떨어졌어.

남: 걱정 마세요. 제가 조금 살게요. 식료품점은 빵집 근처에 있어요. 한 시간 후에 집에 갈게요.

여: 고맙다. 서두르지 마. 아직 시간이 있어.

[어휘] scholarship 장학금
throw a party 파티를 열다
celebrate 축하하다
on one's way home 귀가 길에

W: David, have you handed in the science assignment?
_{현재완료(완료)}

M: Yes, I'm happy that I finally finished it! By the way, are you going to Jamie's farewell party tonight?

W: Yes, I am. It's so sad that she is moving that far away. You're coming, too, right?
_{가주어}　_{진주어}

M: I really wish I could, but I need to go home early today.
_{I wish 가정법 과거: ~라면 좋을 텐데}

W: Why do you need to go home early?

M: My grandfather is in the hospital, and my parents are going to visit him tonight.
_{남자의 할아버지께서 입원하셔서 부모님이 오늘밤에 병문안을 갈 것이다.}

W: I'm sorry to hear that. Do you have to go, too?
_{to부정사 부사적 용법(감정의 원인)}

M: No, my little brother will be at home alone, so I have to babysit him.
_{부모님이 병문안을 가셔서 남자가 남동생을 돌봐야 한다.}

여: David, 너 과학 과제 제출했어?

남: 응, 드디어 그것을 끝내서 행복해! 그런데, 너 오늘밤에 Jamie의 송별회에 가니?

여: 응, 가. 그녀가 그렇게 멀리 이사를 가는 것이 너무 슬퍼. 너도 올 거지, 그렇지?

남: 정말 가고 싶은데, 오늘 집에 일찍 가야 해.

여: 왜 집에 일찍 가야 해?

남: 할아버지께서 병원에 계신데, 부모님께서 오늘밤에 병문안을 가실 거야.

여: 할아버지께서 편찮으셔서 유감이야. 너도 가야 해?

남: 아니, 남동생이 집에 혼자 있을 거라서 나는 그를 돌봐야 해.

여: 그렇구나. 네가 그를 돌보는구나.

남: 응. Jamie에게 이 선물을 전해 주면서 내가

W: I see. You will take care of him.

M: Yes. Can you please give this present to Jamie and tell her that I'm sorry I have to miss her party?
_{tell의 직접목적어절 / 명사절을 이끄는 접속사 that 생략됨}

W: No problem. I'm sure she'll understand your situation.
_{명사절을 이끄는 접속사 that 생략됨}

대화를 듣고, 남자가 Jamie의 송별회에 갈 수 **없는** 이유를 고르시오.

① 남동생을 돌봐야 해서
② 과학 숙제를 해야 해서
③ 할아버지 병문안을 가야 해서
④ 부모님을 병원에 모시고 가야 해서
⑤ 친구에게 줄 선물을 준비하기 위해서

파티에 못 가서 미안하다고 말해 줄래?
여: 그래. 그녀는 너의 상황을 이해할 거야.

[어휘] hand in 제출하다
assignment 과제 farewell 작별 (인사)
babysit 아이를 봐 주다
miss 놓치다

---

7 답 ④

M: Honey, what are you doing?

W: I'm looking at this brochure for Lakeville Campground. Why don't we go camping next month?

M: Sounds great. Let's look at the brochure together.

W: Wow. In these photos, the campground is surrounded by a thick forest. And there's also a huge lake nearby. _{수동태 / ① 주변 자연환경}

M: That's awesome! We can enjoy the beauty of nature.

W: Yeah. And they offer a lot of convenient facilities.

M: It says each camping site has a shower room, a barbecue grill, and a place to have a campfire. _{명사절을 이끄는 접속사 that 생략됨 / ② 편의 시설 / to부정사 형용사적 용법(앞의 place 수식)}

W: We're going to have so much fun. How much is it?

M: It's $35 per night. _{③ 이용료}

W: That's reasonable.

M: And it says we should make a reservation on their website. _{명사절을 이끄는 접속사 that 생략됨 / ⑤ 예약 방법}

W: This campground is really popular. So we need to hurry to reserve a place. _{to부정사 부사적 용법(목적)}

M: Okay. Let's do it right now.

대화를 듣고, Lakeville Campground에 관해 언급되지 **않은** 것을 고르시오.

① 주변 자연환경   ② 편의 시설   ③ 이용료
④ 이용 시간   ⑤ 예약 방법

남: 여보, 뭐 하고 있어요?
여: Lakeville 캠핑장 안내 책자를 보고 있어요. 다음 달에 캠핑 가는 것은 어때요?
남: 좋아요. 책자를 같이 봐요.
여: 와. 이 사진들에서 캠핑장은 울창한 숲으로 둘러싸여 있네요. 그리고 근처에 거대한 호수도 있어요.
남: 멋지네요! 자연의 아름다움을 즐길 수 있겠어요.
여: 네. 그리고 많은 편의 시설도 제공해요.
남: 각 야영지마다 샤워실, 바비큐 그릴, 그리고 캠프 파이어를 할 수 있는 장소가 있다고 되어 있네요.
여: 정말 재미있을 거예요. 얼마인가요?
남: 하룻밤에 35달러예요.
여: 가격도 적당하네요.
남: 그리고 웹 사이트에서 예약해야 한다고 되어 있어요.
여: 이 캠핑장은 정말 인기 있어요. 그래서 우리는 장소를 예약하려면 서둘러야 해요.
남: 알겠어요. 지금 당장 해요.

[어휘] brochure (안내·광고) 책자
be surrounded by ~에 둘러싸이다
convenient facilities 편의 시설

---

8 답 ⑤

M: Hello, listeners. I'm Nick Adams from Healthy Cooking.

남: 청취자 여러분, 안녕하세요. 저는 Healthy Cooking의 Nick Adams입니다. 다가오는

I'm pleased to make this announcement about the upcoming
　　　　　　to부정사 부사적 용법(감정의 원인)
cooking contest, Show Me Your Dishes. It's open to young
　　　　　　　　　　　　　　① 참가 대상은 15세부터 18세의 청소년이다.
adults aged 15 to 18 who want to become chefs. This contest
　　　　　　　　　　　주격 관계대명사　　　　　② 2004년부터 매년 10월에 열리는 대회이다.
is an annual event which has been held every October since
　　　　　　　　주격 관계대명사　　　현재완료 수동태
2004. If you'd like to participate, please upload your recipe
　③ 참가하려면 9월 6일까지 조리법을 대회 웹 사이트에 업로드해야 한다.
to our contest website by September 6th. The participants
　　　　　　　　　　　　　　　　　④ 참가자는 90분 동안 요리를 한다.
will have 90 minutes to cook up their best dishes. Their
　　　　　　　　미래 시제 수동태
dishes will be judged based on taste and nutritional value by
　⑤ 심사의 기준은 맛과 영양가이다.
chefs from some of the most famous local restaurants. Don't

miss this great opportunity to show off your cooking skills!
　　　　　　　　　　　to부정사 형용사적 용법(앞의 opportunity 수식)

Show Me Your Dishes에 관한 다음 내용을 듣고, 일치하지 않는 것을 고르시오.

① 참가 대상은 15세부터 18세의 청소년이다.
② 2004년부터 매년 열리는 대회이다.
③ 참가하려면 조리법을 대회 웹 사이트에 업로드해야 한다.
④ 참가자에게 90분의 요리 시간이 주어진다.
⑤ 심사의 기준은 맛과 창의성이다.

요리 대회인 Show Me Your Dishes에 관해 안내를 드릴 수 있어서 기쁩니다. 그것은 요리사가 되고 싶은 15세부터 18세 사이의 청소년들에게 열려 있습니다. 이 대회는 2004년부터 매년 10월에 열리는 연례 행사입니다. 참가를 원하시면 9월 6일까지 대회 웹 사이트에 여러분의 조리법을 업로드해 주세요. 참가자에게는 최고의 요리를 만들 90분이 주어질 것입니다. 요리는 가장 유명한 지역 식당들의 요리사들에 의해 맛과 영양가에 기반하여 평가될 것입니다. 여러분의 요리 실력을 뽐낼 이 좋은 기회를 놓치지 마세요!

[어휘] announcement 안내
upcoming 다가오는
aged (나이가) ~세의　annual 연례의
judge 심사하다
nutritional value 영양가
show off 뽐내다

9 답 ③

M: Katie, what are you doing with your smartphone?
W: I'm searching for an electric shaver for my dad's birthday.
　　Will you help me find a good one?
　　　　　　　help+목적어+목적격 보어(원형 부정사 또는 to부정사)
M: Sure. Let me see... [Pause] How about this one?
W: Well, that's too expensive. I can't spend more than $100.
　　　　　　　　　　　　100달러 이상은 쓸 수 없으므로 ⑤ 제외
M: Okay. And I think a 20-minute battery life is too short to use
　　　　　　　　20분의 배터리 수명은 너무 짧다고 했으므로 ① 제외　too+형용사+to-V:
conveniently.　　　　　　　　　　　　　　　　　　…하기에 너무 ~한
W: I think so, too. It needs frequent charging.
M: You're right. Does it need to be waterproof?
W: Of course. He shaves in the shower every morning.
　　방수 기능이 필요하다고 했으므로 ② 제외
M: Then we have only two options left. Which color do you
　　　　　　　　　　　　　　　앞의 명사를 수식하는 과거분사
think is better?
W: Dad likes black, so I'll buy the black one.
　검정색으로 살 것이므로 ④ 제외
M: I think it's a nice choice.

남: Katie, 스마트폰으로 뭐 하고 있어?
여: 아빠 생신 선물로 전기면도기를 찾고 있어. 좋은 것을 찾는 것을 도와줄래?
남: 그래. 어디 보자…… [잠시 후] 이것은 어때?
여: 글쎄, 그것은 너무 비싸다. 나는 100달러 이상은 쓸 수 없어.
남: 그렇구나. 그리고 배터리 수명이 20분인 것은 편리하게 사용하기에는 너무 짧은 것 같아.
여: 나도 그렇게 생각해. 자주 충전을 해야 할 거야.
남: 네 말이 맞아. 방수가 필요할까?
여: 물론이지. 그는 매일 아침 샤워하면서 면도를 해.
남: 그럼 우리에게 두 가지 선택 사항만 남아. 너는 어떤 색이 더 낫다고 생각해?
여: 아빠는 검정색을 좋아하시니 검은 것을 살래.
남: 좋은 선택인 것 같아.

다음 표를 보면서 대화를 듣고, 여자가 구입할 전기면도기를 고르시오.

Electric Shaver

	Model	Price	Battery Life	Waterproof	Color
①	A	$55	20 minutes	×	black
②	B	$70	40 minutes	×	white
③	C	$85	60 minutes	○	black
④	D	$90	70 minutes	○	white
⑤	E	$110	80 minutes	○	black

어휘 electric shaver 전기면도기
frequent 잦은, 빈번한
charging 충전
waterproof 방수의
shave 면도하다

10 답 ②

W: Mr. Smith, can you give me advice on how to edit my essay?
　　　　　　　　　　　　　수여동사+간접목적어+직접목적어　how+to-V: ~하는 법
M: Sure. First, take a look at the hand-out I gave you last class.
　　　　　　　　　　　　　　　　　　　　목적격 관계대명사 that (which) 생략됨
　　It has helpful examples.
W: Really? Oh, I'm sorry. I'm afraid I lost it.
　　　　　　　　　　　　여자는 선생님이 나눠 준 유인물을 분실했다.
M: ② Don't worry. I can make a copy for you.

대화를 듣고, 여자의 마지막 말에 대한 남자의 응답으로 가장 적절한 것을 고르시오.
① Actually, I couldn't find your essay.
② Don't worry. I can make a copy for you.
③ Too bad. I can't remember the deadline.
④ Not at all. I didn't start writing my essay.
⑤ Congratulations! I knew you could make it.

여: Smith 선생님, 에세이를 수정하는 방법에 관해 조언해 주시겠어요?
남: 물론이지. 먼저, 내가 지난 시간에 나눠 준 유인물을 살펴보렴. 도움이 되는 예시들이 있어.
여: 정말요? 오, 죄송해요. 그것을 잃어버렸어요.
남: ② 걱정 마. 너에게 복사해 줄게.

어휘 edit 수정하다　hand-out 유인물
make a copy 복사하다

① 실은, 너의 에세이를 찾을 수가 없었어.
③ 안됐다. 나는 마감일을 기억할 수 없어.
④ 괜찮아. 나는 에세이 작성을 시작하지 않았어.
⑤ 축하해! 네가 할 수 있다는 것을 알았어.

DAY 09

수능 기초 예상 문제 | 1회

| 1 ② | 2 ② | 3 ② | 4 ⑤ | 5 ③ | 6 ④ | 7 ② | 8 ③ | 9 ⑤ | 10 ④ |
| 11 ⑤ | 12 ① | 13 ① | 14 ④ | 15 ③ | 16 ② | 17 ④ |

1 답 ②

M: Hello, welcome to Fun Bike Touring. I'm Harry Wilson,
　　　　　　　　　　　　　　　　　　사역동사+목적어+목적격 보어(원형 부정사)
　　your tour guide. Before starting the tour, let me tell you the
　　　　　　　　　　　　　　　　　　　　　　안전 규칙에 대해 말하겠다고 했다.
　　safety rules. First, always keep your helmet on. Wearing
　　규칙 1 항상 헬멧 쓰기

남: 안녕하세요, Fun Bike Touring에 오신 것을 환영합니다. 저는 여러분의 투어 가이드인 Harry Wilson입니다. 투어를 시작하기 전에, 안전 규칙에 대해 말씀드리겠습니다. 먼저, 항상 헬멧을 쓰세요. 헬멧을 쓰는

a helmet protects you from serious injuries in case of an
동명사구 주어(단수 취급)
accident. Second, you should use bicycle-only lanes. If you
규칙2 자전거 전용 도로 이용하기
ride out of the lane, there is a chance that you could be hit by
조동사가 있는 수동태
a car. Lastly, don't use your cell phone while riding. Taking
규칙3 자전거를 타는 동안 휴대 전화 사용하지 않기
pictures or talking on the phone while riding can be really
dangerous to you and others. Now, are you ready to start?
to부정사 부사적 용법
(앞의 ready 수식)
Let's go!

다음을 듣고, 남자가 하는 말의 목적으로 가장 적절한 것을 고르시오.
① 교통사고 발생 시 대처 요령을 안내하려고
② 자전거 투어 시 안전 규칙을 설명하려고
③ 자전거 전용 도로 확충을 요청하려고
④ 단체 관광 일정 변경을 공지하려고
⑤ 자전거 대회 참가를 독려하려고

것은 사고가 날 경우 심각한 부상으로부터 여러분을 보호합니다. 두 번째로, 자전거 전용 도로를 이용하세요. 전용 도로 밖에서 타면 차에 치일 수도 있습니다. 마지막으로, 자전거를 타는 동안 휴대 전화를 사용하지 마세요. 자전거를 타면서 사진을 찍거나 전화 통화를 하는 것은 여러분에게 그리고 다른 사람들에게 정말 위험할 수 있습니다. 이제, 출발할 준비가 되셨나요? 출발!

어휘 safety rule 안전 규칙
in case of ~의 경우
accident 사고
lane 길, 도로, 차선

---

2 답 ②

M: Hello, Irene. What are you doing?

W: Hi. I'm reading a book for a book review assignment.

M: Then, why are you wearing earphones?

W: I'm listening to music. I find it helpful when reading a book.
여자는 책을 읽을 때 음악을 듣는 것이 도움이 된다고 말하고 있다.   접속사+분사구문
M: Doesn't listening to music hurt your concentration?

W: Actually, no. I can concentrate on my reading better while
listening to music. 근거1 여자는 음악을 들을 때 독서에 집중을 더 잘 할 수 있다.   접속사+분사구문
명사절을 이끄는 접속사 that 생략됨
M: Really? I didn't know that was possible.
사역동사+목적어+목적격 보어(원형 부정사)
W: Also, it makes me feel good, and that surely keeps me awake.
근거2 음악이 기분을 좋게 만들고 깨어 있게 한다.
M: You mean that you can keep reading when you feel bored
keep V-ing: 계속 ~하다
with a book?

W: Right. That's why I listen to music while reading.
관계부사 when 생략됨
M: I see. I'll give it a try the next time I read a book.

W: It'll work for you, too.

대화를 듣고, 여자의 의견으로 가장 적절한 것을 고르시오.
① 기억력은 반복적인 학습을 통해 향상된다.
② 책을 읽을 때 음악을 듣는 것은 도움이 된다.
③ 꾸준한 독서 습관을 형성하는 것이 중요하다.
④ 음악 감상은 아동의 창의력 발달에 효과적이다.
⑤ 청력 보호를 위해 적절한 음량 조절이 필요하다.

남: 안녕, Irene. 뭐 하고 있니?
여: 안녕. 나는 독후감 과제를 할 책을 읽고 있어.
남: 그럼, 이어폰은 왜 끼고 있어?
여: 음악을 듣고 있어. 책을 읽을 때 도움이 되거든.
남: 음악을 듣는 것이 집중을 해치지 않아?
여: 사실, 그렇지 않아. 나는 음악을 듣는 동안 독서에 더 잘 집중할 수 있어.
남: 그래? 그게 가능한지 몰랐어.
여: 또, 그것은 내가 기분 좋게 만들고, 확실히 깨어 있게 해 줘.
남: 책이 지루할 때 계속 독서를 할 수 있게 해 준다는 거야?
여: 맞아. 그래서 내가 책을 읽으면서 음악을 듣는 거야.
남: 그렇구나. 나도 다음에 책을 읽을 때 시도해 봐야겠다.
여: 너에게도 효과가 있을 거야.

어휘 assignment 과제
concentration 집중
concentrate on ~에 집중하다
awake 깨어 있는

[*Door knocks.*]

W: Hello, Mr. Cooper. Come on in. Have a seat, please.

M: Thank you.

W: You came here last week because of a sunburn. How are the symptoms now? 힌트 1 남자는 지난주에 화상으로 여자를 방문했고, 여자는 현재 증상을 묻고 있다.

M: Much better.

사역동사+목적어+목적격 보어(원형 부정사)
W: Great. Let me look at the sunburn. [*Pause*] The redness is almost gone. 힌트 2 여자는 남자의 화상을 살펴보고 있다.

M: Yeah. The cream you prescribed was really helpful.

W: Good. Do you still have any pain? 힌트 3 여자는 남자에게 화상 연고를 처방해 주었다.

M: Not anymore.

to부정사 부사적 용법(감정의 원인)
W: I'm glad to hear that. If you put the cream on for a few days more, your skin will completely recover.

M: Okay. But I don't have any more cream. Could you write me another prescription?

W: Sure. [*Typing sound*] If you have any problems, please come back. 힌트 4 다른 문제가 있으면 다시 방문하라고 했다.

M: Thank you.

대화를 듣고, 두 사람의 관계를 가장 잘 나타낸 것을 고르시오.

① 구급 대원 – 간호사   ② 피부과 의사 – 환자

③ 화장품 판매원 – 손님   ④ 제약 회사 직원 – 약사

⑤ 물리 치료사 – 운동선수

[문을 두드린다.]

여: 안녕하세요. Cooper 씨. 들어오세요. 앉으세요.

남: 고맙습니다.

여: 햇볕에 의한 화상으로 지난주에 오셨어요. 현재 증상은 어때요?

남: 훨씬 좋아졌어요.

여: 잘됐군요. 화상 좀 볼게요. [잠시 후] 붉은 기는 거의 사라졌어요.

남: 네. 처방해 주신 연고가 정말 도움이 됐어요.

여: 잘됐군요. 다른 통증이 아직 있나요?

남: 더는 없어요.

여: 다행입니다. 연고를 며칠 더 바르면 피부는 완전히 회복될 거예요.

남: 알겠습니다. 그런데 연고가 다 떨어졌어요. 처방전을 써 주시겠어요?

여: 물론이죠. [타자 치는 소리] 다른 문제가 생기면 또 오세요.

남: 고맙습니다.

어휘 sunburn 햇볕으로 입은 화상
symptom 증상   redness 홍조
prescribe 처방하다   recover 회복하다
prescription 처방전

M: Honey, I just found a picture of a great living room design. It can give us some ideas for our own living room.

수여동사+간접목적어+직접목적어
W: Let me see. [*Pause*] Wow! I like the bookshelf behind the armchairs. ① 안락의자 뒤에 책장이 있다.

M: Yeah. It's really impressive. I think ∧ we should have a bookshelf like that one. 명사절을 이끄는 접속사 that 생략됨

W: I agree. What do you think about how they used the space around the window? 간접의문문

M: The two flower pots under the window look nice. We should put our plants the same way. ② 창문 아래에 화분 두 개가 있다.

남: 여보, 내가 방금 멋진 거실 디자인 사진을 찾았어요. 그것은 우리 거실을 위한 아이디어를 우리에게 줄 수 있어요.

여: 어디 봐요. [잠시 후] 왜! 안락의자 뒤에 있는 책장이 마음에 들어요.

남: 네. 정말 인상적이에요. 우리도 저것과 같은 책장을 사야 할 것 같아요.

여: 동의해요. 창문 주변의 공간을 활용한 방법은 어때요?

남: 창문 아래 화분 두 개가 멋져 보여요. 우리도 같은 방법으로 화분을 놓아요.

여: 오, 애완동물 방석 위에 고양이 한 마리가

W: Oh, there's a cat lying on a pet cushion.
_{앞의 명사를 수식하는 현재분사구}
_{③ 방석 위에 고양이가 누워 있다.}

M: It looks so comfortable. Why don't we buy one for our cat?

W: That's a good idea. Did you notice the round table between the armchairs? _{④ 안락의자 사이에 원형 테이블이 있다.}

M: I've always wanted to have a tea table like that one. _{현재완료(계속)}

W: Look at this floor lamp! The lamp shade has the same striped pattern as ours. _{⑤ 전등갓은 줄무늬이다.}

M: It does! Let's decorate our living room like the one in this picture.

W: I can't wait to see how it turns out. _{간접의문문}

대화를 듣고, 그림에서 대화의 내용과 일치하지 <u>않는</u> 것을 고르시오.

여: 누워 있어요.

남: 정말 편안해 보여요. 우리 고양이를 위해 하나 사면 어때요?

여: 좋은 생각이에요. 안락의자 사이에 원형 테이블을 알아차렸어요?

남: 나는 항상 저것과 같은 티 테이블을 갖고 싶었어요.

여: 이 플로어 스탠드를 봐요! 전등갓이 우리 것과 같은 줄무늬 모양이네요.

남: 그러네요! 이 사진의 것처럼 우리 거실도 장식해요.

여: 그것이 어떻게 될지 정말 기대돼요.

....

[어휘] bookshelf 책장
armchair 안락의자
impressive 인상적인
flower pot 화분
shade (전등의) 갓
decorate 장식하다
turn out 되다, 되어 가다

---

5 답 ③

W: Simon, I think we're ready for the fundraising event. _{모금 행사 준비가 대화 주제이다.}

M: Right. Let's do one last check.

W: Okay. We're going to play a short video clip for the event. Is the screen working?

M: Yes. I checked the screen and there's no problem at all.

W: Great. What about the speakers? _{try+V-ing: 시험 삼아 ~해 보다}

M: I already tried using them, and they worked fine. Did you bring the donation box? _{남자가 스피커를 점검했다.}

W: Yes. Look. I made it by myself. _{여자가 모금함을 만들었다.}

M: Wow! It looks nice.

W: Thanks. All the items we're going to sell are nicely set up on the table. _{판매할 물건들은 탁자에 잘 배치되어 있다.}

M: Okay. The only thing left is to put the price tags on. I'll do that later because I have to go to my part-time job now. _{to부정사 명사적 용법(보어)} _{남자가 나중에 가격표를 붙이겠다고 말했다.}

W: Oh, don't worry. I'll put the price tags on. _{여자가 남자 대신 가격표를 붙일 것이다.}

M: Really? Thanks.

여: Simon, 우리는 모금 행사 준비를 다 한 것 같아.

남: 맞아. 마지막으로 한번 확인하자.

여: 좋아. 행사에 짧은 동영상을 틀 거야. 화면은 작동하니?

남: 응. 화면은 확인했고 전혀 문제가 없어.

여: 좋아. 스피커는 어때?

남: 이미 그것들을 사용해 봤고 잘 작동했어. 모금함을 가져왔어?

여: 응. 봐. 내가 직접 만들었어.

남: 왜! 멋져 보인다.

여: 고마워. 우리가 팔 모든 물품들이 탁자에 잘 배치되어 있어.

남: 좋아. 유일하게 남은 일은 가격표를 붙이는 거야. 내가 지금 아르바이트하러 가야 해서 나중에 그것을 할게.

여: 오, 걱정 마. 내가 가격표를 붙일게.

남: 정말? 고마워.

대화를 듣고, 여자가 할 일로 가장 적절한 것을 고르시오.

① 모금함 만들기   ② 물품 배치하기   ③ 가격표 붙이기
④ 스피커 점검하기   ⑤ 동영상 제작하기

어휘 fundraising 모금
donation box 모금함
price tag 가격표

6 답 ④

W: Good afternoon. How can I help you?

M: Hi. I'm looking for a gift for my newborn niece. What would
you recommend?
남자는 조카에게 줄 선물을 찾고 있다.

W: These pajama sets and dresses are the best-selling clothes for
babies.

M: They're so cute. How much are they?

W: This pajama set is 40 dollars, and this dress is 50 dollars.

M: Hmm... I'd like to buy the dress you recommended.
목적격 관계대명사 that(which) 생략됨
드레스는 50달러이다.

W: Okay. Anything else?

M: Do you have any other items that would go well with the
주격 관계대명사
dress?
남자는 드레스와 어울리는 것을 추가로 사려고 한다.

W: How about this hat? It's usually 10 dollars, but it's on sale.
You can get 40 percent off that price.
모자는 40% 할인을 받으면 6달러이다.

M: That sounds great! I'll take it.

W: Wonderful. So, one dress and one hat, right?
드레스 한 벌과 모자 한 개는 56달러이다.

M: Yes. I also have this 5 dollar discount coupon. Can I use it?

W: Let me see. [Pause] Unfortunately, no. This coupon only
applies to purchases over 100 dollars.
쿠폰을 쓸 수 없으므로 남자는 56달러를 지불할 것이다.

M: All right. I'll pay with this credit card.

여: 안녕하세요. 무엇을 도와드릴까요?

남: 안녕하세요. 갓 태어난 조카에게 줄 선물을 찾고 있어요. 어떤 것을 추천하시겠어요?

여: 이 잠옷 세트와 드레스가 가장 잘 팔리는 아기 옷입니다.

남: 정말 귀엽네요. 얼마인가요?

여: 이 잠옷 세트는 40달러이고 이 드레스는 50달러입니다.

남: 흠…… 저는 추천해 주신 드레스를 사고 싶어요.

여: 알겠습니다. 다른 것은요?

남: 그 드레스와 잘 어울릴 만한 다른 품목이 있나요?

여: 이 모자는 어떠세요? 그것은 보통 10달러인데, 세일 중이에요. 그 가격에서 40%를 할인받으실 수 있어요.

남: 잘됐네요! 그것을 살게요.

여: 좋습니다. 그럼, 드레스 한 벌과 모자 한 개, 맞나요?

남: 네. 5달러 할인 쿠폰도 있어요. 그것을 쓸 수 있나요?

여: 잠시만요. [잠시 후] 안타깝게도, 안 됩니다. 이 쿠폰은 100달러 이상의 구매에만 적용돼요.

남: 알겠습니다. 이 신용 카드로 지불할게요.

대화를 듣고, 남자가 지불할 금액을 고르시오.

① $41   ② $46   ③ $51   ④ $56   ⑤ $60

어휘 newborn 갓 태어난 niece 조카
apply to ~에 적용되다 purchase 구매

7 답 ②

[Cell phone rings.]

W: Hello.

M: Hi, Linda. Did you call me earlier? I was in my book club
meeting. What's up?

W: I called you to make sure you can come to the student
여자는 학생 패션쇼 일정이 변경되어서 남자의 참석 여부를 확인하려고 전화했다.

[휴대 전화벨이 울린다.]

여: 여보세요.

남: 안녕, Linda. 아까 나한테 전화했어? 독서 동아리 회의 중이었어. 무슨 일이야?

여: 네가 학생 패션쇼에 올 수 있는지 확인하려고 전화했어. 일정이 변경됐거든.

남: 그래? 이제 쇼는 언제야?

fashion show. The schedule has changed.
현재완료(결과)

M: Really? When is the show now?

W: It has changed to 6 p.m. next Friday. The place we were
현재완료(결과)
going to use is being repaired this week.
현재진행 수동태

M: I see. I'm afraid I can't go then. 남자는 패션쇼에 갈 수 없다.

W: Oh, didn't you say you're going to a concert next Friday?

M: No, that's next Saturday. 콘서트는 다음 주 토요일이다.

W: Then, why can't you come?

M: It's my mom's birthday. So, I'm going to have dinner with
my family. 엄마 생신이라서 가족들과 저녁 식사를 하기 때문에 패션쇼에 갈 수 없다.

W: Oh, I understand. Have a good time.

M: Thanks.

대화를 듣고, 남자가 학생 패션쇼에 갈 수 없는 이유를 고르시오.
① 친구 생일 선물을 사야 해서
② 가족과 식사를 하기로 해서
③ 집수리를 도와줘야 해서
④ 회의에 참석해야 해서
⑤ 콘서트에 가기로 해서

여: 다음 주 금요일 오후 6시로 바뀌었어. 우리가 사용하려고 했던 장소가 이번 주에 수리 중이래.
남: 그렇구나. 그럼 나는 갈 수 없어.
여: 오, 다음 주 금요일에 콘서트에 간다고 말하지 않았어?
남: 아니, 그건 다음 주 토요일이야.
여: 그럼, 왜 올 수 없는데?
남: 엄마 생신이셔. 그래서 가족들과 저녁을 먹을 거야.
여: 오, 그렇구나. 좋은 시간 보내.
남: 고마워.

어휘 **repair** 수리하다

---

8 답 ③

M: Amy, have you heard about Comedy Allstars?
현재완료(경험)

W: No, I haven't. What is it?

M: It's the biggest comedy show on Broadway. It's being held at
the Western Theater this year. ① 공연 장소
현재진행 수동태

W: Oh, I know that place. When does the show start?

M: It starts on December 15th. ② 공연 시작일

W: Who will perform in the show?

M: Many famous comedians like Tina Scott, Julia Moore, and
James Parker will perform. ④ 출연자

W: James Parker? He's my favorite comedian.

M: Do you want to go with me, then? Tickets will go on sale next
week.

W: Okay! How can we buy the tickets?

M: We can book them online at the theater's website. ⑤ 티켓 예매 방법

W: Great. I'm so excited for the show.

남: Amy, 너 Comedy Allstars에 관해 들어 본 적 있어?
여: 아니, 못 들어 봤어. 그게 뭔데?
남: 브로드웨이에서 가장 큰 코미디 쇼야. 올해 Western 극장에서 열릴 거야.
여: 오, 그 장소 알아. 쇼는 언제 시작해?
남: 12월 15일에 시작해.
여: 쇼에서 누가 공연을 해?
남: Tina Scott, Julia Moore 그리고 James Parker 같은 유명한 코미디언들이 공연해.
여: James Parker? 내가 가장 좋아하는 코미디언이야.
남: 그럼 나랑 같이 갈래? 표는 다음 주에 판매될 거야.
여: 좋아! 표는 어떻게 살 수 있어?
남: 극장 웹 사이트에서 온라인으로 예약할 수 있어.
여: 잘됐다. 쇼가 정말 기대돼.

대화를 듣고, Comedy Allstars에 관해 언급되지 <u>않은</u> 것을 고르시오.

① 공연 장소 ② 공연 시작일 ③ 관람료
④ 출연자 ⑤ 티켓 예매 방법

어휘 perform 공연하다
go on sale 판매되다

9 답⑤

W: Hello, listeners! Are you excited for the Greenville Animation Film Festival? This festival, <u>one of Greenville's largest events, began in 1995.</u> This year, it'll start on December 5th and continue for one week. The theme for this year is friendship. Throughout the festival, visitors can watch different animation movies <u>related to the theme</u> every night. <u>The movie schedule will be posted on our website.</u> Remember, <u>there's no parking lot nearby.</u> So, please use public transportation. For more information, visit www.GAFF.com. Thank you.

여: 안녕하세요, 청취자 여러분! 여러분은 Greenville 만화 영화 축제를 기대하고 계세요? Greenville의 가장 큰 행사 중 하나인 이 축제는 1995년에 시작했습니다. 올해는 12월 5일에 시작해서 일주일 동안 열립니다. 올해의 주제는 우정입니다. 이 축제를 통해서 방문객들은 매일 저녁에 주제와 관련된 여러 만화 영화들을 볼 수 있습니다. 영화 스케줄은 저희 웹 사이트에 게시될 것입니다. 근처에 주차장이 없다는 것을 기억하세요. 그러니 대중교통을 이용해 주세요. 더 많은 정보를 원하시면 www.GAFF.com을 방문해 주세요. 고맙습니다.

Greenville Animation Film Festival에 관한 다음 내용을 듣고, 일치하지 <u>않는</u> 것을 고르시오.

① 1995년에 시작된 행사이다.
② 일주일 동안 열린다.
③ 올해의 주제는 우정이다.
④ 영화 스케줄은 웹 사이트에 게시될 것이다.
⑤ 근처에 주차장이 있다.

어휘 friendship 우정
different 여러 가지의
post 게시하다
parking lot 주차장
nearby 근처에
public transportation 대중교통

10 답④

M: Mom, I need a suitcase for my trip to Hawaii. Look at this flyer. They are on sale now.

W: Let me see... I think it'd be better if it is at least 20 inches, since your trip is for two weeks.

M: I think so, too. And it's not a good idea to spend more than 200 dollars on a suitcase.

W: Right. You've already spent a lot for the trip.

M: Okay. There are two colors. Well, the white one looks nice.

W: That's true, but white things usually get dirty easily.

M: I agree. The darker color is the better choice.

남: 엄마, 하와이 여행에 가져갈 여행 가방이 필요해요. 이 전단지를 보세요. 그것들이 지금 세일하고 있어요.

여: 어디 보자…… 네가 2주 동안 여행을 가니 그것은 최소한 20인치는 되는 것이 더 좋을 것 같아.

남: 저도 그렇게 생각해요. 그리고 여행 가방에 200달러 이상을 쓰는 것은 좋은 생각이 아니에요.

여: 맞아. 너는 이미 여행에 많은 돈을 썼어.

남: 네. 두 가지 색이 있어요. 음, 흰색이 좋아 보여요.

여: 그러네. 그런데 흰색은 보통 쉽게 더러워져.

W: Then, we have two options left.

M: Oh, they're giving away free gifts! Hmm... we already have several umbrellas.

W: You'd better choose the other one.
_{우산 말고 다른 경품을 선택했으므로 ③ 제외}
M: You're right. I'll buy this suitcase.

다음 표를 보면서 대화를 듣고, 남자가 구매할 여행 가방을 고르시오.

Suitcases

	Model	Size (inch)	Price	Color	Free Gift
①	A	18	$80	white	travel pillow
②	B	24	$100	white	umbrella
③	C	26	$130	black	umbrella
④	D	28	$160	black	travel pillow
⑤	E	30	$210	white	umbrella

남: 동의해요. 더 어두운 색이 더 나은 선택이에요.

여: 그럼, 두 가지 선택 사항이 남는구나.

남: 오, 그것들은 경품을 주네요! 흠…… 우리는 이미 우산이 여러 개 있어요.

여: 다른 것을 선택하는 것이 좋겠다.

남: 맞아요. 이 여행 가방을 살게요.

[어휘] suitcase 여행 가방
flyer 전단지
get dirty 더러워지다
give away 거저 주다
free gift (판매 촉진용) 경품
pillow 베개

---

11 답 ⑤

M: Emma, it smells good in here. What's that you're cooking?
_{두 사람은 음식에 관해 이야기하고 있다.}

W: I cooked some *Bulgogi*. Try some.

M: Okay. Wow, it's really delicious. Where did you get the recipe?
_{남자는 여자에게 불고기 요리법의 출처를 묻고 있다.}

W: ⑤ I got the recipe from the Internet.

대화를 듣고, 남자의 마지막 말에 대한 여자의 응답으로 가장 적절한 것을 고르시오.

① *Bulgogi* is already sold out.
② You can choose what to eat.
③ We'll meet at the restaurant.
④ I'll order the food for tomorrow.
⑤ I got the recipe from the Internet.

남: Emma, 여기 맛있는 냄새가 난다. 무엇을 요리하고 있어?

여: 불고기를 만들었어. 먹어 봐.

남: 알았어. 와, 정말 맛있다. 요리법을 어디서 구했니?

여: ⑤ 인터넷에서 요리법을 구했어.

[어휘] delicious 맛있는 recipe 요리법
① 불고기는 벌써 다 팔렸어.
② 너는 무엇을 먹을지 고를 수 있어.
③ 우리는 식당에서 만날 거야.
④ 내일 먹을 음식을 주문할 거야.

---

12 답 ①

[*Cell phone rings.*]

W: Hi, David. I'm almost halfway to the restaurant. Where are you?
_{여자는 약속 장소로 향하고 있다.}

M: Hi, Amy. I just finished work and got in my car. I'll take the highway, so I'll arrive on time. _{남자는 고속도로로 가려고 한다.}

[휴대 전화벨이 울린다.]
여: 안녕, David. 나는 식당까지 거의 반 정도 왔어. 너는 어디야?

남: 안녕, Amy. 나는 방금 퇴근해서 차에 탔어. 고속도로로 갈 거라서 제시간에 도착할 거야.

W: I heard on the radio that there has been a car accident on the highway. So you're going to get stuck. 여자는 고속도로가 막힐 거라고 했다.

M: ① I see. I'll take another road then.

대화를 듣고, 여자의 마지막 말에 대한 남자의 응답으로 가장 적절한 것을 고르시오.

① I see. I'll take another road then.
② Really? Go to the hospital right now.
③ That's too bad. You should've left earlier.
④ Sorry. I got a speeding ticket on the highway.
⑤ Okay. I'll make a reservation for the restaurant.

여: 라디오에서 들었는데 고속도로에서 자동차 사고가 났대. 그래서 차가 막힐 거야.
남: ① 알았어. 그럼 다른 길로 갈게.

[어휘] get stuck 꼼짝 못하게 되다
speeding ticket 속도 위반 딱지

② 그래? 지금 바로 병원으로 가.
③ 정말 안타깝다. 너는 더 일찍 떠났어야 했어.
④ 미안해. 고속도로에서 과속 딱지를 끊었어.
⑤ 좋아. 내가 식당 예약을 할게.

---

13 답 ①

M: Kelly, what are you doing?

W: Hey, Paul. I'm trying to sell my old sweater using the Local Market app.

M: Local Market app? What's that?

W: It's a kind of online marketplace for used items. I can buy or sell items with this app. 두 사람은 온라인 장터 앱에 대해 이야기하고 있다.

M: Interesting! How do you use it?

W: If I upload pictures of my sweater, somebody who needs a [주격 관계대명사] sweater will see and buy it. 여자는 앱 사용법에 대해 설명해 주고 있다.

M: That's great. Have you ever bought anything using the app? [현재완료(경험)]

W: Sure. Look at this bag. I bought it for only $5.

M: Wow, that's a good deal! I also have a lot of things to sell.

W: ① Then, you should sell the items using this app. 팔 것이 많다는 남자에게 앱으로 팔아 보라고 제안하는 것이 자연스럽다.

대화를 듣고, 남자의 마지막 말에 대한 여자의 응답으로 가장 적절한 것을 고르시오.

Woman: _____

① Then, you should sell the items using this app.
② Good. Let's buy a sweater in the marketplace.
③ All right. It's easy to order this bag online.
④ No worries. I'll lend you some money.
⑤ Well, you'd better buy new clothes.

남: Kelly, 너 뭐 하니?
여: 안녕, Paul. Local Market 앱을 이용해서 오래된 스웨터를 팔려고.
남: Local Market 앱? 그게 뭐야?
여: 중고 제품을 취급하는 온라인 장터의 한 종류야. 이 앱으로 물건을 사고 팔 수 있어.
남: 흥미롭구나! 그것을 어떻게 쓰니?
여: 내가 스웨터의 사진을 올리면 스웨터가 필요한 누군가 그것을 보고 살 거야.
남: 굉장하다. 그 앱을 이용해서 무언가를 사 본 적 있어?
여: 물론이지. 이 가방을 봐. 나는 그것을 단돈 5달러에 샀어.
남: 와, 저렴하게 잘 샀네! 나도 팔 것이 많아.
여: ① 그럼 이 앱으로 그 물건들을 팔아 봐.

[어휘] marketplace 시장, 장터
used 중고의

② 잘됐다. 시장에서 스웨터를 사자.
③ 좋아. 이 가방을 온라인으로 주문하는 것은 쉬워.
④ 걱정 마. 내가 너에게 돈을 좀 빌려줄게.
⑤ 글쎄, 너는 새 옷을 사는 게 낫겠다.

---

14 답 ④

W: Hi, Steve. I have something to tell you.
[to부정사 형용사적 용법(앞의 something 수식)]

여: 안녕, Steve. 너에게 할 말이 있어.

M: Hi. What is it, Sophie?

W: We need to decide on a research topic for our science club.
_{두 사람은 과학 동아리에서 하는 연구 주제를 정해야 한다.}

M: Yeah. What topic do you have in mind?

W: I don't have any specific idea. Why don't we ask the other members for their opinions?

M: I'm not sure about that. I think it's our job to determine a research topic as club leaders.
_{남자는 동아리 대표로서 본인들이 주제를 정해야 한다고 생각한다.}

W: But do you remember last semester? We chose the research topic ourselves, and some members didn't like it.
_{여자는 지난 학기에 몇몇 회원들이 주제를 좋아하지 않았다는 점을 지적했다.}

M: You're right. Then, how can we hear everyone's opinion?

W: Well, we'll have time to discuss with all of our club members next week.
_{여자는 다음 주에 모든 동아리 회원과 논의할 것을 제안하고 있다.}

M: That sounds good. But what if they have too many different ideas?
_{남자는 너무 많은 의견이 있으면 어떻게 해야 할지 물었다.}

W: Then we can put the research topic to the vote and choose what most members want for the topic.
_{의견이 많을 경우 투표에 부치자는 여자의 제안에 대한 의견을 말하는 것이 자연스럽다.}

M: ④ All right. That way we'll satisfy more members than last time.

대화를 듣고, 여자의 마지막 말에 대한 남자의 응답으로 가장 적절한 것을 고르시오.

Man: _____

① Don't worry. I know they'll definitely support your opinion.
② Of course not. We're not able to switch our club leaders now.
③ I understand. I'm going to look for another research topic then.
④ All right. That way we'll satisfy more members than last time.
⑤ Never mind. We can reschedule a time for our group discussion.

남: 안녕. 그게 뭔데, Sophie?

여: 우리는 과학 동아리에서 하는 연구 주제를 결정해야 해.

남: 응. 너는 어떤 주제를 염두에 두고 있니?

여: 구체적인 생각은 없어. 다른 회원들에게 의견을 묻는 것은 어때?

남: 그것에 관해서 난 잘 모르겠어. 동아리 대표로서 연구 주제를 결정하는 것은 우리 일인 것 같아.

여: 하지만 지난 학기 기억해? 우리가 직접 연구 주제를 정했고 몇몇 회원들이 그것을 좋아하지 않았어.

남: 네 말이 맞아. 그럼, 우리가 어떻게 모두의 의견을 들을 수 있을까?

여: 음, 다음 주에 우리 동아리 회원 모두와 논의할 시간이 있을 거야.

남: 잘됐다. 하지만 그들이 너무 많은 다양한 의견을 가지고 있으면 어쩌지?

여: 그럼 연구 주제를 투표에 부쳐서 대다수의 회원들이 원하는 주제를 고르자.

남: ④ 좋아. 그렇게 하면 지난번보다 더 많은 회원들을 만족시킬 수 있겠다.

어휘 determine 정하다
put ~ to the vote ~을 투표에 부치다

① 걱정 마. 나는 그들이 분명히 네 의견을 지지할 것임을 알아.
② 당연히 아니지. 우리는 지금 동아리 대표를 바꿀 수 없어.
③ 이해해. 그럼 내가 다른 연구 주제를 찾을게.
⑤ 신경 쓰지 마. 우리는 단체 토의를 할 시간을 다시 잡을 수 있어.

---

15 답 ③

M: Ms. Brown teaches English in high school. Chris is one of the students who takes her class. Since he wants to major in English Literature at university, he thinks English writing skills are important. To get advice, Chris visits Ms. Brown and asks how to improve his English writing skills.
_{Chris는 영작 실력을 향상시키는 법을 묻기 위해 Brown 선생님을 방문했다.}
Ms. Brown thinks that writing in English regularly is important. So she wants to suggest that Chris keep a diary for his
_{Brown 선생님은 Chris에게 영어로 일기 쓰는 것을 제안하고 싶어 한다.}
English writing skills. In this situation, what would Ms. Brown most likely say to Chris?

남: Brown 선생님은 고등학교에서 영어를 가르친다. Chris는 그녀의 수업을 듣는 학생 중 하나이다. 그는 대학에서 영문학을 전공하기를 원해서 영작 실력이 중요하다고 생각한다. 조언을 얻기 위해 Chris는 Brown 선생님을 방문하고 그의 영작 실력을 향상시키는 방법을 묻는다. Brown 선생님은 영어로 자주 글을 쓰는 것이 중요하다고 생각한다. 그래서 그녀는 Chris에게 그의 영작 실력을 위해 일기 쓰는 것을 제안하기를 원한다. 이러한 상황에서, Brown 선생님은 Chris에게 뭐라고 말할까?

Ms. Brown: ③ Why don't you start writing a diary in English?

Brown 선생님: ③ 영어로 일기 쓰는 것을 시작하면 어때?

다음 상황 설명을 듣고, Ms. Brown이 Chris에게 할 말로 가장 적절한 것을 고르시오.

Ms. Brown: _____

① You should stop worrying about your major.
② You'd better read an English book every day.
③ Why don't you start writing a diary in English?
④ I think you need to learn a lot of English words.
⑤ How about having conversations with foreigners?

[어휘] major 전공하다; 전공
English Literature 영문학

① 전공에 대한 걱정은 그만해.
② 너는 매일 영어책을 읽는 게 좋아.
④ 너는 영단어를 많이 배울 필요가 있어.
⑤ 외국인과 대화하는 것은 어때?

16~17 답 16 ② 17 ④

W: Welcome back, listeners. I'm Doris Harrell from Garden Stories. Have you heard that flowers could be sending hidden messages? Today, I'd like to talk about secret meanings some flowers can convey. First, carnations can send the message, "You are always on my mind, and I deeply admire you." Therefore, they are widely used as a gift on Parents' Day. Next, people prefer to use tulips in a wedding bouquet since they symbolize "consuming love" as well as "happy years." Did you know that irises generally represent the idea of faith and wisdom? So they are frequently used in religious settings and have inspired many artists. Last, daisies mean innocence, loyal love, and purity. But at the same time, they imply to friends, "I'll never tell your secret." Now you know flowers say a lot more than you think. After the commercial break, I'll talk about how to decorate your home with beautiful flowers. Stay tuned.

여: 청취자 여러분, 다시 오신 것을 환영합니다. 저는 Garden Stories의 Doris Harrell 입니다. 여러분은 꽃이 숨겨진 메시지를 보낼 수 있다는 것을 들어본 적이 있나요? 오늘, 저는 몇몇 꽃들이 전달할 수 있는 비밀스러운 의미에 관해 이야기하려고 합니다. 먼저, 카네이션은 '당신은 항상 제 마음속에 있고 저는 당신을 깊이 존경합니다.'라는 메시지를 전달할 수 있습니다. 그래서 그것들은 어버이날에 선물로 많이 사용됩니다. 다음으로, 사람들은 결혼식 부케로 튤립을 사용하는 것을 선호합니다. 그것들은 '행복한 세월' 뿐만 아니라 '강렬한 사랑'을 상징하기 때문입니다. 붓꽃이 일반적으로 믿음과 지혜를 상징하는 것을 알고 계셨어요? 그래서 그것들은 종교적인 환경에 자주 사용되고 많은 예술가들에게 영감을 주었습니다. 마지막으로 데이지는 순수, 충실한 사랑, 그리고 순결을 의미합니다. 하지만 동시에 그것들은 친구에게 '너의 비밀을 절대 말하지 않을 거야.'라는 것을 암시합니다. 이제 여러분은 꽃이 여러분이 생각하는 것보다 훨씬 더 많은 것을 말하고 있다는 것을 압니다. 광고 후에, 저는 아름다운 꽃으로 집을 장식하는 법에 관해 이야기해 보겠습니다. 채널 고정해 주세요.

다음을 듣고, 물음에 답하시오.

16. 여자가 하는 말의 주제로 가장 적절한 것은?

① blooming seasons for flowers
② implied meanings of flowers

[어휘] convey 전하다 admire 존경하다
consuming 엄청나게 강렬한
represent 대표하다 faith 믿음
wisdom 지혜 religious 종교적인
setting 환경 inspire 영감을 주다

③ ways to make flower beds
④ origins of national flowers
⑤ steps for planting flowers

17. 언급된 꽃이 아닌 것은?

① carnations ② tulips ③ irises ④ roses ⑤ daisies

innocence 순수 loyal 충실한
purity 순결 imply 내포하다

16. ① 꽃의 개화기
② 꽃에 내포된 의미
③ 화단 만드는 방법
④ 국화의 기원
⑤ 꽃을 심는 단계

DAY 10
수능 기초 예상 문제 | 2회

| 1 ⑤ | 2 ① | 3 ④ | 4 ③ | 5 ② | 6 ③ | 7 ③ | 8 ④ | 9 ⑤ | 10 ④ |
| 11 ④ | 12 ① | 13 ① | 14 ④ | 15 ⑤ | 16 ④ | 17 ④ | | | |

1 답 ⑤

M: May I have your attention, please? This is from the management office of Vincent Hospital. The west entrance facing Main Street is being repaired, so it cannot be used. _{서쪽 출입구가 수리 중인 상황이다.} _{현재 진행형 수동태} _{조동사가 있는 수동태} We'd like to remind you all to use the east entrance today. _{동쪽 출입구를 사용하라고 안내하고 있다.} The east entrance is on Wilson Street, and it is open during regular visiting hours from 8 a.m. to 6 p.m. And during non-visiting hours, please use the north entrance facing Hyde _{면회 시간이 아닐 때에는 북쪽 출입구를 사용해야 한다.} Street. The west entrance will be in use from tomorrow. We're sorry for any inconvenience this might cause. Thank you for your cooperation.

다음을 듣고, 남자가 하는 말의 목적으로 가장 적절한 것을 고르시오.

① 병실 사용 시 유의 사항을 설명하려고
② 병문안 시 면회 시간 준수를 당부하려고
③ 병원 내 새로운 편의 시설을 소개하려고
④ 병원 주변 도로 통제 구역을 공지하려고
⑤ 병원 일부 출입구의 사용 제한을 안내하려고

남: 주목해 주시겠습니까? Vincent 병원의 관리 사무소입니다. Main 가로 향해 있는 서쪽 출입구가 수리 중이어서 사용될 수 없습니다. 여러분 모두 오늘은 동쪽 출입구를 사용해 주시길 상기해 드리고자 합니다. 동쪽 출입구는 Wilson 가에 있고 오전 8시부터 오후 6시까지인 정규 면회 시간 동안 열려 있습니다. 그리고 면회 시간이 아닐 때에는, Hyde 가로 향해 있는 북쪽 출입구를 사용해 주세요. 서쪽 출입구는 내일부터 사용될 것입니다. 이것이 초래할 수 있는 불편에 대해 사과드립니다. 협조해 주셔서 고맙습니다.

[어휘] management office 관리 사무소
entrance 출입구
remind 상기시키다
regular 정규의
inconvenience 불편
cooperation 협조

2 답 ①

M: Good morning, Rosa.

W: Hi, Tony. You look tired. Are you all right?

남: 안녕, Rosa.
여: 안녕, Tony. 너 피곤해 보여. 괜찮니?

M: Yeah, I'm okay. I'm just having a hard time falling asleep these days.
have a hard time -ing: ~하는 데 어려움을 겪다

W: Why? Are you worried about something?

M: No. Since I started exercising late at night, it's been hard to fall asleep.
남자는 밤늦게 운동을 시작한 후로 잠을 잘 못자고 있다. *가주어* *진주어*

W: What time do you exercise?

M: I usually go to the gym around 10 p.m. When I come back, it's almost midnight.

W: Hmm, I think that's why you can't sleep well.

M: Really?

W: As far as I know, when you exercise, your heart rate and temperature go up, which makes you stay awake. These can disturb your sleep.
여자는 운동을 하면 심박수와 체온이 올라가서 잠이 안 오게 만든다고 했다.
관계대명사 계속적 용법

M: Oh, that makes sense.

W: So, it's not a good idea to exercise right before going to bed.
가주어 *진주어*
그러므로 잠자기 바로 전에 운동하지 말라고 조언하고 있다.

M: I'll keep that in mind. Thanks for your advice.

남: 응, 괜찮아. 그냥 요즘 잠자는 것이 좀 어려워.

여: 왜? 걱정거리가 있어?

남: 아니. 밤늦게 운동을 하기 시작한 이후로 잠드는 게 어려워.

여: 몇 시에 운동을 하니?

남: 보통 밤 10시쯤 체육관에 가. 돌아오면 거의 자정이야.

여: 흠, 그래서 잠을 잘 잘 수 없다고 생각해.

남: 그래?

여: 내가 알기로는, 운동할 때 심박수와 체온이 올라가고, 그것은 너를 깨어 있게 해. 이것들이 너의 잠을 방해할 수 있어.

남: 오, 일리가 있네.

여: 그래서 잠자기 바로 전에 운동하는 것은 좋은 생각이 아니야.

남: 명심할게. 조언해 줘서 고마워.

대화를 듣고, 여자의 의견으로 가장 적절한 것을 고르시오.

① 잠들기 직전의 운동은 수면을 방해할 수 있다.
② 운동은 규칙적으로 하는 것이 효과적이다.
③ 과격한 운동은 심장에 무리를 줄 수 있다.
④ 충분한 수면은 건강 관리에 도움이 된다.
⑤ 지나친 스트레스는 건강을 해친다.

어휘 fall asleep 잠들다
midnight 자정
heart rate 심박수
temperature 체온
disturb 방해하다

---

3 답 ④

M: Good afternoon. How may I help you?

W: I'm looking for an apartment to rent near the downtown area.
to부정사 형용사적 용법(앞의 apartment 수식)
여자는 임차할 아파트를 찾고 있다.

M: It is a convenient place to live. When would you like to move there?
to부정사 형용사적 용법(앞의 place 수식)

W: I'm thinking next month.

M: Oh, I see. I have some apartments to recommend in that area. What's your budget?
to부정사 형용사적 용법(앞의 apartments 수식)
남자는 추천할 만한 아파트가 있다고 말하고 예산이 얼마인지 묻고 있다.

W: I'm afraid I can't afford more than $1,000 a month.

M: There are some apartments within your budget, but they have only one bedroom.

W: One bedroom is enough, but I want the kitchen to be separate from the bedroom.
5형식 동사+목적어+목적격 보어(to부정사)

남: 안녕하세요. 어떻게 도와드릴까요?

여: 시내 근처에 임차할 아파트를 찾고 있어요.

남: 살기 편한 곳이죠. 거기로 언제 이사를 하실 건가요?

여: 다음 달쯤이요.

남: 오, 그렇군요. 그 지역에 추천할 만한 아파트가 몇 개 있어요. 예산은 얼마나 되세요?

여: 한 달에 1,000달러 이상은 낼 수 없을 것 같아요.

남: 당신의 예산에 들어오는 아파트가 몇 개 있는데, 침실이 한 개 밖에 없어요.

여: 침실은 한 개면 충분한데, 부엌이 침실과 분리되어 있으면 좋겠어요.

남: 알겠습니다. 다른 것은요?

여: 흠…… 냉장고가 포함되어 있으면 더 좋겠어요.

M: I see. Anything else?

가정법 과거: ~라면, …할 텐데

W: Hmm... it would be better if a refrigerator was included.

여자가 원하는 아파트의 조건들을 말하고 있다.

M: Okay. I have the perfect one for you. Let's go take a look.

조건에 맞는 아파트가 있으니 함께 보러 가자고 말하는 것으로 보아 남자는 부동산 중개인이다.

대화를 듣고, 두 사람의 관계를 가장 잘 나타낸 것을 고르시오.

① 배관공 – 집주인
② 식당 지배인 – 요리사
③ 관광 안내원 – 관광객
④ 부동산 중개인 – 고객
⑤ 인테리어 디자이너 – 의뢰인

남: 알겠습니다. 당신에게 딱 맞는 것이 있어요. 보러 가시죠.

〔어휘〕 convenient 편리한
budget 예산
afford 여유가 되다
separate 분리된
refrigerator 냉장고

---

4 답 ③

M: Hi, Claire. What did you do yesterday?

W: Hi, Henry. I set up an exercise room in my house. Look at this picture.

M: Cool! The indoor bike under the clock looks nice.

① 실내자전거는 시계 아래에 있다.

W: Thanks. I bought the bike a few days ago.

M: Good. Is that a hula-hoop under the calendar?

② 훌라후프는 달력 아래에 있다.

W: Yes. I exercise with it for 30 minutes every day. What do you think of the mat with the flower pattern on the floor?

③ 바닥에 꽃무늬 매트가 있다.

M: I love it. By the way, what's the big ball next to the door?

④ 짐 볼은 문 옆에 있다.

W: It's a gym ball. I use it for back stretches.

M: Good. Oh, I know that T-shirt on the wall.

W: Yeah. It's from the marathon we ran together.

⑤ 마라톤에서 받은 티셔츠가 벽에 걸려 있다.

M: Great. It matches well with your room.

W: Thanks. Next time, come over and we'll exercise together.

남: 안녕, Claire. 어제 뭐 했어?
여: 안녕, Henry. 집에 운동실을 만들었어. 이 사진을 봐.
남: 멋지다! 시계 아래 있는 실내자전거가 멋져 보인다.
여: 고마워. 자전거는 며칠 전에 샀어.
남: 좋다. 달력 밑에 훌라후프야?
여: 응. 나는 매일 30분씩 그것으로 운동을 해. 바닥에 있는 꽃무늬 매트는 어때?
남: 정말 좋아. 그런데, 문 옆에 큰 공은 뭐야?
여: 그것은 짐 볼이야. 등 스트레칭을 할 때 그것을 사용해.
남: 그렇구나. 오, 벽에 있는 저 티셔츠 알아.
여: 응. 우리가 같이 뛴 마라톤에서 받은 거야.
남: 멋있다. 네 방과 잘 어울린다.
여: 고마워. 다음에 와서 같이 운동하자.

〔어휘〕 indoor 실내의
pattern 무늬
match 어울리다

대화를 듣고, 그림에서 대화의 내용과 일치하지 <u>않는</u> 것을 고르시오.

W: Alex, let's go for lunch.

M: Sorry, but I don't have time, Kate.

W: What's keeping you so busy?

M: I'm working on our company's monthly newspaper.
남자는 회사 월간 신문 업무를 하고 있다.

W: When's the deadline?

M: Today. I'm doing the final job of matching the articles with the photos, but there's a problem.

W: What is it?

M: I don't have any photos of Mr. Williams' retirement ceremony.
남자는 퇴임식 사진이 없어서 곤란한 상황이다.

목적격 관계대명사 that (which) 생략됨

W: Really? I've got some photos I took at the ceremony with my digital camera.
여자가 퇴임식 사진을 가지고 있다.

M: Oh, what a relief! Can you send me the photo files?
남자는 여자에게 사진 파일을 보내 줄 수 있는지 묻고 있다.

W: Sure. I'll email them right after lunch.
여자는 남자에게 사진 파일을 보내 줄 것이다.

M: Thank you so much, Kate.

대화를 듣고, 남자가 여자에게 부탁한 일로 가장 적절한 것을 고르시오.

① 퇴임식장 예약하기　　② 사진 파일 보내 주기
③ 점심 식사 주문하기　　④ 행사 사진 촬영하기
⑤ 신문 기사 작성하기

여: Alex, 점심 먹으러 가요.

남: 미안하지만 시간이 없어요, Kate.

여: 왜 그렇게 바쁜가요?

남: 회사 월간 신문 업무를 하고 있어요.

여: 마감이 언제인가요?

남: 오늘이에요. 기사와 사진을 일치시키는 최종 작업을 하고 있는데, 문제가 있어요.

여: 그게 뭔데요?

남: Williams 씨의 퇴임식 사진이 하나도 없어요.

여: 그래요? 퇴임식에서 내 디지털 카메라로 찍은 사진이 몇 장 있어요.

남: 오, 다행이에요! 그 사진 파일을 나에게 보내 줄 수 있나요?

여: 물론이죠. 점심 먹고 바로 그것들을 이메일로 보낼게요.

남: 정말 고마워요, Kate.

[어휘] **monthly** 월간의
deadline 마감일, 마감 시간
retirement 퇴임, 은퇴
ceremony 의식, 식

M: Good afternoon.

W: Hello. Welcome to Happy Pet World. How can I help you?

M: I'm looking for a cushion for my dog.
남자는 개를 위한 방석을 사려고 한다.

W: Okay, how about these? These are the most popular models.

M: The pink one looks cute. How much is it?

W: Originally, it was $40. But due to a special promotion, you can get a 10 percent discount on cushions.

M: Great. I'll buy one cushion, then.
10%를 할인받으면 방석은 36달러이다.

W: Sure. Anything else?

M: Do you have dog biscuits?

W: Of course. They're right over here. Each box of biscuits is $5.

M: I'll buy two boxes of biscuits. Do I get a discount on the
비스킷 두 상자는 10달러이다.

남: 안녕하세요.

여: 안녕하세요. Happy Pet World에 오신 것을 환영합니다. 어떻게 도와드릴까요?

남: 개를 위한 방석을 찾고 있어요.

여: 그러시군요, 이것들은 어떠세요? 가장 인기 있는 제품들입니다.

남: 분홍색 방석이 귀엽네요. 얼마인가요?

여: 원래는 40달러입니다. 그런데 특별 판촉 활동으로 방석은 10% 할인해 드려요.

남: 잘됐네요. 그럼 방석 한 개를 살게요.

여: 네. 다른 것도 필요하세요?

남: 개 비스킷도 있나요?

여: 물론이죠. 바로 여기 있어요. 비스킷 한 상자당 5달러입니다.

남: 비스킷 두 상자를 살게요. 비스킷도 할인받을 수 있나요?

biscuits, too?

W: I'm sorry. We don't offer a discount on biscuits.

<u>비스킷은 할인 대상이 아니므로 남자는 46달러를 지불해야 한다.</u>

M: Okay, then. Here's my credit card.

여: 죄송하지만, 비스킷은 할인해 드리지 않아요.

남: 그렇군요. 여기 신용 카드요.

대화를 듣고, 남자가 지불할 금액을 고르시오.

① $41   ② $45   ③ $46   ④ $50   ⑤ $54

어휘 cushion 방석

promotion 판촉, 홍보

---

7 답 ③

W: Jake. There's going to be a Vincent van Gogh exhibition in the Art Center.

M: Really? He's my favorite artist.

W: Mine, too. How about going to the exhibition together this Sunday?
<u>여자는 일요일에 함께 전시회에 가자고 제안하고 있다.</u>

M: This Sunday? I'd really love to, but I'm afraid I can't go.
<u>남자는 갈 수 없다고 한다.</u>

W: Come on. Do you have to do volunteer work on that day?

M: No, I usually volunteer on Saturdays.
<u>봉사 활동은 토요일이다.</u>

W: Oh, I remember. You said you're going to play soccer?
<u>과거 시제 수동태</u>

M: I did, but our game was delayed because of weather.
<u>축구 경기는 연기되었다.</u>

W: Then, do you have another appointment?

M: Actually, I have to work on a science assignment. It's due next Monday.
<u>남자는 일요일에 과학 과제를 해야 해서 전시회에 갈 수 없다.</u>

W: You must be busy then.
<u>강한 추측: ~임이 틀림없다</u>

M: Yeah. I hope you have a good time.

여: Jake. 아트 센터에서 Vincent van Gogh 전시회가 있어.

남: 정말? 그는 내가 가장 좋아하는 화가야.

여: 나도 그래. 이번 일요일에 전시회에 같이 가는 것은 어때?

남: 이번 일요일? 나도 그러고 싶은데, 갈 수 없어.

여: 제발. 그날 봉사 활동을 해야 해?

남: 아니, 나는 보통 토요일에 봉사 활동을 해.

여: 아, 기억난다. 축구를 할 거라고 말했지?

남: 그랬지. 그런데 날씨 때문에 경기가 연기됐어.

여: 그럼, 다른 약속이 있어?

남: 실은 과학 과제를 해야 해. 다음 주 월요일까지거든.

여: 그럼 바쁘겠구나.

남: 응. 좋은 시간 보내길 바라.

대화를 듣고, 남자가 전시회에 갈 수 <u>없는</u> 이유를 고르시오.

① 봉사 활동을 해야 해서
② 축구 경기를 해야 해서
③ 과학 과제를 해야 해서
④ 아르바이트를 해야 해서
⑤ 기말고사 준비를 해야 해서

어휘 exhibition 전시회

delay 연기하다, 미루다

appointment 약속

---

8 답 ④

M: Hello, Dr. Peterson. How are you doing these days?

W: Hello, Dr. Collins. Good, I'm working on the Dream Bio Research Project.

M: You mean the medical research project sponsored by the government?
<u>앞의 명사를 수식하는 과거분사구</u>

남: 안녕하세요, Peterson 박사님. 요즘 어떻게 지내세요?

여: 안녕하세요, Collins 박사님. 잘 지내요. 저는 Dream Bio Research 프로젝트를 진행하고 있어요.

W: That's right. <u>More than 20 researchers are involved</u> in the project and I'm the head researcher.
① 연구원 수 / 수동태

M: Wow, you're in charge of a really big job. How big is the budget for the project?

W: <u>We're allowed to spend one million dollars on the project.</u>
be allowed to-V: ~하는 것이 허용되다

M: That's a really huge amount. It's <u>a project to develop</u> a new drug for lung cancer, isn't it?
② 예산 규모 / ③ 연구 목적 / to부정사 형용사적 용법 (앞의 project 수식)

W: That's right.

M: How long will the research project last?

W: It's a 5-year project. I hope we can develop the drug within this period.
⑤ 연구 기간 / 명사절을 이끄는 접속사 that 생략됨

M: I wish you success, Dr. Peterson.
수여동사+간접목적어+직접목적어

W: Thank you, Dr. Collins.

대화를 듣고, Dream Bio Research Project에 관해 언급되지 **않은** 것을 고르시오.

① 연구원 수 　② 예산 규모 　③ 연구 목적
④ 연구 장소 　⑤ 연구 기간

남: 정부 후원을 받는 의학 연구 프로젝트를 말씀하시는 거죠?
여: 맞아요. 20명이 넘는 연구원들이 그 프로젝트에 참여하고 있고 저는 수석 연구원이에요.
남: 와, 정말 큰 일을 책임지고 있군요. 그 프로젝트의 예산은 얼마나 큰가요?
여: 우리는 그 프로젝트에 백만 달러를 쓸 수 있어요.
남: 그것은 정말 거액이네요. 폐암을 치료하는 신약을 개발하는 프로젝트죠, 그렇지 않나요?
여: 맞아요.
남: 연구 프로젝트는 얼마나 지속되나요?
여: 5년 프로젝트예요. 이 기간 안에 약을 개발할 수 있기를 바라요.
남: 성공하시길 바랄게요, Peterson 박사님.
여: 고맙습니다, Collins 박사님.

[어휘] medical 의학의　sponsor 후원하다
head researcher 수석 연구원
drug 약　lung cancer 폐암

---

9 답 ⑤

W: Hello, Highland residents. I'm Jenny Walker, the community center manager. <u>We host the Highland Movie Night every month.</u> This event gives you <u>a chance to enjoy classic</u> movies. <u>It is free for all Highland residents.</u> This month, we will show *The Amazing Wizard Harry*. The movie will <u>start at seven p.m. this Saturday</u>. As usual, <u>it'll be held at the Lincoln Library</u>. Due to the limited space, <u>you should register in advance</u>. You can reserve seats on our website until Friday. <u>To keep the library clean, you are not allowed to bring any food.</u> For more information, <u>feel free to call us</u>. Thank you.
① 매월 개최하는 행사이다. / to부정사 형용사적 용법(앞의 chance 수식) / ② Highland 주민들에게는 무료이다. / 미래 시제 수동태 / ③ Lincoln 도서관에서 열린다. / due to+명사(구) / ④ 사전에 등록해야 한다. / to부정사 부사적 용법(목적) / ⑤ 음식을 가지고 오는 것은 허용되지 않는다. / feel free to-V: 마음껏 ~하다

Highland Movie Night에 관한 다음 내용을 듣고, 일치하지 **않는** 것을 고르시오.

① 매월 개최하는 행사이다. 　② Highland 주민에게는 무료이다.
③ Lincoln 도서관에서 열린다. 　④ 사전에 등록해야 한다.
⑤ 음식물 반입이 허용된다.

여: 안녕하세요, Highland 주민 여러분. 저는 주민 센터 소장, Jenny Walker입니다. 저희는 매월 Highland Movie Night를 개최합니다. 이 행사는 여러분에게 고전 영화를 즐길 수 있는 기회를 제공합니다. 모든 Highland 주민들에게 무료입니다. 이번 달에는 'The Amazing Wizard Harry'를 상영합니다. 영화는 이번 주 토요일 오후 7시에 시작합니다. 늘 그렇듯이, 그것은 Lincoln 도서관에서 열립니다. 제한된 공간 때문에 여러분은 사전에 등록을 해야 합니다. 금요일까지 웹 사이트에서 좌석을 예약할 수 있습니다. 도서관을 깨끗하게 유지하기 위해 음식을 가지고 오는 것은 허용되지 않습니다. 더 많은 정보를 얻으시려면 언제든지 저희에게 전화 주세요. 고맙습니다.

[어휘] resident 주민
as usual 늘 그렇듯이
due to ~ 때문에
reserve seats 좌석을 예약하다

M: Jane, what are you doing?

W: Dad, I'm searching for a one-day drawing lesson, but it's not easy to choose one. Can you help me?
_{가주어} _{진주어}

M: Sure. Is there any particular drawing material you want to use?

W: I've done pastel drawing before. So, this time I want to try a new material, not pastel.
현재완료(경험) 파스텔 말고 새로운 재료를 해 보고 싶다고 했으므로 ⑤ 제외

M: Okay. Do you want to have a private lesson?

W: No, I want to learn in a group. 그룹으로 배우고 싶다고 했으므로 ② 제외

M: Okay. You have piano lessons Monday mornings, right?

W: Yes. So I should choose a lesson on Wednesday or Friday.
수요일이나 금요일이라고 했으므로 ① 제외

M: That leaves you two choices.

W: Let me think. [*Pause*] I'd rather take a lesson in the morning.
아침이 더 좋다고 했으므로 ③ 제외

M: There's only one left then.

W: Yes. I'll register for that lesson. Thank you, dad.

다음 표를 보면서 대화를 듣고, 여자가 등록할 그리기 강좌를 고르시오.

One-day Drawing Lessons

	Class	Material	Lesson Type	Day	Time
①	A	Oil paint	Group	Monday	11 a.m.
②	B	Acrylic paint	Private	Wednesday	11 a.m.
③	C	Crayon	Group	Wednesday	6 p.m.
④	D	Colored pencil	Group	Friday	11 a.m.
⑤	E	Pastel	Private	Friday	6 p.m.

남: Jane, 뭐 하고 있니?

여: 아빠, 일일 미술 수업을 찾고 있는데, 고르기가 쉽지 않네요. 도와주실 수 있으세요?

남: 물론이지. 사용하고 싶은 특별한 미술 재료가 있니?

여: 전에 파스텔화는 해 봤어요. 그래서 이번에는 파스텔 말고 새로운 재료를 해 보고 싶어요.

남: 좋아. 개인 수업을 받고 싶니?

여: 아뇨, 그룹으로 배우고 싶어요.

남: 그렇구나. 월요일 아침마다 피아노 수업이 있어, 그렇지?

여: 네. 그래서 수요일이나 금요일 수업을 선택해야 해요.

남: 그것은 너에게 두 가지 선택지를 남기는구나.

여: 어디 보자. [잠시 후] 아침에 수업 듣는 것이 더 좋아요.

남: 그러면 오직 하나만 남네.

여: 네. 그 수업에 등록할게요. 고마워요, 아빠.

어휘 particular 특정한
private 사적인
leave 남기다
register 등록하다

M: Welcome to Alice Bookstore. How may I help you?

W: I bought this book here yesterday, but I want to exchange it for another copy.
여자는 이 서점에서 산 책을 교환하고 싶어 한다.

M: Sure. May I ask what's wrong with it?
무엇이 잘못되었는지 묻고 있으므로 책이 손상됐다는 대답이 자연스럽다.

W: ④ It's damaged. Several pages are missing.

남: Alice 서점에 오신 것을 환영합니다. 어떻게 도와드릴까요?

여: 저는 어제 여기서 이 책을 샀는데, 다른 것으로 교환하고 싶어요.

남: 네. 그것에 어떤 문제가 있는지 여쭤 봐도 될까요?

여: ④ 그것은 손상됐어요, 여러 페이지가 빠져 있어요.

대화를 듣고, 남자의 마지막 말에 대한 여자의 응답으로 가장 적절한 것을 고르시오.

① It was shipped to the wrong address.
② I'd like to pick up the book in person.
③ I couldn't find the book in that section.
④ It's damaged. Several pages are missing.
⑤ No problem. I'll pay with this credit card.

[어휘] exchange 교환하다
ship 배송하다   damaged 하자가 생긴

① 그것은 잘못된 주소로 배송됐어요.
② 제가 직접 책을 가지러 가고 싶어요.
③ 그 섹션에서 책을 찾을 수 없었어요.
⑤ 괜찮아요. 이 신용 카드로 지불할게요.

12 답 ①

W: I enjoyed the food here, especially the salad.
_{여자는 음식점에서 샐러드가 맛있었다고 말했다.}
M: Thank you. Our restaurant uses only the freshest vegetables. And we make the salad dressing using a special recipe.
W: I see. Can you tell me what it's made with?
_{간접의문문}
_{샐러드 소스의 재료를 묻는 말에 조리법은 비밀이라는 대답이 자연스럽다.}
M: ① Sorry, but our recipe is a secret.

여: 여기 음식을 즐겼어요. 특히 샐러드요.
남: 고맙습니다. 저희 식당은 가장 신선한 채소만 사용합니다. 그리고 특별한 조리법을 이용해서 샐러드 소스를 만들죠.
여: 그렇군요. 그것을 무엇으로 만드는지 알려 주실 수 있나요?
남: ① 죄송하지만, 저희 조리법은 비밀입니다.

대화를 듣고, 여자의 마지막 말에 대한 남자의 응답으로 가장 적절한 것을 고르시오.

① Sorry, but our recipe is a secret.
② Sure. I'd like to buy this dressing.
③ No thanks. We don't need the recipe.
④ Yes, I can make you the vegetable soup.
⑤ Okay, I'll bring you the salad right away.

[어휘] dressing 소스   recipe 조리법

② 물론이죠. 저는 이 소스를 사고 싶어요.
③ 괜찮아요. 저희는 그 조리법이 필요 없어요.
④ 네, 저는 야채수프를 만들어 드릴 수 있어요.
⑤ 알겠습니다. 지금 바로 샐러드를 가져다 드릴게요.

13 답 ①

M: How are you, Rebecca?
W: I'm fine, but you look tired today.
M: That's because my back hurt so much last night that I couldn't sleep at all.
_{남자는 허리가 아파서 잠을 못잤다.}
W: Your back? Did you injure it while you were exercising?
_{과거진행형}
M: No. I didn't do anything yesterday other than study at the library.
W: Maybe that's the problem. I bet you were sitting for too long with bad posture.
_{여자는 남자가 나쁜 자세로 너무 오래 앉아 있었을 거라고 말했다.}
M: You're right. I have a bad habit of hunching my shoulders when I sit.
W: Do you ever take a break and stretch your body?
M: When I'm in the middle of something, it isn't easy to stop.
_{남자는 무언가를 하는 중간에 멈추어 스트레칭을 하지 않는다.} _{가주어} _{진주어}

남: Rebecca, 잘 지내니?
여: 난 잘 지내. 그런데 넌 오늘 피곤해 보인다.
남: 어젯밤에 허리가 너무 많이 아파서 잠을 전혀 못자서 그래.
여: 허리? 운동하다가 다쳤어?
남: 아니. 어제는 도서관에서 공부하는 것 말고는 아무것도 하지 않았어.
여: 아마도 그게 문제일지도 몰라. 네가 나쁜 자세로 너무 오래 앉아 있었을 거야.
남: 네 말이 맞아. 나는 앉을 때 어깨를 구부리는 나쁜 습관이 있어.
여: 쉬면서 몸을 스트레칭 하니?
남: 내가 무언가를 하는 중에는, 멈추는 것이 쉽지 않아.
여: 그거 알아? 내가 최근에 기사를 읽었는데 나쁜 자세로 앉아 있는 것이 만성 요통을 가져올 수 있다고 했어.

W: You know what? I recently read an article that said sitting with poor posture can lead to chronic back pain.
여자는 나쁜 자세로 앉는 것이 만성 요통을 유발한다는 기사를 읽었다고 했다.
M: How can that happen?
남자가 그 이유를 묻고 있으므로, 구체적인 내용을 알려 주는 것이 자연스럽다.
W: ① Bad posture can cause increased tension in your back.

대화를 듣고, 남자의 마지막 말에 대한 여자의 응답으로 가장 적절한 것을 고르시오.

Woman: _____

① Bad posture can cause increased tension in your back.
② Be careful when you lift up something heavy.
③ Here are some tips for sleeping problems.
④ Too much exercise can lead to muscle ache.
⑤ Taking regular breaks while studying will help you focus.

남: 어떻게 그렇게 되니?
여: ① 나쁜 자세는 허리의 긴장이 증가되는 것을 야기할 수 있거든.

[어휘] posture 자세   hunch 구부리다
chronic 만성적인   back pain 요통
tension 긴장   muscle ache 근육통

② 무거운 것을 들어 올릴 때는 조심해.
③ 수면 문제를 위한 몇 가지 조언이 있어.
④ 너무 과한 운동은 근육통을 야기할 수 있어.
⑤ 공부하는 중에 규칙적인 휴식을 취하는 것은 집중하는 데 도움이 될 거야.

14 답 ④

W: Brian, you look so tired today.
M: Yeah, even though I get enough rest, I feel exhausted these days.
W: Hmm... maybe you need some exercise. You like swimming, don't you?
M: I do, but I often feel lazy.
W: That's true for me, too. So, I made myself join a sports club at school.
여자는 학교 스포츠 동아리에 가입했다.
M: What kind of sports club?
W: I exercise in a yoga club. I find it very helpful to work out with other people at a fixed time.
가목적어   진목적어
M: I guess exercising with others can help you keep motivated.
help+목적어+목적격 보어(원형 부정사 또는 to부정사)
W: Exactly. Why don't you join a sports club, too?
여자는 남자에게 스포츠 동아리에 가입하라고 권하고 있다.
M: Actually, I'm interested in the swimming club, but as far as I know, the registration period ended. 남자는 관심은 있지만 등록 기간이 끝났다고 했다.
W: It's too early to give up! I saw a notice that all the clubs
too+형용사+to부정사: …하기에 너무 ~한
extended their registration period to this Friday.
등록 기간이 연장됐다는 여자의 말에 가입 가능한지 알아본다고 답하는 것이 자연스럽다.
M: ④ In that case, I'd better go and see if I can join the club.

대화를 듣고, 여자의 마지막 말에 대한 남자의 응답으로 가장 적절한 것을 고르시오.

Man: _____

① No kidding. I'm not interested in a yoga club.
② Too late. I can't lend you my registration card.

여: Brian, 너 오늘 정말 피곤해 보여.
남: 응, 충분히 쉬었는데도 요즘 진이 다 빠진 것 같아.
여: 흠…… 운동을 좀 해야 할 것 같아. 너 수영 좋아하지, 그렇지 않니?
남: 좋아하는데, 자주 게을러져.
여: 나도 그렇기는 해. 그래서 나는 학교에서 스포츠 동아리에 가입했어.
남: 어떤 종류의 스포츠 동아리야?
여: 요가 동아리에서 운동을 해. 정해진 시간에 다른 사람들과 운동하는 것이 매우 도움이 되거든.
남: 다른 사람들과 운동하는 것이 계속 동기 부여를 해 주는구나.
여: 맞아. 너도 스포츠 동아리에 가입하는 것은 어때?
남: 사실, 나는 수영부에 관심이 있는데 내가 알기로는 등록 기간이 끝났어.
여: 포기하기엔 너무 일러! 모든 동아리들이 이번 주 금요일까지 등록 기간을 연장한다는 공지를 봤어.
남: ④ 그렇다면 내가 그 동아리에 가입할 수 있는지 가서 알아보는 게 좋겠다.

[어휘] fixed 고정된   extend 연장하다

① 정말이야. 나는 요가 동아리에 관심 없어.
② 너무 늦었어. 등록 카드를 네게 빌려줄 수 없어.

③ As you know, swimming isn't my favorite sport.
④ In that case, I'd better go and see if I can join the club.
⑤ Trust me. I bet you can be an excellent sports club leader.

③ 알다시피, 수영은 내가 좋아하는 운동이 아니야.
⑤ 날 믿어. 넌 훌륭한 스포츠 동아리 리더가 될 수 있어.

15 답 ⑤

W: Brian and Jennifer are good friends who go to the gym
[주격 관계대명사]
together almost every day. When they're working out, they
drink a lot of water. Brian always brings his own tumbler
[Brian은 텀블러를 가지고 다니고, Jennifer는 물을 산다.]
with him while Jennifer always buys a bottle of water at the
[접속사: ~한 반면에]
convenience store before going to the gym. Brian thinks
that buying a bottle of water every day is not only a waste
[명사절을 이끄는 접속사 that]
of money but is also harmful to the environment. One day
[not only A but also B: A뿐만 아니라 B도]
at the gym, Jennifer makes a comment about how much she
[Jennifer가 Brian의 텀블러가 얼마나 마음에 드는지 언급했다.]   [간접의문문]
likes Brian's tumbler. Brian thinks this is a good chance to
[Brian은 Jennifer에게 텀블러를 가져오라고 제안하고 싶어 한다.]
suggest that she bring her own reusable bottle to the gym. In
[요구·제안 동사]   [(should+)동사원형]
this situation, what would Brian most likely say to Jennifer?

Brian: ⑤ Why don't you get a tumbler and bring it to the gym?

여: Brian과 Jennifer는 거의 매일 함께 체육관에 가는 친한 친구이다. 그들은 운동을 하고 있을 때 물을 많이 마신다. Brian은 항상 텀블러를 가지고 오는 반면, Jennifer는 체육관에 가기 전에 항상 편의점에서 물을 한 병 산다. Brian은 매일 물 한 병을 사는 것이 돈을 낭비하는 것일 뿐만 아니라 환경에도 해롭다고 생각한다. 어느 날 체육관에서, Jennifer는 그녀가 Brian의 텀블러가 얼마나 마음에 드는지에 관해 언급한다. Brian은 이것이 그녀에게 체육관에 재사용할 수 있는 병을 가지고 오는 것을 제안할 좋은 기회라고 생각한다. 이러한 상황에서, Brian은 Jennifer에게 뭐라고 말할까?

Brian: ⑤ 텀블러를 사서 그것을 체육관에 가지고 오면 어때?

다음 상황 설명을 듣고, Brian이 Jennifer에게 할 말로 가장 적절한 것을 고르시오.

Brian: _____
① We should work out together more often.
② Don't waste money buying so many tumblers.
③ We'd better drink more water while we exercise.
④ When does the convenience store near the gym close?
⑤ Why don't you get a tumbler and bring it to the gym?

[어휘] convenience store 편의점
make a comment 언급하다

① 우리는 좀 더 자주 함께 운동을 해야 해.
② 텀블러를 그렇게 많이 사는 데 돈을 낭비하지 마.
③ 우리는 운동하는 동안 물을 더 많이 마시는 것이 좋겠어.
④ 체육관 근처 편의점은 언제 닫아?

16~17 답 16 ④ 17 ④

W: Hello, everyone. I'm Monica Dale from Blue River Animal
Center. Today, let's talk about the different ways animals
communicate. First, smell is probably the most basic type
[담화의 주제] 동물들의 다양한 의사소통 방법
of animal communication. For example, dogs mark their
areas with their smell to send a clear message to others
[예시 1] 개: 냄새
to stay away. Second, when animals make sounds, those
[to부정사 부사적 용법(목적)]
usually convey certain messages. For instance, dolphins get
[예시 2] 돌고래: 소리

여: 안녕하세요, 여러분. 저는 Blue River Animal Center에서 온 Monica Dale입니다. 오늘은 동물이 의사소통하는 다양한 방법에 관해 이야기하려고 합니다. 먼저, 냄새는 아마도 동물이 의사소통하는 가장 기본적인 형태일 것입니다. 예를 들어, 개는 다른 개들에게 접근하지 말라는 분명한 메시지를 전달하기 위해 그들의 냄새를 자신들의 구역에 표시합니다. 두 번째로, 동물

the attention of others in the area by using various sounds.
by+V-ing: ~함으로써
Sometimes, they sing to their mates. Third, visual signals
are widely used by many animals. Gorillas stick out their
예시3 고릴라: 시각적 신호
tongues to show anger. Lastly, many animals make use of
to부정사 부사적 용법(목적)
touch to communicate their feelings to others. Giraffes press
to부정사 부사적 용법(목적)   예시4 기린: 접촉
their necks together when they're attracted to each other.
Now, let's take a look at a video clip that contains interesting
주격 관계대명사
animal communication.

다음을 듣고, 물음에 답하시오.

16. 여자가 하는 말의 주제로 가장 적절한 것은?

① positive effects of raising animals
② useful tips for recording animal behavior
③ common characteristics sea animals have
④ different ways animals use to communicate
⑤ importance of protecting endangered species

17. 언급된 동물이 아닌 것은?

① 개   ② 돌고래   ③ 고릴라   ④ 코끼리   ⑤ 기린

들이 소리를 낼 때, 그것들은 특정 메시지를 전달합니다. 예를 들어, 돌고래는 다양한 소리를 이용하여 구역에 있는 다른 돌고래들의 관심을 집중시킵니다. 때때로, 그들은 그들의 짝에게 노래를 합니다. 세 번째로, 시각적 신호는 많은 동물들에게 널리 사용됩니다. 고릴라는 분노를 보여 주기 위해 혀를 밖으로 내밉니다. 마지막으로, 많은 동물이 다른 동물들에게 감정을 전하기 위해 접촉을 합니다. 기린은 서로 끌릴 때 목을 함께 밀착시킵니다. 이제 흥미로운 동물들의 의사소통을 담은 동영상을 봅시다.

어휘 communication 의사소통 mark 표시하다 convey 전달하다 mate 친구 visual 시각적 signal 신호 stick out one's tongue 혀를 내밀다 attract 끌어들이다

16. ① 동물을 기르는 것의 긍정적 효과
② 동물의 행동을 기록하는데 유용한 팁
③ 해양 동물이 가지는 공통적인 특성
④ 동물이 의사소통하는데 쓰는 다양한 방법
⑤ 멸종 위기 종 보호의 중요성

memo

memo

영어 영역

수능기초 **10**일 **격파** **듣기**

차례

행사나 축제 안내(공지), 홍보, 권유나 조언, 요청 등의 실용적 내용이 주로 출제된다.

01 기초 체크 목적을 나타내는 표현

I'm going to give you some rules to follow in the P.E. class.

I'd ❶_____ to tell you about ....
여러분에게 ~에 관해 말하고 싶습니다.

I'd like to announce(explain) ....
~을 알리고(설명하고) 싶습니다.

I'd like to ask you to ....
여러분에게 ~하라고 요청하고 싶습니다.

We'd like to remind you to ....
여러분이 ~해야 한다는 것을 상기시키고 싶습니다.

We ask that you ....
여러분이 ~할 것을 요청합니다.

I ❷_____ you to ....
여러분이 ~할 것을 권장합니다.

Let me tell you about ....
여러분에게 ~에 관해 말씀드리겠습니다.

I'm going to tell you about ....
~에 관해 말씀드리겠습니다.

❸_____ me share some tips to ....
~할 몇 가지 팁을 공유하겠습니다.

I'd like to give you some tips on ....
~에 관한 몇 가지 팁을 드리고 싶습니다.

I advise you not to ....
~하지 말 것을 권합니다.

Make sure to ....
~하는 것을 명심하십시오.

We are looking for ....
우리는 ~을 찾고 있습니다.

I'm looking ❹_____ to ....
저는 ~을 기대하고 있습니다.

답 ❶ like ❷ encourage ❸ Let ❹ forward

4

The event will be held
in the school gym
from 3 p.m. to 5 p.m.

host 진행자	coordinator 진행자	announcement 안내
be held 열리다, 개최되다	look for ~을 찾다	❶ _____ 축하하다
performance 공연	submit 제출하다	submission 제출
deadline 마감 기한	application period 신청 기간	in charge of ~을 맡고 있는
introduce 소개하다	apply 신청하다; 지원하다	participate in ~에 참가하다
take part in ~에 참가하다	❷ _____ 등록하다	registration (fee) 등록(비)
sign up 등록하다	charity 자선 (단체)	admission fee 입장료
❸ _____ 기부하다	donation 기부	volunteer 자원 봉사자

답 ❶ celebrate ❷ register ❸ donate

5

> May I have your attention, please? This is your principal, Mr. Adams.

mayor 시장	❶ _____ 교장	vice principal 교감
tour guide 여행 가이드	student president 학생회장	student council 학생회
❷ _____ 주목, 집중	inconvenience 불편	cooperation 협조
bulletin board 게시판	refer to ~을 참조하다	keep in mind ~을 명심하다
encourage 권장하다, 격려하다	safety rule 안전 규칙	require 요구하다
last 지속되다	construction 공사	be closed 폐쇄되다

답 ❶ principal ❷ attention

출제유형 | 2 의견, 주제 추론

화자가 말하고자 하는 의견이나 대화의 주제를 파악하는 유형은 일상생활에 대한 가벼운 내용뿐만 아니라 환경, 과학, 건강, 교육 관련 소재도 많이 다루어진다.

I think learning to code can give you important skills for the future.

I think (that) .... ~라고 생각해.	**... is ❶ _____ (important).** ~은 필요해(중요해).
I believe (that) .... ~라고 믿어.	**... should (need to) ~.** …는 ~해야 해(~할 필요가 있어).
I'm sure (that) .... ~라고 확신해.	**I recommend (that) ....** ~할 것을 추천해.
I want to remind you that .... (너에게) ~라고 상기시키고 싶어.	**In my ❷ _____, ...** 내 의견으로는, ~.
It's clear that we shouldn't .... 우리가 ~하면 안 된다는 것은 분명해.	**Why don't you ...?** ~하는 게 어때?

답 ❶ necessary ❷ opinion

환경·과학	environment 환경	❶ _____ 오염시키다	reduce air pollution 대기 오염을 줄이다
	reduce the packaging 포장을 줄이다	public transportation 대중교통	take measures 조치를 취하다
	recycle 재활용하다	reuse 재사용하다	❷ _____ 일회용의

food waste 음식물 쓰레기	electronic waste 전자 제품 쓰레기	leak 유출하다
trash 쓰레기	threat 위협, 위험	cause 야기하다
ban 금지하다	harmful effect 해로운 영향	benefit 이점; ~에게 이득을 주다
throw away 버리다	sprout 싹이 나다	work 효과가 있다

환경 · 과학

답 ❶ pollute ❷ disposable

06 기초 체크 건강 관련 표현

❶ _____ 긴장을 풀다	regular 규칙적인	consume 먹다; 마시다
heart rate 심박수	heart attack 심장마비	disease 질병
body temperature 체온	sound (deep) sleep 숙면	sufficient 충분한
first-aid training 응급 처치 훈련	have an allergy to ~에 알레르기가 있다	the level of cholesterol 콜레스테롤 수치
low-calorie 저칼로리의	germ 세균	feel dizzy 어지럽다
relieve stress 스트레스를 풀다	be addicted to ~에 중독되다	stressed out 스트레스를 많이 받은

건강

immune system 면역 체계	infection 감염	muscle 근육
release endorphins 엔도르핀을 방출하다	diet 식사; 식습관; 식이 요법	balanced 균형 잡힌
work out 운동하다	cancer 암	side effect 부작용
burn calories 열량을 소비하다	protein 단백질	physical 신체적인
gain(lose) weight 체중이 늘다(줄다)	influence 영향; 영향을 미치다	❷ _____ 땀을 흘리다
take a deep breath 심호흡을 하다	suffer from ~로 고통받다	disturb one's sleep ~의 수면을 방해하다

건강

답) ❶ relax ❷ sweat

07 기초 체크 교육, 사회 관련 표현

❶ _____ 향상시키다	develop 발달하다	increase 증가하다
enhance 높이다, 강화하다	strengthen 강하게 하다	discover 발견하다, 찾다
keep a diary 일기를 쓰다	debate 토론; 토론하다	advantage 이점
logical thinking 논리적 사고	motivate 동기를 부여하다	identify 확인하다
mathematical concept 수학적 개념	problem-solving skill 문제 해결 능력	concentration 집중

교육 · 사회

교육·사회	expand 확대되다	imagination 상상력; 창의력	imaginative 창의적인
	think outside the box 고정관념에서 벗어나다	give a speech 연설하다	account for (부분·비율을) 차지하다
	distract 산만하게 하다	❷ _____ 집중을 방해하는 것	disorganized 체계적이지 못한
	organize one's thought 생각을 정리하다	maintenance 유지, 지속	be responsible for ~에 책임이 있다
	cultural difference 문화적 차이	custom 관습	abandoned 버려진, 유기된

답 ❶ improve ❷ distraction

출제유형 | 3 관계 파악

두 사람의 관계를 파악하는 유형은 실생활에서 접하게 되는 상황이 주로 제시되며, 최근에는 전형적 관계나 흔한 장소에서 벗어나 다양한 소재가 출제된다.

08 기초 체크 직업 관련 표현

You came here last week because of a sunburn. How are the symptoms now?

Much better.

tour 관광	❶ _____ 설계하다; 설계	architecture 건축
architect 건축가	translate 번역하다	direct 감독하다
director 감독	record 녹음하다	script 대본
release (영화 등을) 개봉하다	film 영화; 촬영하다	shoot 촬영하다
appear 출연하다; 발간(방송)되다	feature 주연시키다; 특집 (기사)	makeup artist 분장사
act like ~처럼 연기하다	starring role 주연, 주역	character 배역, 등장인물
photography 사진술	scene (영화·연극·책에 나오는) 장면	❷ _____ 출판하다
novel 소설	subscriber 구독자	extend a deadline 마감 기한을 연장하다
font 서체	chief editor 편집장	edit 편집하다
review 검토하다	article 기사	match 경기
analyze 분석하다	form 자세	training program 훈련 프로그램
opponent 상대편	bandage 붕대; 붕대를 감다	have surgery 수술을 받다
dental surgery 치과 수술	❸ _____ 처방하다	write a prescription 처방전을 쓰다

11

diagnosis 진단, 진찰	examine 진찰하다	operation 수술
emergency 응급	emergency operator 응급 전화 교환수	patient 환자
measure 재다	blood pressure 혈압	❹ _____ 증상
cough 기침	sore 아픈, 따가운	sunburn 햇볕에 의한 화상
eyedrop 안약	eye infection 눈병	interview 면접; 인터뷰(하다)
interviewer 면접관	applicant 지원자	accountant 회계사
art teacher 미술 선생님	❺ _____ 사서	dry-clean 드라이클리닝하다

답 ❶ design ❷ publish ❸ prescribe ❹ symptom ❺ librarian

09 기초 체크 장소 관련 표현

Is this the script for the radio drama we're working on today?

Yes. We can begin once you step into the recording booth.

go well with ~와 잘 어울리다	try on ~을 입어보다	exchange 교환(하다)
❶ _____ 환불	out of stock 재고가 없는	pay by credit card 신용 카드로 지불하다
pay in(with) cash 현금으로 지불하다	receipt 영수증	on display 전시된
promotional sample 판촉용 샘플	❷ _____ 전시회	expo 박람회
get a ticket 표를 사다; 딱지를 떼다	palace 궁전	stage 무대
runway 런웨이	rehearsal 예행연습	cafeteria 카페테리아, 구내식당
studio (방송국) 스튜디오; 작업실	recording booth 녹음실	audience 관객, 시청자
make a reservation 예약하다	book a room 방을 예약하다	check in 입실하다
check out 퇴실하다	single room 1인실	double room 2인실
library 도서관	borrow 빌리다	lend 대여하다, 대출하다
check out books 책을 대출하다	❸ _____ 연체된	fine 연체료; 벌금
return a book 책을 반납하다	withdraw money 돈을 인출하다	❹ _____ 계좌

답 ❶ refund ❷ exhibition ❸ overdue ❹ account

13

사진이나 그림, 포스터, 광고 시안 등에서 인물이나 동물의 구체적인 동작이나 사물의 상태를 나타 내는 표현을 정확히 듣고 이해해야 한다.

10 기초 체크 동작, 상태를 나타내는 표현

a boy wearing a striped T-shirt

written in capital letters

point to ~을 가리키다	**ride a horse(bike)** 말을(자전거를) 타다	**❶** _____ **the fish** 물고기 밥을 주다
lie on one's stomach 엎드리다	**play with a yoyo** 요요를 하다	**balance on a ball** 공 위에서 균형을 잡다
lie on the floor 바닥에 드러눕다	**lean against the wall** 벽에 기대다	**sit on the steps** 계단에 앉다
hold the flag 깃발을 들다	**water the plant** 식물에 물을 주다	**climb (up) a tree** 나무에 올라가다
set the table 상을 차리다	**wear sunglasses** 선글라스를 쓰다	**draw polar bears** 북극곰을 그리다

wave one's hand 손을 흔들다	**raise one's hand** 손을 들다
walk along the road 길을 따라 걷다	**❷** _____ **up a balloon** 풍선을 불다

14

put one's hands together 손을 모으다	**build a sandcastle** 모래성을 쌓다
hang (down) from the ceiling 천장에 매달다	**hang upside down** 거꾸로 매달다
hang on the ceiling 천장에 매달다	**make a V-sign with one's fingers** 손가락으로 V 사인을 만들다
a table attached to the wall 벽에 붙어 있는 탁자	**a tube floating on the water** 물 위에 떠 있는 튜브
peppers spread on the mat 돗자리 위에 널린 고추	**birds flying in the sky** 하늘을 나는 새들
a chair with four wheels 네 개의 바퀴가 달린 의자	**a boy lying on the bed** 침대에 누워 있는 소년
a lady with glasses on 안경을 쓴 여성	**a boy with a hat on** 모자를 쓴 소년
with one's legs ❸ _____ 다리를 꼬고	**hand in hand** 서로 손을 잡고

답 ❶ feed ❷ blow ❸ crossed

15

at ~에 (좁은 장소)	at the center (top / bottom) of the poster 포스터의 중앙(맨 위 / 맨 아래)에 at the top middle 맨 위 가운데에 at the bus stop 버스 정류장에
❶ ——— ~에 (표면 위)	on the wall (table / bookshelf / ground / roof / swing) 벽(탁자 / 책장 / 땅 / 지붕 / 그네)에 on the left (right) side 왼편(오른편)에
in ~에 (넓은 장소)	in the hat (box / corner / car) 모자(상자 / 구석 / 차)에 in the top left corner 왼쪽 모서리 상단에 in the middle of the picture 사진의 가운데에
under ~ 아래에	under the clock (calendar / title / table) 시계(달력 / 제목 / 탁자) 아래에
❷ ——— ~(보다) 아래에	below the clock (logo) 시계(로고) 아래에 below the balloons 풍선 아래에
inside ~ 안에	inside the hat 모자 안에
over ~ 위에	over the buildings 건물 위에
above ~(보다) 위에	above the windows 창문 위에 above the sofa (fireplace / blackboard) 소파(벽난로 / 칠판) 위에
behind ~ 뒤에	behind the pond 연못 뒤에 behind the chair 의자 뒤에

16

❸ ～ 앞에	in front of the drums 드럼 앞에 in front of the tree 나무 앞에
between ～ 사이에	between the trees 나무 사이에 between the sofa and the flower pot 소파와 화분 사이에 between the honey jars 꿀단지 사이에
❹ ～ 옆에	next to the door〔bed / tree / notice board〕 문〔침대 / 나무 / 게시판〕 옆에 The box is next to the ball. 상자는 공 옆에 있다.
by ～ 옆에	by the basketball post 농구 골대 옆에
beside ～ 옆에	beside the door〔tree〕 문〔나무〕 옆에
near ～ 근처에	near the window〔fence〕 창문〔울타리〕 근처에 near the front of the stage 무대 앞쪽 근처에
around ～ 주위에	around the corner 구석 주위에
against ～에 붙여	against the wall 벽에 붙여

답 ❶ on ❷ below ❸ in front of ❹ next to

square 정사각형의	rectangular 직사각형의	round 둥근
circular 둥근, 원형의	triangular 삼각형의	triangle-❶ _____ 삼각형 모양의
heart-shaped 하트 모양의	star-shaped 별 모양의	diamond-shaped 마름모꼴의
square-shaped 정사각형 모양의	elephant-shaped 코끼리 모양의	cat-shaped 고양이 모양의
car-shaped 자동차 모양의	cup-shaped 컵 모양의	the shape of a heart 하트 모양
two-layer cake 2단 케이크	V-neck design V자 모양의 목둘레 디자인	a ❷ _____ of wood 나무 더미

답 ❶ shaped ❷ pile

plain 무늬가 없는	dotted 점무늬의	spotted 물방울무늬의
❶ _____ 줄무늬의	stripe-patterned 줄무늬의	striped pattern 줄무늬
flowered 꽃무늬의	flower-❷ _____ 꽃무늬의	flower pattern 꽃무늬
checkered 체크무늬의	checkered-patterned 체크무늬의	checkered pattern 체크무늬

답 ❶ striped ❷ patterned

출제유형 I 5 할 일, 부탁한 일

가족생활이나 학교생활에서 흔히 일어나는 상황이 주로 제시되며 상황의 전환이나 반전이 일어날 수 있으므로 동의나 거절 여부를 잘 파악해야 한다.

14 기초 체크 할 일, 부탁한 일을 나타내는 표현

Can you order the cake?

No problem. I'll go and order it now.

May (Can) I ...?
제가 ~해도 될까요?

Can (Could / Will / Would) you (please) ...?
~해 주시겠어요?

Would you mind if I ...?
제가 ~해도 될까요?

I wonder if you can (could) ....
~해 주실 수 있는지 궁금해요.

Would you do me a ❶_____?
부탁 하나 들어주시겠습니까?

Can I ask you to do something for me?
부탁 좀 드려도 될까요?

May I ask a favor of you?
부탁 하나 들어주시겠습니까?

Is there anything I can do for you?
제가 도와 드릴 일이 있나요?

Can I ask you a favor?
부탁 좀 해도 될까요?

What would you like me to do?
제가 무엇을 해 드리면 좋겠습니까?

Do you want me to ...?
내가 ~하기를 원하니?

Shall I ...?
제가 ~ 할까요?

Do you need help?
도움이 필요하니?

I'll .... / I'm going to ....
내가 ~을 할게.

Why don't you ...? / How about ...?
~하는 게 어때요?

I'll ... ❷_____ you ~.
당신이 ~하는 동안 제가 …을 할게요.

❶ favor ❷ while

15 기초 체크 승낙하기

No problem. / Why not? / Of course.
문제없어. / 왜 안 되겠어? / 물론이지.

(It's) My pleasure. / With pleasure.
기꺼이 해 줄게.

That would be great.
그거 좋겠다.

That sounds like a good idea.
좋은 생각이네요.

> Do you want me to help you with that?

> No, thanks.
> I can handle it.

(I'm) Sorry, (but) I **❶**_____.
미안하지만 안 돼.

I'm **❷**_____ I can't.
아무래도 할 수 없을 것 같아.

I'd love to help, but I ....
도와주고 싶은데, 나는 ~.

Maybe some other time.
다음 기회로 미루자.

답 **❶** can't **❷** afraid

출제유형 | 6 숫자 정보 파악

상점에서 물건을 구입하거나 박물관, 동물원, 놀이공원 등에서 입장권을 구입하는 상황이 자주 출제된다.

---

17 기초 체크 금액, 수량 관련 표현

> How much is it?

> It's eight dollars.

a full-day ticket 종일권	a half-day ticket 반일권	cost (값·비용이) ~이다

How **❶** _____ is it?
얼마입니까?

How many tickets do you need?
표가 몇 장 필요하세요?

Each box of biscuits is $5.
비스킷 한 상자 당 5달러입니다.

How many would you like?
몇 개를 원하세요?

They're five dollars each.
그것들은 각각 5달러입니다.

How many people are you with?
모두 몇 명입니까?

Children under 10 are half price.
10살 미만 아이는 반값입니다.

Add two sandwiches to my order.
샌드위치 두 개를 주문에 추가해 주세요.

That's **❷** _____.
가격이 적당하네요.

Well, it sounds a bit expensive.
흠, 약간 비싼 것 같아요.

book ~ at the regular rate of $100
100달러의 일반 요금으로 ~을 예약하다

offer free shipping
무료 배송을 제공하다

pay the delivery fee
배송료를 지불하다

pay for the delivery
배송료를 지불하다

Tickets are $10 per adult, and $5 per child under 12.
티켓은 성인은 10달러, 12세 미만의 어린이는 5달러입니다.

It's $30 for adults and $20 for children.
성인은 30달러, 어린이는 20달러입니다.

Gift wrapping is an additional **❸** _____ of three dollars.
선물 포장은 3달러의 추가 비용이 듭니다.

There is no delivery charge for orders over $20.
20달러 이상 주문하면 배송료가 없습니다.

답 ❶ much ❷ reasonable ❸ charge

I bought some dishes, cups, and so on.

They're offering a 50% discount on all items.

Really? I'm about to buy one.

on **❶** _____
할인 판매 중인

get a discount
할인 받다

special **❷** _____
특별 판촉

use a discount (mobile) coupon
할인(모바일) 쿠폰을 쓰다

have a 5 dollar discount coupon
5달러 할인 쿠폰을 가지고 있다

get 20% off the total (price)
총액의 20%를 할인 받다

get a 10% discount from the total
총액의 10%를 할인 받다

offer a 10% discount on all items
모든 상품을 10% 할인해 주다

We don't offer a discount on ~.
~은 할인해 드리지 않습니다.

This coupon only applies to purchases over 10 dollars.
이 쿠폰은 10달러 이상을 구입할 때만 쓸 수 있습니다.

We have a discount of 10% for people over 65.
65세 이상의 사람들에게 10% 할인해 드립니다.

With any purchase of $100 or more, we're giving a 10% discount.
100달러 이상을 구입하면, 10% 할인을 제공합니다.

If you buy two, you'll get a 50% discount on the second one.
두 개를 사면 두 번째 것을 50% 할인 받을 것입니다.

Gold membership holders get 20% ❸_____ the total.
골드 회원 카드 소지자는 총액의 20%를 할인해 드립니다.

Sorry, but this coupon expired last week.
죄송하지만, 이 쿠폰은 지난주에 만료되었습니다.

답 ❶ sale ❷ promotion ❸ off

19 기초 체크 지불 관련 표현

How would you like to ❶_____?
어떻게 지불하실 건가요?

I'll pay by (with) credit card.
신용 카드로 지불할게요.

Do the prices include lunch?
점심이 포함된 가격인가요?

I'll pay in ❷_____.
현금으로 지불할게요.

답 ❶ pay ❷ cash

출제유형 | 7 이유 추론

이유 추론은 주로 일상생활에서 일어나는 상황이 출제된다. 이유를 묻고 답하는 표현들을 미리 익혀 둔다.

20 기초 체크 이유를 묻는 표현

You never come to my house. Why?

Because your parents always want to eat me!

24

Why? / How come? / Why is that?
왜?

What's the problem〔matter〕?
문제가 뭐야?

❶ _____ not?
왜?

Why do you need to ...?
너는 왜 ~해야 하니?

Why can't you ...?
너는 왜 ~할 수 없니?

Then, why aren't you ...?
그럼, 왜 ~하지 않니?

Is that the reason?
그게 이유니?

What's the reason?
이유가 뭐니?

Is it ❷ _____ of ...?
~ 때문이니?

Oh, no! What happened?
오, 이런! 무슨 일 있었어?

❶ Why ❷ because

21 기초 체크 이유를 나타내는 표현

The reason why ... is ~. / That's why ....
…한 이유는 ~야. / 그것이 ~한 이유야.

That's 〔It's〕 because (of) ....
~ 때문이야.

I ❶ _____ to ....
나는 ~하는 것을 잊었어.

I have〔had〕 to ....
나는 ~을 해야 해〔했어〕.

No. That's not the problem.
아니. 그 문제가 아니야.

No, that was not the ❷ _____.
아니, 그건 이유가 아니었어.

I called you to say that ....
~을 말해 주려고 전화했어.

I called you to make sure ....
~을 확인하려고 전화했어.

답 ❶ forgot ❷ reason

25

주로 공연, 박람회, 대회, 축제, 단체 투어 등이 소재로 다루어진다. 목적, 장소, 입장료, 예매 방법, 참가 인원, 지원 마감일 등과 관련된 표현들을 미리 익혀 둔다.

22 기초 체크 목적, 활동, 전시품 관련 표현

Hey. Have you heard about the Mind-Up Program?

No, I haven't. What is it?

It's a program for high school students. Its purpose is to encourage us to build a positive mindset.

❶ _____ 목적	relieve stress 스트레스를 완화하다	profit 수익(금)
perform 공연하다	support 지원하다	raise money 돈을 모으다
people in need 어려움에 처한 사람	special lecture 특별 강연	flyer / leaflet / brochure 전단지
reunion 동창회	research 조사하다	observe 관찰하다
exhibit 전시하다; 전시품	found 설립하다	join 참가하다

What is that(it)?
그것은 무엇입니까?

What does the museum exhibit?
그 박물관은 무엇을 전시합니까?

What's the purpose of the camp?
캠프의 목적은 무엇입니까?

Its purpose is to ....
그것의 목적은 ~하는 것입니다.

What's going to be discussed?
무엇이 논의될 것입니까?

What are you going to research?
당신은 무엇을 연구할 것입니까?

What do I do there?
거기에서 저는 무엇을 합니까?

What kind of events will there be?
어떤 종류의 행사가 있습니까?

What activities will the volunteers do?
봉사자들은 무슨 활동을 합니까?

It was founded to ....
그것은 ~하기 위해 설립되었습니다.

Who will be playing?
누가 연주를 하나요?

Who will perform in the show?
누가 쇼에서 공연을 하나요?

You can take ❷_____ in various activities like ....
~ 같은 다양한 활동에 참여할 수 있습니다.

They offer interesting programs such as ....
그들은 ~ 같은 재미있는 프로그램을 제공합니다.

정답 ❶ purpose ❷ part

23 기초 체크   장소, 일시, 기간 관련 표현 〈대화〉

take place
개최되다

application ❶_____
지원 마감일

first come, first served
선착순

Where are the classes offered?
그 수업은 어디에서 제공됩니까?

Where does it take place?
그것은 어디에서 개최됩니까?

27

Where are you taking the class?
당신은 어디에서 그 수업을 받습니까?

Where is it going to be held?
그것은 어디에서 열립니까?

Where is the class being held?
수업은 어디에서 열립니까?

It's being held at ....
그것은 ～에서 열립니다.

Where will it be held?
그것은 어디에서 열립니까?

It'll be held at ~.
그것은 ～에서 열립니다.

It's located in ....
그것은 ～에 위치합니다.

I'd like to know the date and time.
저는 날짜와 시간을 알고 싶습니다.

When is it? / When will it be?
그것은 언제입니까?

When does the show start?
쇼는 언제 시작합니까?

When is the election going to be?
선거는 언제입니까?

How ❷_____ is the tour?
투어는 얼마나 걸립니까?

How long will the project last?
그 프로젝트는 얼마나 지속됩니까?

How long does it take?
그것은 얼마나 걸립니까?

The tour starts at 8 p.m. and takes two hours.
투어는 저녁 8시에 시작해서 두 시간 걸립니다.

It'll start at two and last about one hour.
그것은 2시에 시작해서 약 한 시간 지속됩니다.

The exhibition runs from 3 to 7 p.m.
전시회는 오후 3시부터 7시까지 합니다.

It's held during the first week of December.
그것은 12월 첫 주 동안 열립니다.

It's open every Saturday from 10 a.m. to 6 p.m.
그것은 토요일마다 오전 10시부터 오후 6시까지 열립니다.

❶ deadline ❷ long

Do you have to pay for the entrance?

No, it's free.

| free / for free 무료의 / 무료로 | entrance (entry) fee 입장료 | participation fee 참가비 |

| ❶ _____ fee 등록비 | admission fee 입장료 | include 포함하다 |

Is there a participation fee?
참가비가 있습니까?

How much is the admission fee?
입장료는 얼마입니까?

How much does the tour ❷ _____ ?
투어는 얼마입니까?

How much is a ticket for the tour?
투어 표는 얼마입니까?

답 ❶ registration ❷ cost

How can I register for the program?
그 프로그램에 어떻게 등록합니까?

How can we ❶ _____ up?
어떻게 등록할 수 있습니까?

We have to register on the website.
웹 사이트에 등록을 해야 합니다.

How can we buy the tickets?
표는 어떻게 살 수 있습니까?

❷ _____ can we apply for ...?
~에 어떻게 신청할 수 있습니까?

Is the program available anytime?
프로그램은 아무 때나 이용 가능합니까?

답 ❶ sign ❷ How

The tour has a limit of ten people.
그 투어는 열 명으로 제한됩니다.

Only 10 people are accepted per day.
하루에 열 명만 신청할 수 있습니다.

Registration is limited to only 50 students.
등록은 학생 50명으로 제한됩니다.

Should I ❶_____ a blanket?
담요를 가지고 가야 할까요?

What should I bring to the class?
수업에 무엇을 가지고 가야 합니까?

What are the prizes for the winners?
우승 상품은 무엇입니까?

How should we get there?
거기에 어떻게 가야 합니까?

What kind of transportation do you use during the tour?
투어 하는 동안 어떤 종류의 교통수단을 이용합니까?

Its size is about four times larger than a soccer field.
그것의 크기는 축구장보다 약 네 배 더 큽니다.

The stadium will accommodate around forty thousand people.
그 경기장은 4만 명 정도를 수용할 것입니다.

How big is the ❷_____ for the project?
그 프로젝트의 예산은 얼마나 큰가요?

답 ❶ bring ❷ budget

30

단체 소개, 행사, 경시대회 등의 소재뿐만 아니라 환경, 과학, 건강 등의 학술적인 소재도 출제된다.

28 기초 체크 행사, 대회 관련 표현

> I'm glad to announce that we're hosting the National Baking Competition on December 20th.

announce 알리다	theme 주제	host 개최하다
competition 대회	fair 박람회	❶ _____ 다가오는
annual event 연례행사	aim ~을 목표로 하다	display 전시하다; 전시
advance to the final 결선에 진출하다	necessary 필요한	offer an opportunity 기회를 제공하다
give a chance 기회를 주다	judge 평가자; 평가하다	award 상
broadcast 방송하다	audition 오디션	rehearse 예행연습을 하다
register in ❷ _____ 사전에 등록하다	prior reservation 사전 예약	a variety of 다양한
souvenir 기념품	post on the website 웹 사이트에 게시하다	show off 뽐내다

답 ❶ upcoming ❷ advance

31

We host ... every month.
우리는 매월 ~을 주최합니다.

It's an ❶ _____ event.
그것은 연례행사입니다.

It's a one-day tour program.
그것은 당일치기 여행 프로그램입니다.

Today's performances are about ....
오늘 공연은 ~에 관한 것입니다.

This year we're presenting ....
올해 우리는 ~을 공연합니다.

The theme of the competition is ....
대회의 주제는 ~입니다.

The student council is holding ... to help poor people in Africa.
학생회에서 아프리카에 있는 불쌍한 사람들을 돕기 위해 ~을 엽니다.

Various organic products will be ❷ _____.
다양한 유기농 제품이 전시됩니다.

This festival includes music performances and art exhibitions.
이 축제는 음악 공연과 미술 전시회를 포함합니다.

We're offering a variety of hands-on activities including ....
~을 포함하여 직접 해 보는 다양한 활동을 제공합니다.

One hundred people will be invited to the event.
100명이 행사에 초대될 것입니다.

It's open to young adults aged 15 to 18.
그것은 15세부터 18세 사이의 청소년들에게 열려 있습니다.

Only 10th graders are allowed to join in this competition.
10학년만 이 대회에 참가할 수 있습니다.

답 ❶ annual ❷ displayed

32

It is free for all Highland residents.
Highland 주민들은 모두 무료입니다.

Children under 5 enter for free.
5세 미만 어린이의 입장료는 무료입니다.

Parking will be ❶_____ for $10 a car.
주차는 차 한 대당 10달러에 이용 가능합니다.

Enjoy all this for just 20 dollars.
이 모든 것을 20달러로 즐기세요.

If you pay an additional eight dollars, you can ....
추가로 8달러를 지불하면, ~을 할 수 있습니다.

You can get a ❷_____ if you buy products at the fair.
박람회에서 물건을 구입하면 할인을 받을 수 있습니다.

You will be able to buy all books at 50% off their original prices.
모든 도서를 정가의 50% 할인된 가격에 구입할 수 있습니다.

If you register online in advance, you can enter the fair for free.
미리 온라인으로 등록하면 박람회에 무료로 입장할 수 있습니다.

답 ❶ available ❷ discount

It'll be ❶_____ at the Lincoln Library.
그것은 Lincoln 도서관에서 열립니다.

This event will be held for two weeks.
이 행사는 2주 동안 열릴 것입니다.

It's held on the second Saturday of May.
그것은 5월 두 번째 토요일에 열립니다.

It's an annual tea festival held at City Hall.
그것은 시청에서 해마다 열리는 차 축제입니다.

This contest is an annual event which has been held every October since 2004.
이 대회는 2004년부터 10월마다 열리는 연례행사입니다.

It starts on November 20th and lasts for three days.
그것은 11월 20일에 시작해서 3일 동안 지속됩니다.

It'll be held on July 21st in the school auditorium.
그것은 7월 21일에 학교 강당에서 열립니다.

The musical will be held in the ❷ _____ for two days.
뮤지컬은 이틀간 강당에서 열릴 것입니다.

답 ❶ held ❷ auditorium

32 기초 체크 이용 안내, 사은품 관련 표현

You are not ❶ _____ to bring any food.
음식을 가지고 오는 것은 허용되지 않습니다.

You should register in advance.
사전에 등록해야 합니다.

Reservations are not necessary.
예약은 할 필요가 없습니다.

Prior reservation is not required.
사전 예약은 할 필요가 없습니다.

Tickets can only be purchased at the gate.
표는 정문에서만 구입할 수 있습니다.

Only 10 participants will advance to the final round.
오직 열 명의 참가자만 결승에 진출할 것입니다.

It'll be ❷ _____ live on our website.
그것은 저희 웹 사이트에서 생중계될 것입니다.

We'll limit the number of participants to 10 for each activity.
각 활동의 참가자 수를 열 명으로 제한할 것입니다.

We'll give you free postcards as a souvenir.
기념품으로 무료 엽서를 드릴 것입니다.

The first 10 visitors will get T-shirts for free.
처음 열 번째 관람객까지 티셔츠를 무료로 받을 것입니다.

Every child visiting the fair will get a T-shirt as a gift.
박람회를 방문하는 모든 어린이는 선물로 티셔츠를 받을 것입니다.

On opening day, we'll provide ... to all the visitors.
개관일에 모든 방문객들에게 ~을 제공합니다.

출제유형 |10 도표 내용 일치

가격 비교표, 수업 시간표, 방송 및 영화 상영표 등 일상생활에서 흔히 접할 수 있는 표가 제시된다.

33 기초 체크 도표 관련 대화문에 잘 나오는 표현

What are you looking at?

I'm thinking of buying a new handheld fan. Can you help me pick one?

I'm thinking of (about) ....
~을 생각 중이야.

Which ... do you have in ❶＿＿＿＿＿?
어떤 ~을 고려하고 있니?

Is there any particular ... you want?
네가 원하는 특별한 ~이 있니?

How (What) about ...?
~은 어때?

Why don't you ...?
~하는 것은 어때?

What do you think for capacity?
용량은 어떤 것을 생각하니?

If I were you, I would ....
내가 너라면, 나는 ~하겠어.

I think it should ....
나는 그것이 ~해야 한다고 생각해.

It looks good, but I ....
괜찮아 보이지만, 나는 ~.

I'd love to, but I ....
나도 그러고 싶은데, 나는 ~.

Wednesday doesn't work for me.
나는 수요일은 곤란해.

I'll cross out this one.
이것은 제외할게.

Then you're down to these two.
그럼 이 두 개가 남아.

That leaves you two choices.
그것은 너에게 두 가지 선택 사항을 남기는구나.

Then you have two models ❷_____.
그럼 두 개의 모델이 남아.

Then, you're left with two options.
그럼, 선택할 수 있는 것이 두 개 남아.

Then, there are two choices left.
그럼, 두 개의 선택 사항이 남아.

Which one do you prefer?
너는 어느 것이 더 좋니?

What color do you want?
너는 무슨 색을 원하니?

Which color do you think is better?
너는 어떤 색이 더 낫다고 생각해?

The other tools would be better.
다른 도구가 더 나을 것 같아.

You'd better choose the other one.
다른 것을 선택하는 것이 낫겠어.

I don't want to spend (pay) more than ~.
나는 ~ 이상은 쓰고 싶지 않아.

I want it to be under $20.
나는 20달러 이하로 원해.

I'll buy the cheaper one.
나는 더 저렴한 것을 살래.

I'd rather take ....
나는 ~을 사겠어.

Considering my budget, I'll take the cheaper one.
예산을 감안하면 더 저렴한 것을 사야겠어.

Out of these two options left, I recommend ....
남아 있는 두 개의 선택 사항 중에서 나는 ~을 추천해.

답 ❶ mind ❷ left

34 기초 체크 도표에 잘 나오는 표현

material	height	length
재료	높이	길이

weight 무게	non-slip 미끄러지지 않는	battery life (run time) 배터리 수명(사용 시간)
monthly fee 한 달 이용료	❶ _____ 접을 수 있는	(load) capacity (적재) 용량
hand grip 손잡이	receiving distance 수신 거리	wireless 무선의
play time 재생 시간	noise canceling 잡음 제거	thickness 두께
portable 휴대용의	❷ _____ 방수의	washable 물로 씻을 수 있는
filter-out rate 차단율	assembly required 조립 필요	warranty 보증 기간

답 ❶ foldable ❷ waterproof

be동사, do동사, have동사, 조동사로 시작하는 의문문에 대해 Yes/No로 답하고 있는지, 뒤에 이어지는 내용이 서로 잘 어울리는지 확인해야 한다.

35 기초 체크 Yes / No로 답하는 의문문

Do you agree with my opinion about that matter?

Yes. I'm with you on that.

예시 1

A: ❶_____ you know any good restaurants? 너는 좋은 식당을 아니?

B: Yes, I know one. 응, 하나 알아.

예시 2

A: ❷_____ you talked about this issue with him? 그 문제에 관해 그와 이야기해 봤어?

B: I have, but he didn't take it seriously. 해봤는데, 그는 그것을 심각하게 받아들이지 않았어.

예시 3

A: Could you wait for a second? 잠깐 기다려 줄래?

B: No problem. Just let me know when you're ready. 그래. 준비되면 알려줘.

답 ❶ Do ❷ Have

36 기초 체크 의문사가 있는 의문문

Who is this boy holding a ball?

That's my brother, David.

예시 1

A: ❶_____ are you late for the meeting? 너는 왜 회의에 늦었니?

B: I was caught in a traffic jam. 교통 체증으로 꼼짝도 못했어.

예시 2

A: ❷_____ did you learn how to cook it? 그것을 요리하는 법을 어디서 배웠니?

B: My aunt taught me the recipe. 이모가 요리법을 내게 가르쳐 주셨어.

A: ❸_____ do you prefer, English or math?

영어와 수학 중, 너는 어느 것을 더 좋아하니?

B: I like math more. 나는 수학을 더 좋아해.

❶ Why ❷ Where ❸ Which

37 기초 체크 부정 의문문

예시 1

A: A whole box? ❶_____ you think it's too much?

한 상자 전부를? 너무 많다고 생각하지 않니?

B: Not at all. I'm pretty sure it won't last for a week.

전혀요. 그것은 일주일도 못갈 거라고 확신해요.

예시 2

A: ❷_____ you remember we were supposed to have dinner at 7?

우리가 7시에 저녁 먹기로 한 것을 잊었니?

B: Sorry. I completely forgot about it. 미안해. 그것을 완전히 깜박했어.

❶ Don't ❷ Don't

38 기초 체크 부가 의문문

You don't like sushi, do you?

Yes, I do.

A: She's the oldest student in her college, ❶＿＿＿＿＿＿ she?

그녀는 그녀가 다니는 대학교에서 가장 나이가 많은 학생이야, 그렇지 않니?

B: Yes, she is. I'm proud of my mother. 응, 그래. 나는 엄마가 자랑스러워.

예시 2

A: It starts at 8 p.m., ❷＿＿＿＿＿＿ it? 그것은 저녁 8시에 시작해, 그렇지 않니?

B: I'll let you know after I check. 확인하고 너에게 알려줄게.

답 ❶ isn't ❷ doesn't

39 기초 체크 마지막 말이 평서문일 때

> Please let me know how the meeting goes.

> Of course. I'll text you about it.

예시 1

A: You will be happy doing what you love to do. 〈충고〉

네가 정말 하고 싶은 것을 하면 행복해질 거야.

B: I agree. 동의해.

예시 2

A: I'd ❶＿＿＿＿＿＿ to get it delivered another day. 〈요청〉

다른 날 그걸 배송 받고 싶습니다.

B: No problem. I'll reschedule it. 문제없어요. 일정을 변경할게요.

A: I would ❷_____ making your own vocabulary cards. 〈제안〉

네 자신의 단어 카드를 만들 것을 권하고 싶어.

B: Good idea. I'll try it. 좋은 생각이야. 그것을 시도해 볼게.

답 ❶ like ❷ recommend

출제유형 I13 **상황에 적절한 말**

담화를 듣고 그 상황에서 등장인물이 할 말로 적절한 것을 찾는 유형으로 실생활에서 접하게 되는 상황이 주로 제시된다.

40 **기초 체크** 허락&허가, 권유&제안

Can (May) I ...? 내가 ~해도 될까?	Would you mind if I ...? 제가 ~해도 될까요?
Feel ❶_____ to .... 마음 놓고 ~해도 괜찮아.	Do you mind if I ...? 제가 ~해도 될까요?
Let me .... 내가 ~할게.	I'd like to .... 나는 ~하고 싶어.

Why don't you ...? ~하는 게 어때?	**How (What) about ...?** ~하는 게 어때?
You'd ❷_____ .... ~하는 것이 좋겠어.	**Try to ....** ~하려고 노력해 봐.
Let's .... / Let's not .... ~하자. / ~하지 말자.	**Why not ...?** 왜 ~하지 않니?
What do you think about ...? ~에 관해 어떻게 생각해?	**I recommend you ....** 네가 ~하기를 권해.

답 ❶ free ❷ better

---

41 기초 체크 요청, 확신, 선호

Will(Can / Could / Would) you ...? ~해 줄래?	**Tell me if you ....** 네가 ~하면 나에게 말해줘.
Would you mind -ing ...? ~해 주시겠어요?	**I'm ❶_____ you can ....** 네가 ~할 수 있다고 확신해.
I'm not sure if I can .... 내가 ~할 수 있을지 모르겠어.	**Do you ❷_____ A or B?** A를 선호하니 B를 선호하니?

답 ❶ sure ❷ prefer

---

42 기초 체크 의무, 경고&금지

You should .... / You shouldn't .... 너는 ~해야 해. / 너는 ~하면 안 돼.	**(I think) You need to ....** 너는 ~해야 해.

42

You don't have to ....
너는 ~할 필요가 없어.

Don't ....
~하지 마.

Don't ❶_____ to ....
~하는 것을 잊지 마.

Make sure to ....
~하는 것을 명심해.

❷_____ that ....
~하는 것을 기억해.

You're not allowed to ....
너는 ~하면 안 돼.

출제유형 114 긴 담화의 주제와 세부 내용

과학 기술, 의학, 자연 과학, 환경 등 학술적인 내용을 다루는 담화가 주로 출제된다.

43 기초 체크 주제 소개&예시 열거 〈담화〉

Today, we'll learn ....
오늘 우리는 ~을 배울 것입니다.

Today, I'll talk about ....
오늘 저는 ~에 관해 말할 것입니다.

Today, I'll ❶_____ some useful ....
오늘 저는 유용한 ~을 공유할 것입니다.

Today, I'll tell you about ....
오늘 저는 여러분에게 ~에 관해 말할 것입니다.

Today, I'll introduce (you) ....
오늘 저는 (여러분에게) ~을 소개하겠습니다.

❷_____ you ever wondered ...?
~이 궁금했던 적이 있나요?

Let's talk about ... today.
오늘은 ~에 관해 이야기해 봅시다.

I want you to consider this: ....
여러분이 ~을 생각해 보았으면 합니다.

First, ... Second, ... Third / Next / Also, ... Lastly(Last) / Finally, ...
먼저, ~. 두 번째로, ~. 세 번째로/다음으로/또한, ~. 마지막으로, ~.

첨가 · 부연	also 또한	besides 게다가
	furthermore 뿐만 아니라, 또한	moreover 게다가
	in addition 덧붙여, 게다가	additionally 게다가
예시	for example (instance) 예를 들어	such as / like ~처럼 / ~와 같은
반의 · 대조	however 그러나	nevertheless 그럼에도 불구하고
	in contrast 대조적으로	on the other hand 반면에
	on the contrary / contrary to 대조적으로	otherwise 그렇지 않으면
인과 · 결론	therefore 그러므로	as a result 결과적으로
	in conclusion 결론적으로	consequently 결론적으로
요약	in short 간단히 말해서	in brief 간단히 말해서
재진술	that is to say 즉, 다시 말하면	in other words 다시 말해서

memo

memo

memo

memo